2024年6月労災診療費改定準拠

よくわかる

労災・自賠責 請求マニュアル

窓口対応・制度・請求方法の全知識

2024-25年版

武田匡弘
杉山勝志
野中義哲
金谷 渉

［共著］

医学通信社

まえがき

　労働者災害補償保険（労災保険）が労働基準法（1947年）として創設されてから，今年で77年となりました。一方，自動車賠償責任保険（自賠責保険）については，労災保険創設から8年遅れて，1955年に自動車損害賠償保障法が創設されています。

　また，医療保険制度においては，1961年に国民皆保険制度が創設され，その後1982年に老人保健法，1997年に介護保険法，さらに2006年の医療制度改革により，75歳以上の後期高齢者を対象とした医療保険制度が創設されました。

　労災保険においても，時代の変化とともに災害補償内容の充実化などが図られてきました。また，労災での死亡者数は1961年の6712人をピークに，2023年は過去最少の759人（新型コロナウイルス感染死亡者4人）となりました。しかし，休業4日以上の死傷者数は13万5371人となり，3年連続で増加しました。

　交通事故においては8年ぶりに死亡者数が増加し，2023年は対前年比68人増の2678人となり，負傷者数も対前年比8426人増（2.4％増）の36万5027人でした。交通事故死者数は8年ぶりの増加ですが，交通事故件数と負傷者数は19年ぶりの増加となってしまいました。新型コロナウイルスの5類移行に伴い，社会活動が活発化したことが背景にあると考えられています。

　このような背景のなかで医療機関は，様々なケースの患者を取り扱わなければなりません。そのため，医療機関に勤務する者が労災保険制度・自賠責保険等基本制度を理解しておく必要があります。本書では，特に窓口を担当する医事課職員の方に，労災保険制度を診療報酬制度同様に理解していただき，加えて「交通事故」による請求に対しても，自賠責保険制度の窓口対応例・請求方法などについて，現場の目線で解説をしております。さらに，知りたいことがすぐに調べられるように，巻頭に「ひと目でわかる労災保険Q&A」を設けました。本書を医事業務に携わる皆様にとって，労災保険・自賠責保険の手引書として活用していただければ幸いです。

　なお，労災保険・自賠責保険制度はともに範囲とその規定が多岐にわたるため，すべてを本書で補うことはできません。そのため不十分な箇所があることも考えられます。この点につきましては，読者の皆様からのご指導・ご鞭撻のほどよろしくお願いいたします。

　最後になりますが，労災保険制度は各都道府県により取扱い方法が異なる場合もあります。本書と相違がある場合は巻末の資料をご利用いただき，所轄の労働基準監督署にお問い合わせいただくようお願いいたします。

2024年8月

著者代表　武　田　匡　弘

参考文献
『労災保険医療費算定実務ハンドブック』労働調査会
『労災保険　第三者行為災害Q＆A』労務行政研究所
『ひと目でわかる労災保険給付の実務』三信図書
『労災保険の実務』日本法令
『二次健康診断項目と特定保健指導のガイドライン』労働調査会
『「アフターケア」制度のご案内』
　厚生労働省・都道府県労働基準局・労働基準監督署
『公費負担制度の解説と診療の手引』東京都医師会
『労災診療のしおり』東京労働保険医療協会
『公費負担医療等の手引』全国保険医団体連合会
『産業保健ハンドブック　石綿関連疾患——予防・診断・労災補償——』産業医学振興財団
『診療点数早見表』医学通信社
『医療関係質疑応答集』厚生労働省労働基準局労災補償部補償課

目　　次

第 4 章　自動車保険のしくみと請求

関連資料

ひと目でわかる労災保険＆自賠責保険

労災保険制度の概要（2024年6月現在）

　労災保険とは，正しくは「労働者災害補償保険」といい，法律（労働者災害補償保険法）で定められた保険制度です。業務上災害または通勤災害により，労働者が負傷した場合，疾病にかかった場合，障害が残った場合，死亡した場合等に，被災労働者またはその遺族に対し所定の保険給付を行う制度です。このほか，被災労働者の社会復帰促進のための社会復帰促進等事業（社会復帰促進事業，被災労働者等援護事業）（p.24）などが行われています。労働者の負傷，疾病等に対する保険制度としては健康保険がありますが，業務上災害等の場合には原則として健康保険による給付を受けることはできません。

　労災保険制度の保険者は政府であり，労働者を1人でも使用する事業（個人経営の農業，水産業で労働者数5人未満の場合，個人経営の林業で労働者を常時には使用しない場合等を除く）は，適用事業として労働者災害補償保険法の適用を受けることになります。適用事業場に使用されている労働者であれば誰でも，業務上災害または通勤災害により負傷等をした場合は保険給付を受けることができます。この労働者には，正社員のほか，パート，アルバイト等，使用されて賃金を支給される人すべてが含まれます。

　労働者災害補償保険法で受けられる保険給付の流れは以下のとおりですが，本書のなかで主に扱うのは療養（補償）給付です。この診療費の請求は，一部の労災保険独自の規定を除き，健康保険の取扱いに準拠しますが，1点単価は健康保険（10円）と異なり，12円（非課税医療機関は11円50銭）となります。

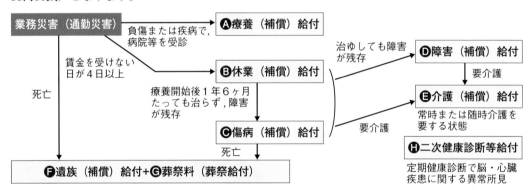

【給付の概要】

❷休業補償給付・休業給付	休業4日目から休業1日につき給付基礎日額の60%
❸傷病補償年金・傷病年金	療養開始後1年6カ月経過しても治らずに傷病が重い場合：給付基礎日額の313日分（1級）〜245日分（3級）の年金
❹障害補償年金・障害年金	給付基礎日額の313日分（1級）〜131日分（7級）の年金
❹障害補償一時金・障害一時金	給付基礎日額の503日分（8級）〜56日分（14級）の一時金
❺介護補償給付・介護給付	1カ月当たり，常時介護は177,950円，随時介護は88,980円を上限

Ｆ遺族補償年金・遺族年金〔遺族数に応じ給付基礎日額の153日分〜245日分の年金

Ｆ遺族補償一時金・遺族一時金〔遺族補償年金受給資格者がいない場合：その他の遺族に対し給付基礎日額の1000日分の一時金

Ｇ葬祭料・葬祭給付〔315,000円＋給付基礎日額の30日分（最低保障額は給付基礎日額の60日分）

（注）各給付のうち，前者は業務災害時，後者は通勤災害時の名称である。業務災害の場合は，「補償」という用語が入る。

Ａ療養補償給付・療養給付（療養費の全額）

　労働者が業務上負傷し，または疾病にかかって療養を必要とする場合に療養補償給付が，通勤災害により負傷し，または疾病にかかって療養を必要とする場合には療養給付が行われる。また，労災病院や労災指定病院（指定病院等）で療養した場合は療養の給付（現物給付）が，それ以外の病院，診療所等で療養した場合は療養の費用の支給（償還払い）が行われる。

　診療費は，健康保険の取扱いに準拠するが，一部労災保険独自の規定がある（p.4）。診療単価は，健康保険の1点10円に対し，1点12円または11.5円である（p.77）。

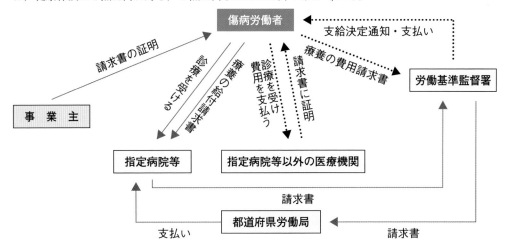

Ｈ二次健康診断等給付（二次健康診断および医師等による特定保健指導）

一次健康診断（労働安全衛生法第66条）により，①血圧検査，②血中脂質検査，③血糖検査，④腹囲の検査またはBMI（肥満度）の測定——のすべてにおいて「異常所見」

①脳・心臓疾患の症状がない人
②特別加入者（p.58）でない人〕二次健康診断・特定保健指導（p.40）の対象

労災保険の独自点数一覧

　労災保険の請求は基本的に健康保険の診療報酬点数に準じて行いますが，独自に設けられた点数および金額があります。そこで，まずは健保点数と異なるものだけを以下にまとめます。

労災電子化加算　電子情報処理組織の使用による労災診療費請求または光ディスク等を用いて労災診療費の請求を行った場合に，診療費請求内訳書1件につき算定できる。(2026年3月診療分までの予定)	**5点**
療養の給付請求書取扱料（様式第5号または第16号の3）	**2,000円**
初診料	**3,850円**
健保点数表（医科）初診料の「注5」ただし書き（同一日複数科受診）に該当する場合	**1,930円**
紹介状なしで受診した場合の定額負担料（健康保険における選定療養費）を傷病労働者から徴収した場合	**1,850円**
救急医療管理加算　　　　　　　　　入院（初診に引き続き7日間を限度） 　　　　　　　　　　　　　　　入院外（同一傷病につき初診時1回限り）	**6,900円** **1,250円**
再診料	**1,420円**
健保点数表（医科）再診料「注3」（同一日複数科受診）に該当する場合	**710円**
歯科口腔外科の再診について，他の病院（病床数200床未満に限る）または診療所に対して，文書による紹介を行う旨の申出を行ったにもかかわらず，当該医療機関を受診した場合の定額負担料（健康保険における選定療養費）を傷病労働者から徴収した場合	**1,020円**
再診時療養指導管理料　外来患者に再診の際，療養上の食事，日常生活動作，機能回復訓練とメンタルヘルスに関する指導を行った場合に算定できる。	**920円**
職場復帰支援・療養指導料 　①精神疾患を主たる傷病とする場合（月1回，原則として4回を限度） 　　　　　　　　　　初回**900点**／2回目**560点**／3回目**450点**／4回目**330点** 　②その他の疾患の場合（月1回，原則として4回を限度） 　　　　　　　　　　初回**680点**／2回目**420点**／3回目**330点**／4回目**250点**	
社会復帰支援指導料（1回限り）3カ月以上の療養を行う傷病労働者が対象	**130点**
石綿疾患療養管理料　石綿関連疾患について療養上の管理を行った場合，月2回に限り算定できる。	**225点**
石綿疾患労災請求指導料　石綿関連疾患の診断を行ったうえで問診を行い，業務による石綿ばく露が疑われる場合に労災請求の勧奨を行い，現に労災請求に至り，当該個別事案が業務上と認定された場合に1回に限り算定できる。	**450点**
リハビリテーション情報提供加算　医師または医師の指揮管理のもと理学療法士もしくは作業療法士が作成した労災リハビリテーション実施計画書を転院の際に添付した場合に算定できる。	**200点**
入院基本料 　入院の日から起算して2週間以内の期間（入院期間に応じた加算は含まない）　　健保点数の**1.30倍** 　上記以降の期間　　　　　　　　　　　　　　　　　　　　　　　　　　　　健保点数の**1.01倍**	
入院室料加算　医療機関が当該病室に係る料金として表示している金額を算定することができる。ただし，当該表示料金が次に示す額を超える場合には次に示す金額とする。 　1日につき　　　　　　　　個　　室　甲地**11,000円**，乙地**9,900円**を限度 　　　　　　　　　　　　　2人部屋　甲地 **5,500円**，乙地**4,950円**を限度 　　　　　　　　　　　　　3人部屋　甲地 **5,500円**，乙地**4,950円**を限度 　　　　　　　　　　　　　4人部屋　甲地 **4,400円**，乙地**3,960円**を限度	
入院時食事療養費（健康保険の1.2倍） 　1　入院時食事療養（Ⅰ）（1食につき）(1)　(2)以外の食事療養を行う場合　　**800円** 　　　　　　　　　　　　　　　　　(2)　流動食のみを提供する場合　　　**730円** 　　　　　特別食加算（1食につき）　　　　　　　　　　　　　　　　　**90円** 　　　　　食堂加算（1日につき）　　　　　　　　　　　　　　　　　　**60円** 　2　入院時食事療養（Ⅱ）（1食につき）(1)　(2)以外の食事療養を行う場合　　**640円** 　　　　　　　　　　　　　　　　　(2)　流動食のみを提供する場合　　　**590円**	
病衣貸与料（1日につき）	**10点**
四肢（鎖骨，肩甲骨，股関節を含む）の傷病に係る処置・手術・リハビリテーションの加算	

＜処置＞

項目		健保点数	四肢1.5倍 （端数切上げ）	手・手指２倍☆ 手・手指1.5倍★
創傷処置 （J000）	100㎠未満	52	78	104☆
	100㎠以上500㎠未満	60	90	120☆
	500㎠以上3,000㎠未満	90	135	180☆
	3,000㎠以上6,000㎠未満	160	240	320☆
	6,000㎠以上	275	413	550☆
下肢創傷処置 （J000-2）	足部（踵を除く）の浅い潰瘍	135	203	
	足趾の深い潰瘍又は踵の浅い潰瘍	147	221	
	足部（踵を除く）の深い潰瘍又は踵の深い潰瘍	270	405	
熱傷処置 （J001）	100㎠未満	135	203	270☆
	100㎠以上500㎠未満	147	221	294☆
	500㎠以上3,000㎠未満	337	506	674☆
	3,000㎠以上6,000㎠未満	630	945	1,260☆
	6,000㎠以上	1,875	2,813	3,750☆
絆創膏固定術 （J001-2）		500	750	750★
重度褥瘡処置 （1日につき） （J001-4）	100㎠未満	90	135	180☆
	100㎠以上500㎠未満	98	147	196☆
	500㎠以上3,000㎠未満	150	225	300☆
	3,000㎠以上6,000㎠未満	280	420	560☆
	6,000㎠以上	500	750	1,000☆
爪甲除去(麻酔を用いしないもの) （J001-7）		70	105	140☆
穿刺排膿後薬液注入（J001-8）		45	68	90☆
ドレーン法 （1日につき） （J002）	持続的吸引を行うもの	50	75	100☆
	その他のもの	25	38	50☆
皮膚科軟膏処置 （J053） (100㎠未満は，基本診療料に含まれる)	100㎠以上500㎠未満	55	83	110☆
	500㎠以上3,000㎠未満	85	128	170☆
	3,000㎠以上6,000㎠未満	155	233	310☆
	6,000㎠以上	270	405	540☆
皮膚科光線療法 （1日につき） （J054）	赤外線又は紫外線療法（外来患者のみ）	45	68	68★
	長波紫外線又は中波紫外線療法	150	225	225★
	中波紫外線療法	340	510	510★
関節穿刺 （片側）（J116）		120	180	240☆
粘（滑）液嚢穿刺注入（片側） （J116-2）		100	150	200☆
ガングリオン穿刺術（J116-3）・ガングリオン圧砕法 （J116-4）		80	120	160☆
鋼線等による直達牽引（2日目以降）（1局所を1日につき）（J117）		62	93	93★
介達牽引（J118）・矯正固定（J118-2）・変形機械矯正術（J118-3）・低出力レーザー照射（J119-3）（1日につき）		35	53	53★
消炎鎮痛等処置 （1日につき） （J119）	マッサージ等の手技による療法	35	53	53★
	器具等による療法	35	53	53★
	湿布処置（診療所・外来のみ）	35	53	70☆

消炎鎮痛等処置（「マッサージ等の手技による療法」および「器具等による療法」）・介達牽引などの併施
　　　　　　　　　　　　　　　　　　　　　　　　　1日につき3部位もしくは3局所を限度

初診時ブラッシング料（初診時1回に限り）　創面が異物の混入，付着等により汚染している創傷の治療の際，生理食塩水，蒸留水等を使用して創面のブラッシングを行った場合に算定できる。　　　　　　　　　　　　　　　　　　　　　　　　　**91点**

固定用伸縮性包帯
　医療機関が実際に購入した価格を10円で除して得た点数で算定する。

皮膚瘻等に係る滅菌ガーゼ　通院療養中の傷病労働者に，皮膚瘻等に係る自宅療養用の滅菌ガーゼ（絆創膏を含む）を支給した場合に実費相当額（購入価格を10円で除して得た点数）を算定できる。

頸椎固定用シーネ，鎖骨固定帯および膝・足関節の創部固定帯　医師の診察の結果，頸椎固定用シーネ，鎖骨固定帯および膝・足関節の創部固定帯の使用が必要と判断された場合に，実費相当額（購入価格）を10円で除した点数で算定する。また，170点を超える腰部，胸部または頸部固定帯を使用した場合は，実費相当額（購入価格）を10円で除した点数で算定する。

＜手術＞

項　目			健保点数	四肢1.5倍	手・手指2倍
創傷処理 （K000）	筋肉・臓器に達するもの	1　長径5cm未満	1,400	2,100	2,800
		2　長径5cm以上10cm未満	1,880	2,820	3,760
		3　長径10cm以上 　イ　長径20cm以上（頭頸部） 　ロ　その他のもの	 9,630 3,090	 —— 4,635	 —— 6,180
	筋肉・臓器に達しないもの	4　長径5cm未満	530	795	1,060
		5　長径5cm以上10cm未満	950	1,425	1,900
		6　長径10cm以上	1,480	2,220	2,960

項　目			健保点数	四肢1.5倍	手・手指2倍
皮膚切開術 （K001）	1	長径10cm未満	640	960	1,280
	2	長径10cm以上20cm未満	1,110	1,665	2,220
	3	長径20cm以上	2,270	3,405	4,540
デブリードマン （K002）	1	100cm²未満	1,620	2,430	3,240
	2	100cm²以上3,000cm²未満	4,820	7,230	9,640
	3	3,000cm²以上	11,230	16,845	22,460

筋骨格系・四肢・体幹の手術（K023～K144）	四肢：健保点数×1.5	手・手指：健保点数×2.0
神経系・頭蓋の手術のうち，神経の手術 （K182-3，K188，K193～K198）	四肢：健保点数×1.5	手・手指：健保点数×2.0
心・脈管の手術のうち，血管の手術（K606～K623-2）	四肢：健保点数×1.5	手・手指：健保点数×2.0

手の指に係る手術の特例　上記にかかわらず，手の指における創傷処置，手の指における骨折非観血的整復術は以下のとおり算定する。手の指については第1指から第5指まで（中手部・中手骨は含まない）を，それぞれ別の手術野として取り扱う。

	手の指	
	K000創傷処理「4」筋肉・臓器に達しないもの（長径5cm未満）	K044骨折非観血的整復術「3」鎖骨，膝蓋骨，手，足その他
1本	1,060	2,880
2本	1,590	4,320
3本	2,120	5,760
4本	2,650	7,200
5本	2,650	7,200

手指の創傷に係る機能回復指導加算（1回限り）　手（手関節以下）および手の指の「皮膚切開術」「創傷処理」「デブリードマン」および「筋骨格系・四肢・体幹」の手術を行った際に加算する。　　　　190点

術中透視装置使用加算　①大腿骨，下腿骨，上腕骨，前腕骨，手根骨，中手骨，手の種子骨，指骨，足根骨，膝蓋骨，足趾骨，中足骨および鎖骨の骨折観血的手術，骨折経皮的鋼線刺入固定術，骨折非観血的整復術，関節脱臼非観血的整復術または関節内骨折観血的手術において，術中透視装置を使用した場合，②脊椎の経皮的椎体形成術または脊椎固定術，椎弓切除術，椎弓形成術において術中透視装置を使用した場合，③骨盤の骨盤骨折非観血的整復術，腸骨翼骨折観血的手術，寛骨臼骨折観血的手術または骨盤骨折観血的手術（腸骨翼骨折観血的手術および寛骨臼骨折観血的手術を除く）において，術中透視装置を使用した場合に算定できる。　　　　220点

＜リハビリテーション＞

項　目	労災点数	四肢加算1.5倍	ADL加算算定可否
心大血管疾患リハビリテーション料			
（Ⅰ）イ　理学療法士による場合，ロ　作業療法士による場合，ハ　医師による場合，ニ　看護師による場合，ホ　集団療法による場合	250	375	○
（Ⅱ）イ　理学療法士による場合，ロ　作業療法士による場合，ハ　医師による場合，ニ　看護師による場合，ホ　集団療法による場合	125	188	×

脳血管疾患等リハビリテーション料			
（Ⅰ）イ　理学療法士による場合，ロ　作業療法士による場合，ハ　言語聴覚士による場合，ニ　医師による場合	250	375	○
（Ⅱ）イ　理学療法士による場合，ロ　作業療法士による場合，ハ　言語聴覚士による場合，ニ　医師による場合	200	300	×
（Ⅲ）イ　理学療法士による場合，ロ　作業療法士による場合，ハ　言語聴覚士による場合，ニ　医師による場合，ホ　イからニまで以外の場合	100	150	×
廃用症候群リハビリテーション料			
（Ⅰ）イ　理学療法士による場合，ロ　作業療法士による場合，ハ　言語聴覚士による場合，ニ　医師による場合	250	375	○
（Ⅱ）イ　理学療法士による場合，ロ　作業療法士による場合，ハ　言語聴覚士による場合，ニ　医師による場合	200	300	×
（Ⅲ）イ　理学療法士による場合，ロ　作業療法士による場合，ハ　言語聴覚士による場合，ニ　医師による場合，ホ　イからニまで以外の場合	100	150	×
運動器リハビリテーション料			
（Ⅰ）イ　理学療法士による場合，ロ　作業療法士による場合，ハ　医師による場合	190	285	○
（Ⅱ）イ　理学療法士による場合，ロ　作業療法士による場合，ハ　医師による場合	180	270	○（院外は×）
（Ⅲ）イ　理学療法士による場合，ロ　作業療法士による場合，ハ　医師による場合，ニ　イからハまで以外の場合	85	128	×
呼吸器リハビリテーション料			
（Ⅰ）イ　理学療法士による場合，ロ　作業療法士による場合，ハ　言語聴覚士による場合，ニ　医師による場合	180	270	○
（Ⅱ）イ　理学療法士による場合，ロ　作業療法士による場合，ハ　言語聴覚士による場合，ニ　医師による場合	85	128	×

職業復帰訪問指導料

精神疾患を主たる傷病とする場合　　　　　　　　　　　　　　1日につき**770点**
その他の疾患の場合　　　　　　　　　　　　　　　　　　　　1日につき**580点**
医師等のうち異なる職種の者2人以上が共同して，または医師等がソーシャルワーカー
　（社会福祉士または精神保健福祉士に限る）と一緒に訪問指導を行った場合　　**380点**
　（入院中の者に対し）復職のための作業訓練または通勤のための移動手段の獲得訓練を
行った場合　　　　　　　　　　　　　　　　　　　　　　　　1日につき**400点**

精神科職場復帰支援加算　精神科を受診中の者に，職場復帰支援のプログラムを含めた精
　神科療法を実施すると週に1回算定できる。　　　　　　　　　　　　　　　　**200点**

＜検査＞

振動障害検査項目	点　　数	
握力（最大握力・瞬発握力），維持握力（5回法）を併せて行う検査	片手・両手にかかわらず	60点
維持握力（60％法）検査	片手・両手にかかわらず	60点
つまみ力検査	片手・両手にかかわらず	60点
タッピング検査	片手・両手にかかわらず	60点
常温下での手指の皮膚温検査	1指につき	7点
冷却負荷による手指の皮膚温検査	1指1回につき	7点
常温下での爪圧迫検査	1指につき	7点
冷却負荷による爪圧迫検査	1指1回につき	7点
常温下での手指の痛覚検査	1指につき	9点
冷却負荷による手指の痛覚検査	1指1回につき	9点
指先の振動覚（常温下での両手）検査	1指につき	40点
指先の振動覚（冷却負荷での両手）検査	1指1回につき	40点
手背等の温覚検査・手背等の冷覚検査	1手につき	9点

コンピューター断層撮影料　健保点数で算定する。ただし，コンピューター断層撮影および磁気共鳴コ
　ンピューター断層撮影が同一月に2回以上行われた場合，当該月の2回目以降の撮影費用は，健保の
　取扱いにかかわらず，それぞれの所定点数を算定する。

コンピューター断層診断の特例　他医撮影画像を再診時に診断した場合　　　　　　　**225点**

休業等証明料

休業（補償）給付支給請求書の休業に関する診療担当者の証明（様式第8号，様式第16
　号の6）　　　　　　　　　　　　　　　　　　　　　　　　　　　　　　**2,000円**
看護の給付に関する診療担当者の証明書（看護費用の額の証明書）　　　　　　　**1,000円**

診断書料

1　傷病（補償）年金決定のための「傷病の状態等に関する届」に添付する診断書　**4,000円**
2　傷病（補償）年金の定期報告書に添付する診断書　　　　　　　　　　　　　**4,000円**
3　1年6カ月以上経過後の休業（補償）給付決定のための「傷病の状態等に関する届」
　に添付する診断書　　　　　　　　　　　　　　　　　　　　　　　　　　**4,000円**
4　障害（補償）給付支給請求書に添付する診断書（様式第10号，様式第16号の7）**4,000円**
5　障害（補償）給付変更請求書に添付する診断書（様式第11号）　　　　　　　**4,000円**
6　遺族（補償）年金の受給に伴って提出する診断書（年金通知様式第7号）　　　**4,000円**
7　介護（補償）給付支給請求書に添付する診断書〔障害（補償）年金受給者は療養の費
　用請求書〕　　　　　　　　　　　　　　　　　　　　　　　　　　　　　**4,000円**
8　はり・きゅう，マッサージ等の施術に関する診断書　　　　　　　　　　　　**3,000円**
　・8に「施術効果の評価表」等を添付した場合　　　　　　　　　　　　　　**4,000円**

労災保険の流れ
～療養の給付・療養の費用の支給を中心に～

現金給付（＝療養の費用の支給）が特徴。
労災労働者は治療に要する費用を窓口で立て替え払いし，後ほど同額を受けとる

非労災指定医療機関 (p.27)

・受付で労災かどうか確認
・労災と判明した場合，非指定の医療機関であることを説明したうえで治療費の立て替え払いを請求。被災労働者は，治療を受けたらそのつど，全額を窓口で支払う（領収書は後ほど立て替え分の請求の際に不可欠。必ず保管）。
・労災加入事業所が発行した様式7号(1)or 16号の5(1)を被災労働者からいったん預かり，1月ごとに診療内容を証明して本人に渡す

《**労災保険の対象となる予防給付・二次健康診断等給付制度**》

健康給付医療機関等

・一次健診を行った際，全要件項目に異常所見がある労働者に医師が二次健診を行う（ただし，二次健診は二次健康診断等給付医療機関に限り実施可能。一次健診実施医療機関が非該当の場合は，別の該当医療機関で行う）。
・二次健診の結果，肥満・高血圧などが脳・心臓疾患の発症予防のため医師から指導を受ける〔＝**特定保健指導**（p.40）〕

様式16号の10の2
＋一次健診の結果
Ⓐ

Ⓐ＋労働者災害補償保険二次健康診断等費用請求書＋レセプト　　支払

労働局

労働者

・一次健診を受けた際，血圧など定められた4項目（p.40）すべてに異常所見があった場合，二次健診の対象となる。
・二次健診を受けた場合，検査等の費用負担はないが，二次健康診断等給付請求書（様式16号の10の2）を提出。
・二次健診で異常所見が明らかになった場合，特定保健指導が行われる（脳・心臓疾患の症状を有していると診断された場合には実施されない）。

事業所

・労働者の健診の実施
・二次健診を受ける必要のある労働者に様式16号の10の2を交付。

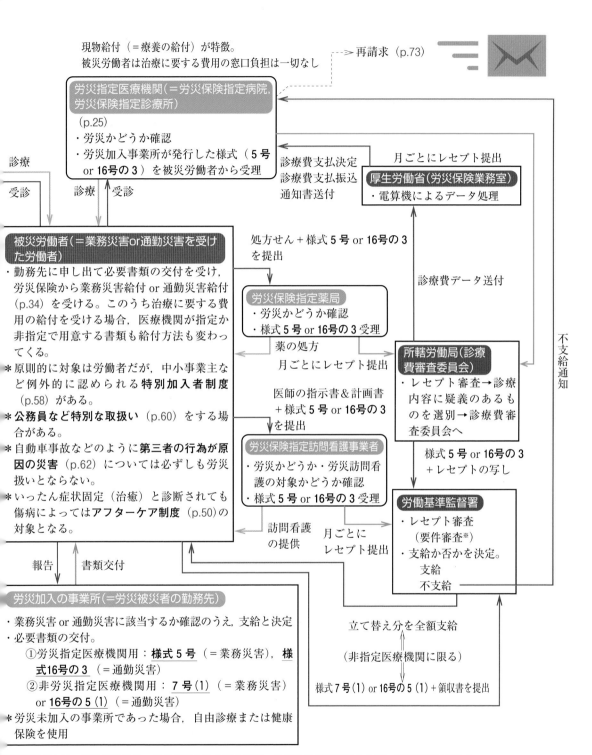

現物給付（＝療養の給付）が特徴。
被災労働者は治療に要する費用の窓口負担は一切なし
‑‑＞再請求（p.73）

労災指定医療機関（＝労災保険指定病院，労災保険指定診療所）
（p.25）
・労災かどうか確認
・労災加入事業所が発行した様式（5号 or 16号の3）を被災労働者から受理

診療費支払決定
診療費支払振込
通知書送付

月ごとにレセプト提出

厚生労働省（労災保険業務室）
・電算機によるデータ処理

診療
受診
診療　受診

被災労働者（＝業務災害or通勤災害を受けた労働者）
・勤務先に申し出て必要書類の交付を受け，労災保険から業務災害給付 or 通勤災害給付（p.34）を受ける。このうち治療に要する費用の給付を受ける場合，医療機関が指定か非指定で用意する書類も給付方法も変わってくる。
＊原則的に対象は労働者だが，中小事業主など例外的に認められる**特別加入者制度**（p.58）がある。
＊**公務員など特別な取扱い**（p.60）をする場合がある。
＊自動車事故などのように**第三者の行為が原因の災害**（p.62）については必ずしも労災扱いとならない。
＊いったん症状固定（治癒）と診断されても傷病によっては**アフターケア制度**（p.50)の対象となる。

処方せん＋様式**5号** or **16号の3**を提出

労災保険指定薬局
・労災かどうか確認
・様式**5号** or **16号の3**受理

薬の処方
月ごとにレセプト提出

診療費データ送付

所轄労働局（診療費審査委員会）
・レセプト審査→診療内容に疑義のあるものを選別→診療費審査委員会へ

医師の指示書＆計画書＋様式**5号** or **16号の3**を提出

労災保険指定訪問看護事業者
・労災かどうか・労災訪問看護の対象かどうか確認
・様式**5号** or **16号の3**受理

訪問看護の提供

月ごとにレセプト提出

様式**5号** or **16号の3**＋レセプトの写し

不支給通知

労働基準監督署
・レセプト審査（要件審査＊）
・支給か否かを決定。
　　支給
　　不支給

報告　書類交付

労災加入の事業所（＝労災被災者の勤務先）
・業務災害 or 通勤災害に該当するか確認のうえ，支給と決定
・必要書類の交付。
　①労災指定医療機関用：**様式5号**（＝業務災害），**様式16号の3**（＝通勤災害）
　②非労災指定医療機関用：**7号(1)**（＝業務災害）or **16号の5(1)**（＝通勤災害）
＊労災未加入の事業所であった場合，自由診療または健康保険を使用

立て替え分を全額支給
（非指定医療機関に限る）

様式**7号(1)** or **16号の5(1)**＋領収書を提出

＊要件審査とは，労働保険番号，労災保険の加入等の調査，受給資格の確認等および，当該傷病に関わる業務上・外の調査のこと。

労災保険 Q&A

1. 労災保険制度

Q1　当院には**派遣職員**がいますが，先日，そのうちの１人が業務中に院内の階段から足を踏み外し転倒してしまいました。この場合は，労災扱いとなるのでしょうか。また，労災とすれば勤務先である当院の労災保険を使用するのでしょうか。

A　業務中であるので，労災保険の扱いとなります（→ p.31）。この場合，雇用契約を結んでいるのは人材派遣会社のため，労災などの手続きは派遣会社が行うことになります。

Q2　スーパーでパートをしています。仕事中にけが等をした場合，**パート**でも労災保険給付を受け取ることができるのでしょうか。また，正社員と違いはあるのでしょうか。

A　パート，アルバイトの方も，労災保険給付を受けることができます。また，給付内容は正社員の方と同様です。労災保険はパート，アルバイト等の就業形態にかかわらず，労働基準法上の労働者が対象となるため，事業主との間に雇用関係があり，給与を得ていれば，業務または通勤により負傷した場合などは，社員と同様に労災保険給付を受けることができます。

Q3　小さな町工場で働いています。業務中にけがをしましたが，事業主は個人経営で，労災保険の加入手続を行っていませんでした。**労災未加入**でも，労災保険給付を受け取ることはできるのでしょうか。

A　事業主が労災保険の加入手続を行っていない場合でも，労働者が業務上または通勤によりけがをした場合には，労災保険給付を受けることができます。詳しくは最寄りの労働基準監督署にご相談ください。

Q4　業務中にけがをしましたが，会社がそのけがを労災として認めてくれません。このような場合でも労災保険の給付は受けられるのでしょうか。

A　給付は受けられます。労働者が業務または通勤途上中にけがをした場合，本来，会社側が手続きを行うべきですが，**労働者本人が労働基準監督署に労災保険給付の請求を行う**ことができます。その請求内容を労働基準監督署長が確認をして，支給・不支給の決定を行います。したがって，労災が認められるのかは，会社側が決めるわけではありません。業務とけがとの間に相当因果関係があると判断されれば，労災保険給付が行われます。

Q5　労災で通院し，**症状固定**となっていた傷病労働者が，再度，同じ疾病で来院されました。この場合には労災扱いとすることができるのでしょうか。

A　医師が旧傷病との間に医学的な因果関係があると認め，かつ症状固定時より状態が悪化していて，治療を行うことで効果が得られると判断した場合には，再度労災として扱うことが

できますが，このようなケースは最寄りの労働基準監督署に相談したほうがよいでしょう。

Q6　当院ではマイカー通勤を禁止しています。先日，職員が自家用車で**通勤途中**にけがをしました。この場合，マイカー通勤を禁止しているため労災扱いにはできないのですか。

A　通勤する経路が一般的に通常用いられる交通方法（合理的な方法）である場合は，たとえ社内規程でマイカー通勤が禁止されていても，その秩序違反は社内の問題であるため，労災保険給付には何ら影響はありません。ただし，運転者が酒気帯び・無免許等の状態での運転は合理的な方法とは認められません。また，免許更新忘れによる無免許運転などは，合理性に欠けるものとはされないまでも，保険給付の制限が行われることがあります（→p.42）。

Q7　業務中，医療従事者の皮膚・創傷等から MRSA が侵入した場合は，労災として扱うことができますか。

A　業務起因性であることが明白な場合は，業務災害として認められます（→p.31）。

Q8　労災保険には**アフターケア制度**があると聞きましたが，どのような制度ですか。

A　簡単に言うと，すでに症状固定となった患者が，治療後も定期的にチェックを受けるための制度です。この場合には必ず窓口でアフターケア手帳を確認してください（→p.50）。

Q9　**調剤薬局**にも「アフターケア制度」の適用があると聞きましたが，どのような手続きをするのでしょうか。

A　最寄りの労働局から「アフターケア委託費請求書」を取り寄せて請求することになります。アフターケア独自の請求方法となりますので注意してください（→p.57）。

Q10　**特別加入制度**には，海外出張者・海外派遣者ともに加入することができますか。

A　海外出張者は単に労働の場が海外にあるだけで，所属は国内の事業所であるため，特別な手続きは必要ありません（特別加入をする必要はない）。一方，海外派遣者は海外の事業所の所属となるため，特別加入をしていない場合は保険給付が受けられません。

	海外出張者の例	海外派遣者の例
業務内容	・技術・仕様等の打ち合わせ ・市場調査・会議・視察・商談等 ・アフターサービス ・現地での突発的なトラブル ・技術習得等のために海外に赴く場合	・海外関連会社へ出向する場合 ・海外支店・営業所等へ転勤する場合 ・海外で行う建設工事（有期事業）に従事する場合 　（統括責任者・工事監督者・一般作業員等として 　の派遣者）

Q11　社会復帰促進等事業の「**外科後処置**」を具体的に教えてください。

A　労災保険の療養（補償）給付は，業務災害または通勤災害による傷病が治癒した場合は給付対象外になります。傷病が治癒しても，義肢を装着するために失った手足の断端部の再手術や，顔面に残った醜状を軽減するための手術を行う場合がありますが，診療等は治癒後であるため，療養（補償）給付の対象外となります。

　このような場合，被災労働者の労働能力の回復および生活条件の向上など，社会復帰をさせるために，被災労働者に対し，労災保険の療養（補償）給付とは別に，治癒後に無料で診療を行う「外科後処置」があります。要件・範囲は以下のとおりです。

①　労災保険の障害（補償）給付の支給決定を受けた者のうち外科後処置により，失った労働能力を回復できる見込みのある者，あるいは醜状を軽減し得る見込みのある者に限られ

る。ただし，労災保険法で定められている支給制限を受け，現実には障害（補償）給付を受けなかった場合にも，障害等級に該当する障害を残すものであれば，障害（補償）給付を受けたものとみなされ，外科後処置を受けることができる。
②　外科後処置の範囲は，原則として，整形外科診療，外科的診療および理学療法とされており，その処置に必要な医療の給付は，外科後処置の効果が期待できる限り，回数に制限なく受けることができる。

Q12　同日に同じ人が，**通勤災害と業務災害**により負傷した場合の労災取扱いはどのようになりますか。

A　傷病の原因がそれぞれ別になるので，2つの災害として扱います。したがって，労災書式も2枚必要になります（→ p.33）。

2.　様式・レセプト記載要領

Q13　労災指定医療機関ですが，傷病労働者が窓口に5号様式または16号の3を持参した場合，**取扱い手数料**として請求できますか。

A　この場合，手数料として2,000円を診療費と一緒に請求できます。また請求する場合，診療費請求内訳書の「80　その他」の欄に療養の給付請求書取扱料と記載します。

Q14　医事課職員として最低限知っておくべき**労災保険の様式**を教えてください。

A　労災様式は現在，全部で40種類以上もあります。そのなかでもとくに医事課に関係する様式の番号と内容を以下に示します（→ p.49）。

給付内容		様式番号	様　式　内　容
療　養	業務	5号	労災指定医療機関に受診する場合
	業務	6号	転医する場合
	業務	7号(1)	非労災指定医療機関に受診する場合
	通勤	16号の3	労災指定医療機関に受診する場合
	通勤	16号の4	転医する場合
	通勤	16号の5(1)	非労災指定医療機関に受診する場合
休　業	業務	8号	傷病のため仕事を4日以上休んだ場合
	通勤	16号の6	
障　害	業務	10号	治療後，後遺症等により障害等級表に規定する身体障害が残った場合
傷　病	業務 通勤	16号の2	療養開始後，1年6カ月を経過しても治癒せず傷病等級に該当する場合

Q15　業務災害で治療中の傷病労働者が，帰郷のため他の医療機関に**転医**することになりました。この場合，傷病労働者は，転医先にも5号様式を出すことになるのでしょうか。

A　転医先には5号様式ではなく，6号様式〔療養補償給付たる療養の給付を受ける指定病院等（変更）届〕を提出することになります（→ p.49）。

Q16　**Q15**と同じケースで，通勤災害の場合の様式はどうなりますか。

A　通勤災害の場合は，様式16号の4を提出することになります（→ p.49）。
　いずれの場合も，患者さんが転医する時は，転医先で必要な書類を事前に教えておいてあ

げましょう。また，指定病院等の（変更）届の提出を受けた場合，医療機関は1回目の請求時に，診療費請求書（同内訳書）に添付して所轄の労働基準監督署に提出します（→p.46）。

Q 17 通院中の傷病労働者が**休業（補償）給付請求書**を持参し，医師が証明した場合，書類代金は窓口徴収になるのですか。

A 休業補償を含めた診断書などの関係書類は，傷病労働者からの代金徴収はせず，診療費請求内訳書を使って請求します（→p.46）。ただし，一部の書類は療養費扱いになります。

Q 18 Q17の診断書などの書類代は，**診療費請求内訳書**のどの場所に記載すればよいですか。

A 診療費請求内訳書の「80　その他」欄に，診断書の代金などを記載します。

また，入院室料加算や職場復帰支援・療養指導料などについても，「80　その他」欄に記入することになっています（→p.72）。

Q 19 「**内訳書**」に初診料など「円」で記載するものと「点」で記載するものとありますが，区別がよくわかりません。どのように判断すればよいのでしょうか。

A 労災診療費には，労災独自で金額，点数を定めているものと，医科点数表に準じて算定する項目とがあります。このうち，労災独自で金額により料金を定めているもの（初診料，救急医療管理加算，再診料，再診時療養指導管理料等）については，内訳書の右側の金額欄へ記載することになります（→p.71）。

Q 20 労災5号用紙（16号の3）を持参しない患者が，様式8号・16号の6を持参して**休業補償の証明**依頼をしてきました。証明書は白紙でしたが，この場合に医療機関は証明書発行の義務があるのでしょうか。

A 傷病労働者と事業所間で労災申請のトラブルがあるケースもありますので，事業所・管轄の労働基準監督署に必ず確認をしてください。事業所（会社）の証明が得られないため，傷病労働者が直接労働基準監督署より書類を受け取って白紙の証明書を持参するケースもあります。また，本人以外の方が持参した場合などは，本人の委任状が添付されているかなども確認するようにしてください。

Q 21 労災レセプトの上部に**請求回数**を記入する欄がありますが，同一月に複数枚の明細書を提出する際，レセプト1枚につき1回，2回とカウントしてもよいのでしょうか。

A レセプトの請求回数は，審査する側に治療経過（回数）を示すために記入します。同一月に入院や外来，また複数科のレセプトが生じた場合，たとえば1－1や1－2といったようにハイフンを使って記載してください。1(1)，1(2)でも結構です。

Q 22 レセプトの「**傷病の経過**」欄は医師が記載しなければならないのでしょうか。また，空白で提出したレセプトは返戻されるのでしょうか。

A 原則として医師が記載するとのことですが，電算出力の場合，コメントを登録して提出している医療機関も多くみられます。医療保険の症状詳記と同様に，治療の概略や経過など

を記載すると，審査サイドの理解が深まります。

3．非指定医療機関

Q23 当院は労災保険の非指定医療機関ですが，救急で傷病労働者が受診した場合，窓口で対応するときのポイントを教えてください。

A ①自院が労災非指定医療機関で，治療費は窓口精算になること，②後日，労災様式（業務中の場合は「様式7号(1)」，通勤災害の場合は「様式16号の5(1)」）を持参してもらうこと，③療養費の支給申請を行えば治療費は戻ってくること——を説明してください（→p.25）。

Q24 非指定医療機関の場合，労災診療費の算定はどのようになりますか。**非指定独自の算定基準**などはあるのでしょうか。

A 労災の場合は指定・非指定医療機関にかかわらず，すべて労災保険点数で算定することになっています。したがって，非指定医療機関の場合であっても1点12円（非課税11円50銭）で計算します。また，労災独自の点数・加算についても同様の扱いとなります（→p.77）。

Q25 **非指定医療機関の請求方法**について教えてください。

A 療養に係る費用は，医療機関がまず窓口で患者さんから全額を徴収します。その後患者さんは，医師の証明を受けた「療養補償請求書」で，払い戻しを受けます（→p.27）。

4．請　　求

Q26 労災指定医療機関ですが，労災診療費は健康保険同様に1点10円の請求でしょうか。

A 労災保険の場合は**1点12円**で請求します。ただし，国・公立等の医療機関は1点11円50銭の請求になります（→p.77）。

Q27 労災特例点数に**コンピューター断層撮影**がありますが，具体的に教えてください。

A 健保点数と同様の点数を算定します。ただし，同一月に2回以上撮影した場合は，2回目以降についても1回目と同様の点数を算定することができます（→p.92）。

Q28 **職場復帰支援・療養指導料**は，どのような場合に算定できるのですか。

A 傷病労働者の通院療養が2カ月以上経過し，医師が就労可能と認め「指導管理箋」を傷病労働者に交付した場合などに，算定することができます。ただし，いくつかの制約があります（→p.88）。

Q29 傷病労働者の**訪問看護**の規定はあるのでしょうか。

A 原則として，重度の脊髄・頸髄損傷およびじん肺疾患等と対象者が決まっています。ただし，これ以外の疾患でも認められる場合もありますので，詳しくは最寄りの労働基準監督署に問い合わせてください。

Q30 先日，労災保険の請求で査定を受けました。**再（審査）請求**はできるのですか。

A 再請求することはできます。査定を受けた傷病者名・傷病名・査定内容・再請求の理由を記載し，労働基準監督署へ提出します（→p.73）。

Q31　地方で仕事中に負傷して医療機関に搬送され一時的に緊急処置を受けた後，自宅近くの専門病院（指定医療機関）に転医する際，家族の自家用車で移動した場合の**移送費**は，労災保険で請求することはできますか。

A　この設問のポイントは，家族の自家用車ということです。労災保険では傷病労働者の所属する事業所の車両による移送については，移送費の対象にはなりません。しかし，このケースは家族の自家用車ですので労災請求ができます。移送費は必要とした距離に対して1kmにつき37円と換算します。

Q32　Q31の場合，具体的にはどのように請求するのでしょうか。

A　療養の費用請求書を用いて請求します。移送費についての領収書などがあれば，請求書に添付して所轄の労働基準監督署に提出します。

Q33　傷病労働者が，痛みがとれないので「はり・きゅう」の治療を希望しています。この場合の「はり・きゅう」の治療費は，労災保険の給付対象になりますか。

A　本人の希望では労災給付の対象となりません。担当医師が，はり・きゅう治療を行うことにより症状の改善が期待できると認めた場合に限り，給付対象となります。

Q34　外国人患者が受診され，1点10円の単価にて診療を行っていました。しかし，治療が終了した後に**様式第7号**を手に窓口を訪れて，証明を希望してきました。こうした場合の対応について教えてください。

A　対応方法は2つあります。
　①　事業主に事情を確認した後，領収書を確認して患者に本人より徴収した点数（医療保険の点数を準用）にて証明書を作成します。
　②　医療機関が，初診時より労災扱いとする場合，患者に労災5号用紙を持参してもらい，遡り請求の手続きを行います。その際，一部負担金を返金します。医事課にとっての業務は煩雑になりますが，患者の負担は軽減されます。
　　　窓口にて支払い済みの医療費は，全額返金して初診から労災として取り扱います。

5．初・再診

Q35　労災診療費の**初診料**および**再診料**を教えてください。

A　初診料は3,850円です。また，健保点数表（医科のみ）の初診料の「注5」のただし書き（同一日複数科受診時の初診料）に該当する場合は1,930円を算定します。一般病床200床未満の医療機関等の場合，再診料は1,420円〔健保点数表（医科のみ）の再診料の「注3」（同一日複数科受診時の再診料）に該当する場合は710円〕です。また一般病床200床以上の病院の場合，外来診療料は76点です（健保点数に準拠）。その他，緊急で時間外・休日・深夜などに診療を行った場合は健康保険点数と同様の加算が算定できます（→p.78）。

Q36 再診時療養指導管理料とはどんな場合
に算定できるのですか。

A 外来通院をしている傷病労働者に対して，
療養上の指導（食事・日常生活動作など）を
具体的に行った場合に，療養指導料としてそ
の都度，920円が算定できます（→ p.88）。

Q37 初診時ブラッシング料について教えて
ください。

A 異物などが混入した負傷部位に対して，薬剤・ブラシ等で創部の汚染除去を行った場合に，
初診時１回に限り算定できます。ただし，健康保険点数にあるデブリードマン加算と同時に
は算定できません（→ p.78）。

6.　処置・手術

Q38 手指の創傷に係る**機能回復指導加算**とは，どのような場合に算定できるのですか。

A 手・手関節・手指を負傷して「創傷処理」「デブリードマン」「皮膚切開術」「筋骨格系・四
肢・体幹手術」等の手術を施行し，かつ機能回復に対する指導を行った場合に，機能回復指
導加算として１回に限り190点を算定できます。ただし，負傷した部位が左右であっても算定
は１回のみとなります（→ p.101）。

Q39 治療上の必要から四肢に対して**伸縮包帯**を使用しました。健康保険では保険請求でき
ませんが，労災保険でも同様でしょうか。

A 労災では，部位にかかわらず使用した伸縮包帯は実費相当額を請求できます。また，健康
保険では認められていない材料で請求できるものがあります（→ p.99）。

Q40 健康保険では，右前腕と左前腕に**全層**，**分層植皮術**（広範囲熱傷以外）を行った場合，
左右それぞれに所定点数が算定できますが，労災保険でも算定可能でしょうか。

A 算定できます。広範囲皮膚欠損の患者に対して行う場合は，頭頸部，左上肢，左下肢，右
上肢，右下肢，腹部または背部のそれぞれの部位ごとに所定点数が算定できます。

7.　入　　院

Q41 傷病労働者が個室または２人部屋等に入院した場合等は，労災診療費として請求でき
ますか。

A 治療上，医師が必要と認めた場合請求することができます。ただし，室料差額料金は労災
独自の限度額があり，それを超える料金で労災保険に請求することはできません。さらに指
定医療機関の所在地によっても限度額が異なります。また，普通室が満床で緊急に入院療養
が必要な場合は初回入院日から７日間が限度となります（→ p.85）。

個　　室：	甲地	11,000円 ，	乙地	9,900円
２人部屋：	甲地	5,500円 ，	乙地	4,950円
３人部屋：	甲地	5,500円 ，	乙地	4,950円
４人部屋：	甲地	4,400円 ，	乙地	3,960円

を限度とする

Q 42 入院室料加算の算定要件に「症状が重篤であって」とありますが，これは生死にかかる状態でなければ対象とならないということでしょうか。

A 「重篤」という表現については，必ずしも生死にかかる状態でなければならないという狭義の解釈ではなく，絶対安静を必要とし，医師または看護師が常時監視して随時適切な措置を講ずる必要のある重症患者であれば対象となります。

Q 43 健保では，180日を超える入院の場合，保険外併用療養費としてその費用の一部を患者から徴収できますが，労災保険の場合はこの患者負担が適用となりますか。

A 労災診療費算定基準には，「健保点数表に定める所定点数に労災診療単価を乗じて得た額により算定すること」との定めがあります。よって，健保点数表に定められていない保険外併用療養費については原則としてこれを適用することにはなりません。180日を超える入院の場合も，適用にはなりません。

Q 44 労災保険において生活療養および生活療養を受ける場合（療養病棟に入院する65歳以上の高齢者）の入院料等はどのように取り扱われるのでしょうか。

A 療養病棟に入院する65歳以上の高齢者の生活療養の費用および生活療養を受ける場合の入院料については，労災保険の適用にはなりません。

8. 新型コロナウイルス感染症

Q 45 労働者が新型コロナウイルスに感染した場合，労災保険給付の対象となりますか。

A 業務に起因して感染したものであると認められる場合には，労災保険給付の対象となります。新型コロナウイルス感染症が5類感染症に位置づけられたあとも変更はありません。請求の手続等については，事業場を管轄する労働基準監督署にご相談ください。

Q 46 医師，看護師などの医療従事者や介護従事者が新型コロナウイルスに感染した場合の取扱いは，どのようになりますか。

A 患者の診療もしくは看護の業務または介護の業務等に従事する医師，看護師，介護従事者等が新型コロナウイルスに感染した場合には，業務外で感染したことが明らかである場合を除き，原則として労災保険給付の対象となります。

Q 47 医療従事者や介護従事者以外の労働者が新型コロナウイルスに感染した場合の取扱いは，どのようになりますか。

A 他の疾病と同様，個別の事案ごとに業務の実情を調査のうえ，業務との関連性（業務起因性）が認められる場合には，労災保険給付の対象となります。また，感染経路が判明し，感染が業務によるものである場合については，労災保険給付の対象となります。

　感染経路が判明しない場合であっても，労働基準監督署において，個別の事案ごとに調査し，労災保険給付の対象となるか否かを判断することとなります。

Q48　感染経路が判明しない場合，どのように判断するのですか。

A　感染経路が判明しない場合であっても，感染リスクが高いと考えられる次のような業務に従事していた場合は，潜伏期間内の業務従事状況や一般生活状況を調査し，個別に業務との関連性（業務起因性）を判断します。

（例1）複数の感染者が確認された労働環境下での業務
（例2）顧客等との近接や接触の機会が多い労働環境下での業務

Q49　「複数の感染者が確認された労働環境下」とは，どのようなケースを想定していますか。

A　請求人を含め，2人以上の感染が確認された場合をいい，請求人以外の他の労働者が感染している場合のほか，例えば，施設利用者が感染している場合等を想定しています。なお，同一事業場内で，複数の労働者の感染があっても，お互いに近接や接触の機会がなく，業務での関係もないような場合は，これに当たらないと考えられます。

Q50　「顧客等との近接や接触の機会が多い労働環境下での業務」として想定しているのは，どのような業務でしょうか。

A　小売業の販売業務，バス・タクシー等の運送業務，育児サービス業務等を想定しています。

Q51　Q48の（例1），（例2）以外で示された業務以外の業務は，対象とならないのでしょうか。

A　他の業務でも，感染リスクが高いと考えられる労働環境下の業務に従事していた場合，潜伏期間内の業務従事状況や一般生活状況を調査し，個別に業務との関連性（業務起因性）を判断します。

Q52　新型コロナウイルスに感染した場合，請求手続について事業主の援助を受けることはできますか。

A　請求人が自ら保険給付の手続を行うことが困難である場合，事業主が助力しなければならないこととなっています。具体的には，請求書の作成等への助力規定などがありますので，事業主に相談をしてください。なお，事業主による助力については，労働者災害補償保険法施行規則第23条で規定されています。

Q53　労働者が新型コロナウイルスに感染したとして労災請求する場合，事業主として協力できることはありますか。

A　労災請求手続は，請求人に行っていただくものですが，請求人が保険給付の請求その他の手続を行うことが困難である場合，請求人の症状を確認しつつ，適宜，請求書の作成等へ助力してください。なお，事業主による助力については，労働者災害補償保険法施行規則第23条で規定されています。

自賠責保険制度の概要（2024年6月現在）

　自動車の運行に伴って起きる人身事故（傷害・死亡）＝人的損害を補償するために，自動車損害賠償保障法ではすべての自動車に対し強制的に保険加入することを義務付けています。これを**自動車損害賠償責任保険（自賠責保険。強制保険ともいう）**と言います。

　自賠責保険の保険金等については，政令により以下の図のような「支払基準」が定められています。自賠責保険会社は，この支払基準に従って自賠責保険の保険金等の支払金額を決定します。

　自賠責保険の保険金支払い最高額は被害者1名について**死亡，後遺障害3,000万円（常時介護が必要な場合4,000万円），傷害事故120万円**と決められています。後遺障害には程度に応じた第1級から第14級までの等級が定められており，障害に応じた保険金が支払われる仕組みになっています。自賠責保険の補償範囲は，対人賠償に限られており，事故を起こした車の保有者自身のケガなどには適用されません。また，車の損害や建造物（ガードレール）などの物損事故も対象外となります。これら人損の自賠限度超過部分および物損部分の補償をカバーする目的で設けられているのが**任意保険**です（p.136）。任意保険は自賠責の上乗せ保険といえます。

　なお，診療費の請求方法については，日本医師会・自動車保険料率算定会（現・損害保険料率算出機構）・日本損害保険協会の三者協議により定められた基準（新基準）があります（p.143）。これは，診療費を労災保険の算定基準に準拠させ，薬剤など「モノ」については1点単価を12円とし，そのほかの技術料はこれに20％を加算した額を上限とするものです。ただし，これに強制力はないため，1点12円以上で請求を行う医療機関もみられます。

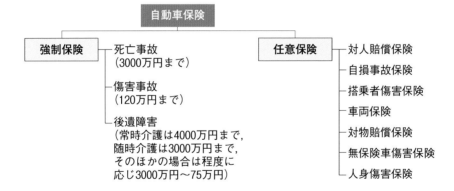

自賠責保険 Q&A

Q1　交通事故に遭った場合，治療費等はまず自賠責保険に請求するのでしょうか。

A　自動車事故による労災の場合には，労災保険に対して保険給付を請求することができますが，自賠責保険等に対しても損害賠償額の請求をすることができます。これをどう行使するかは，被災労働者の意思によります。

　ところが，自賠責保険等の場合には，損害賠償額の支払いが速やかに行われることがありますし，自賠責保険等の損害の査定内容には労災保険では支払われないものが含まれています。ですから，自賠責保険等の支払いを先に受け，支払いの限度額に達したあとに労災保険

に請求することもできます。

このような観点から，自賠責保険等と労災保険の双方の機関で協議し，原則として自賠責保険等の支払いを先に行うことになっていますが，被災労働者が労災保険の給付を希望した場合には，労災保険の給付を先に行うこととされています。

Q2 業務中に第三者が原因で交通事故に遭いました。この場合，労災保険ではどのような取扱いをするのでしょうか。また，自賠責保険との関連についても教えてください。

A 業務中あるいは通勤途上で，第三者による行為が原因で起きた事故は，労災保険として扱うことができますが，必ず「**第三者行為災害届**」を所轄の労働基準監督署に提出しなければなりません。また，第三者である加害者に対して傷病労働者またはその家族（遺族）等は，民法上，損害賠償を自動車損害賠償責任保険（自賠責保険）に請求することができます。

ただし，労災保険と自賠責保険の給付を重複して受けることはできません（→p.138）。

Q3 自動車事故を起こした場合，**事故証明書**が必要といわれました。どこで・どのような手続きをすれば入手できますか。

A 自動車事故が発生した場合は，加害者も被害者も必ず最寄りの警察に届出をする必要があります。警察は届出を受けて「自動車安全運転センター」に事故原簿を送付するので，証明依頼をして自動車安全運転センターより事故証明書を発行してもらいます（→p.156）。

Q4 **自賠責保険診療費算定基準案**（以下「基準案」）はどのようなものですか。

A 基準案は，トラブルのない円滑な請求および支払いを実現するためのルールとして設定されたものです。請求に際しては労災保険診療費算定基準に準拠し，薬剤等は単価12円（非課税医療機関は11.5円），その他の技術料についてはこれに20％を加算した額を上限としています（→p.143）。

Q5 基準案にて算定をする場合，医師会等へ届出をする必要がありますか。

A 基準案用の診療報酬明細書にて請求を行えばよく，届出は不要です。

Q6 患者別に基準案と従来の方法を使い分けすることは可能ですか。

A 基準案は医療機関単位で採用するものであり，入院・外来または患者別などと使い分けをすることはできません。

Q7 基準案は必ず採用しなければなりませんか。また，従来どおりの請求をした場合，受け付けてもらえないのでしょうか。

A すべての医療機関に基準案が強制されているわけではなく，個々の医療機関の判断に委ねられています。また，従来どおりの請求であっても，損害保険会社は受付けをします。

Q8 基準案の診療報酬明細書はどこで手に入れることができますか。

A 診療報酬明細書は従来どおりです。入院・入院外に分けて作成されており，各損害保険会社にあります。

第 1 章

労災保険制度

1. 労災保険とは

　労災保険とは，正しくは「**労働者災害補償保険**」といい，法律で定められた保険制度です。労働者災害補償保険法第1条で，「労働者災害補償保険は，業務上の事由又は通勤による労働者の負傷，疾病，障害，死亡等に対して迅速かつ公正な保護をするため，必要な保険給付を行い，あわせて，業務上の事由又は通勤により負傷し，又は疾病にかかった労働者の社会復帰の促進，当該労働者及びその遺族の援護，労働者の安全及び衛生の確保等を図り，もって労働者の福祉の増進に寄与することを目的とする」と規定されています。

　この保険制度の保険者は政府とされ，**労働者を1人でも使用する事業所**（暫定任意適用事業*を除く）が対象となります。労働者の災害補償義務は労働基準法で定められており，労災保険から給付を受けられる場合は，使用者はその補償の責を免れるとされています。つまり，この保険制度は公的医療保険とは異なり，使用者が労働者への災害補償を行うための保険制度です。

1 労災保険の基礎知識

　医療機関には様々な疾患・疾病の人たちが来院します。そのなかで，**通勤途上あるいは業務中に起きた事故・けが・疾病・障害・死亡で来院する患者**は，一般の健康保険（被用者保険・国民健康保険）が原則として適用されません（健康保険法第1条，国民健康保険法第56条）。健康保険証の注意事項にも「この証では，業務上で発生した傷病および通勤災害については診察は受けられません」と明記されています。業務災害および通勤災害については，「**労働者災害補償保険**」（以下「**労災保険**」）が優先適用となるからです。

　さて，一般的に「労災」という言葉から「仕事中のけが（被災）」を思い浮かべることが多いと思います。しかし，医事職員であれば，制度の仕組みを理解し，請求にかかわる様々な業務を体得しておく必要があります。ところが，職場を見回すと「労災」については専門の担当者に任せきりというのが現状ではないでしょうか。

　窓口担当者は，とくに外科や整形外科に受診する初診（再来初診も含む）の患者さんに対し必ず「交通事故やお仕事中のけがではありませんか？」とうかがう習慣を身につけたいものです。そうすることで「労災」であるかどうかを受付時に把握することができます。とはいえ，なかには業務中のけがであるにもかかわらず，「いいえ」と答える患者さんもいます。その理由として，①会社に報告していない，また自分が労災に該当するかわからない，②業務災害は労災だが，通勤災害は労災であるという認識がない，③会社から健保を使って受診するよう指示されているため，労災であることを隠している——など様々なケースがあります。

　いずれの場合にせよ，患者さんが制度をよく理解していないことも多いため，医事職員が正確な知識をもっていなければ，患者さんに正確に説明し，円滑な手続きを行うことができません。

---

* 暫定任意適用事業
　災害が発生することが少なく，規模も小さいため，労働保険に加入するのが事業主および労働者の任意になっている事業をいう。保険関係は，事業主が任意加入の申請をし，その承諾を得てはじめて成立する。労災保険の暫定任意適用事業は，①労働者数5人未満の個人経営の農業であって，特定の危険または有害な作業を主として行う事業以外のもの，②労働者を常時は使用することなく，かつ，年間使用延労働者数が300人未満の個人経営の林業，③労働者数5人未満の個人経営の水産業（総トン数5トン未満の漁船による事業等）の事業等である。

　たとえば，医療機関での窓口負担はどうなるのか？　労災の保険料は給与から天引きされるのだろうか？　会社に迷惑がかかるのか？　これを機にクビになったりしないか？　バイトやパートでも「労災」が認められるのか？　けがが完治せず後遺症が出たらその後はどうなるのか？　――こうした多くの不安と疑問を抱えている患者さんに対し，医事職員はいかに受診手続きを円滑に進めるかが重要です。そのためには，労災制度全般について理解しておく必要があります。

　もちろん，制度の理解だけでは実務に対応しきれません。たとえば，会社側が労災による受傷を認めないため医療費が未収となるケースでは，**労働基準監督署**に対応を依頼することになりますし，症状固定となって**後遺症障害補償請求**のために交付した診断書に不服申立てがあった場合，患者さんと医師の間で調整に努めるなど，医事職員には臨機応変な対応が求められます。また，請求方法には特殊な側面もあります。

　さらに，労災請求の数カ月後に「**労災不支給決定通知書**」が届き，健康保険に遡って患者本人へ請求が必要になるというケースもあります（労災保険給付の支給・不支給決定処分に不服がある場合，その通知書を受け取った日から60日以内に，都道府県労働局に設置された労災保険審査官宛てに審査請求をすることができる）。労災保険の可否の最終決定は，労働基準監督署での審査を経た後になります。医療機関へ労災関係用紙を提出したからといって労災適用というわけではありません。

(1)　労災保険の目的

　この労災保険は，「**業務災害**」（仕事が原因となって生じた負傷，疾病，身体障害，死亡）や「**通勤災害**」（通勤が原因となって生じた負傷，疾病，身体障害，死亡）を被った労働者（被災労働者）やその遺族を保護するために必要な保険給付を行うことを主たる目的としています。このほかにも労災保険は，被災労働者やその遺族に対して，社会復帰を促進させるための社会復帰促進等事業を実施したりもしています。

　2013（平成25）年5月31日・法律第26号により健康保険法の改正が行われ，第1条（目的）が「この法律は，労働者又はその被扶養者の業務災害〔労働者災害補償保険法（昭和22年法律第50号）第7条第1項第1号に規定する業務災害をいう〕以外の疾病，負傷若しくは死亡又は出産に関して保険給付を行い，もって国民の生活の安定と福祉の向上に寄与することを目的とする」と改められました（下線部は改正箇所）。同年8月14日には，この法改正に関する保険局保険課事務連絡〔「健康保険法の第1条（目的規定）等の改正に関するQ&Aについて」〕が発出され，これまで労務として認定されなかった仕事中のけがや業務起因の事故等であっても，2013年10月1日以降に発生した場合については健康保険の給付を受けられることが明文化されました。

　これは，患者（労働者）が健康保険，労災保険のいずれの給付も受けられないという事態が生じないように配慮されたものです。該当するのは，「副業に従事していた場合」や「インターンシップ中の事故」など，一概には労務と言えないものですが，医療機関にとっては，アフターケアの取扱いなどにおいて，スムーズに健康保険への切替えを行わなければならないケースが出てくると思います。前記事務連絡を参照にしながら，対応を考えておく必要があるでしょう。

(2)　労災保険の対象者

　被災労働者のなかには自分が労災の対象となることを知らない場合もあります。場合によっては被災労働者にとって大きな不利益を与えることになることも考えられ，ケースによっては事業主や本人へ直接労働基準監督署へ連絡させるように伝えてください。特に不況下の近年，このようなケースは増加傾向にあり，労使間でのトラブルがみられる場合がありますので，医事課職員の説明が重要となります。

　労災保険の対象者は，正職員のほか以下が該当します。
①　アルバイト・パート職員など
②　人材派遣職員

図表1 業務災害給付と通勤災害給付

業務災害給付	療養補償給付（13条）	通勤災害給付	療養給付（22条）
	休業補償給付（14条）		休業給付（22条の2）
	障害補償給付（15条）		障害給付（22条の3）
	遺族補償給付（16条）		遺族給付（22条の4）
	葬祭料（17条）		葬祭給付（22条の5）
	傷病補償年金（18条）		傷病年金（23条）
	介護補償給付（19条の2）		介護給付（24条）

③　自営業者
④　一人親方（個人タクシーのドライバー等）

　ただし，一人親方については，一般の労災加入とは異なる**特別加入者制度**（p.58）が該当します。

　また，国民健康保険の加入者は，労災保険に加入できないと勘違いしている医事職員もいるので，正確に理解しておく必要があります。たとえば常時従業員が4人以下の事業所等で職域保険には加入していないが，労災保険には加入している場合などがありますので注意してください。窓口担当者は**「仕事をしていてけがをした人は，原則として労災保険が優先される」**と考えておくべきです。ただし健康保険で対応するケースおよび第三者行為による災害の取扱い等もあります。

(3)　労災保険の給付

　労働者が**業務上の災害（業務災害）**や通勤途上の災害（通勤災害）によって負傷したり，疾病にかかったり，死亡した場合には，図表1のような保険給付が行われます。なお，**「業務災害」**と**「通勤災害」**とでは名称が異なりますが，保険給付の内容に相違はありません。

　このほか労働者の疾病予防を目的に設けられた**「二次健康診断等給付」**（p.39）という予防給付もあります。

　なお，保険給付を受ける権利は，一定の期間行使しないでいると時効により消滅します。時効は，障害（補償）給付と遺族（補償）給付は**5年間**，それ以外の給付は**2年間**とされています。

　また，被災労働者の社会復帰の促進，被災労働者やその遺族への援護，労働者の福祉の向上を図ることを目的に，労災保険では附帯事業として次のような**社会復帰促進等事業**（社会復帰促進事業，被災労働者等援護事業，安全衛生確保等事業）を行っています。

　①**アフターケア**，②**外科後処置**，③**義肢その他の補装具の支給**，④**特別支給金の支給**，⑤**労災就学等援護費の支給**，⑥**労災年金担保貸付事業**，⑦**その他各種援護措置**──などです。

(4)　労災指定医療機関と非労災指定医療機関

　労災保険における「療養の給付」は，都道府県労働局長の指定を受けた労災指定医療機関・労災指定薬局等において必要な診療，薬剤そのものを受ける**現物給付**が原則となっています（法第13条）。

One point　非正規雇用と労災保険

　昨今の社会事情により，非正規雇用といわれる労働者の数が増えており，パート，アルバイト，契約社員，派遣社員などの形態の労働者は，全労働者人口の37.5%を占めるまでになっています（総務省「労働力調査」）。労災保険は「労働基準法上の労働者」を対象としていますが，これらの労働者についても「賃金を得ている＝事業主との間に雇用関係がある」ということになるため，業務または通勤により負傷した場合などは，一般の労働者と同様に労災保険給付を受けることができます。

十分な設備と診療能力を有する指定医療機関等において，傷病を回復するための医療給付を直接被災労働者へ給付することによって補償の実効を期するためです。やむを得ない事情により，被災労働者が非労災指定医療機関等で受診した場合は「**療養の費用の支給**」が行われることになります。

　なお，労災指定医療機関等が遵守すべき事項等は「**労災保険指定医療機関療養担当規程**」(p.189)で定められています。

２ 窓口での具体的な対応方法

　医療機関の窓口には多様な患者さんが来院しますが，そのなかでもとくに「けがをしている患者さん」には，その原因・理由を必ず聞くようにしましょう。これを怠り，業務上あるいは通勤途中での災害と知らずに健康保険で扱ってしまうと，後日，窓口に「労災だったのですが…」と患者さんが来院され事務手続きが煩雑化します。当月であれば治療費を返金するだけで済みますが，月が変わりレセプト請求後であると，支払基金・国保連合会等に返戻願を出さなければならなくなり，時間と手間がかかることになります。こうしたことを防ぐ意味でも受付担当者は労災保険について知っておく必要があります。

　しかし現実には医事課だけで把握することはむずかしく，他の部署の協力も必要です。最近では看護師を総合案内に置く医療機関も多いので，被災労働者の発掘にはぜひ協力してもらいましょう。また，診療申込書や外来の予約票などにけがをした理由などを記入する欄を設けておくこともよいでしょう。

（1）労災指定医療機関の窓口対応例

　労災指定医療機関の医事職員は，窓口対応を行う際に以下のポイントを押さえてください。
① けがや負傷している患者さんが来院された場合，必ず受傷原因（業務中・通勤途上）を尋ねるようにしましょう。
② けがの原因が業務・通勤災害によるものであれば，労災扱いになることを話します。
③ **業務災害**であれば，傷病労働者に会社の総務課（庶務課）に**労災様式5号**を医療機関へ提出するよう伝えてもらいます（**通勤災害の場合は労災様式16号の3**）。
　　また，患者にとって最初に診察を受ける医療機関であるのか，その他の医療機関を受診しているのかを確認し，持参する労災様式を説明します（業務災害：労災様式6号，通勤災害：労災様式16号の4）。
④ 労災に関する治療費は労働基準監督署に請求するので，原則的には窓口徴収がない（ただし私病で治療した場合は健康保険の扱いとなる）ことを話します。
　これらを実際窓口ではどのように進めればよいか，会話形式の例で説明してみましょう。

窓口対応例　　**外来・業務災害の場合**

患者「手をスッパリ切ってしまったので，急いで診てほしい」
職員「外科で診察をいたしますが，どうなさったのですか？」
患者「仕事で廃材を移動させる最中に切った」
職員「仕事中のおけがですね。労災扱いになると思いますが，まず受診手続きを済ませ，診察をお受けください。診察が終了しましたら，会計前に労災手続きの説明をさせていただきます。再度こちらにお越しください」
　　（患者が診察を受けた後にやってくる）
患者「とりあえず縫ってもらったよ。また明日来るように言われたんだが，家が遠くてここに来るのは大変なんだよな。ところで労災の手続きと言っていたが…」
職員「はい，仕事中のおけがは健康保険では取り扱うことができません。労災保険での手続きが必要となります。おけがをした後にどちらかほかの病院や診療所などへ行かれましたか。

　　　　当院での受診が初めてでしょうか？」

患者「初めてだよ。なにかあるのかい」

職員「はい。初めて受診する医療機関へ提出していただく書類と2番目に受診する医療機関へ提
　　　出する書類とでは，様式が異なるのです。当院へ提出していただく用紙は『労災様式第5
　　　号』で勤務先にてご用意ください。（パンフレットを渡し）こちらに詳しい説明が記載さ
　　　れています。労災の様式はいくつかの種類がありますので，該当のものに〇印をつけてお
　　　きます。また，お薬が出ていますが，院外の調剤薬局で処方していただきます。調剤薬局
　　　でも同一の用紙が必要になると思いますので，2枚ご用意ください」

患者「ふーん。会社へ戻って担当者に聞いてみるよ。ところで，明日も消毒に来るように医者に
　　　言われたけれど，ここに来ないといけないのかな。自宅から少し遠くて…」

職員「できればそうしていただきたいのですが，ご不便でしょうか」

患者「うん。悪いが自宅から近所の病院へ行きたいんだけど」

職員「わかりました。まず医師に紹介状（診療情報提供書）を書いてもらいます。それをお渡し
　　　しますので，転医先の病院へお出しください。それから，転医先の病院では，『労災様式
　　　第6号』の医療機関の変更届が必要となります。その用紙も先ほどの用紙と一緒にご準備
　　　ください」

患者「すぐに用意できるかわからないけど，用紙ができたらこの病院にいつ持ってくればいいの
　　　かな。近日中に来られるかわからないし」

職員「こちらの病院へ来る機会がなければ，会社からの郵送でも結構です。確認のため，お勤め
　　　先の名称と連絡先を教えていただけますか」

患者「わかった。そのほうが助かるね，いろいろ親切にありがとう」

職員「どういたしまして，お大事にしてください」

One point　窓口対応での基本

　交通事故の場合，一般の方でも保険会社が治療費を含めた相談に乗ってくれるという認識はあるようで
すが，こと業務中・通勤途上に発生した災害については，労災という認識はありながらも，その手続き等
について知っている人はほとんどいません。そのため，我々医療機関に勤務する者が，手続き方法を含め
て説明をしなければなりません。その際，労災に必要な書式（様式）などは単に口頭で説明するだけでは
なく，具体的にどのような書類が必要になるのか，またその書式（様式）はどのようなものなのかわかる
ように，実際の労災様式等をファイリングして直接見せながら説明することが事務担当者としての配慮だ
と思われます。

　自分が逆の立場であれば，けがをして痛み等もあるなかで，あれこれ口頭のみの説明を受けても頭に入
らないと思います。ひと手間かけた分，あとの業務もスムーズになることもあるので，ぜひ念頭に入れて
いただきたいものです。また，患者さんが労災の様式を持参した場合，事務担当者として以下の事項は，
記載不備等を含めて直ちに確認しておくことが必要だと思います。仮に後日，内容不備が判明した場合，
「持参したときになぜ確認してくれなかったのか」というクレームにつながる恐れもあります。

① 様式は適切か
② 労働保険番号は記載してあるか
③ 事業所の名称および事業主の署名捺印はあるか
④ 負傷，発病年月日欄は記載してあるか
⑤ 届出人欄に印はあるか
⑥ 所管の労働基準監督署名は記載してあるか

（2）　非労災指定医療機関の窓口対応例

　労災指定医療機関については，医事課に労災担当者がいるでしょうが，非労災指定医療機関の場合，取扱いのケースが少ないため，労災保険制度あるいは請求方法などを十分理解していないことが見受けられます。しかし，非労災指定医療機関であっても，傷病労働者がまったく来ないとはいえません。たとえば，会社の近くに非指定医療機関しかない場合，負傷して来院された患者さんに対して医事課としてどのように応対する必要があるのでしょうか。以下に対応の手順とポイントを挙げます。

①　労災指定医療機関と同様に，受傷原因（業務中・通勤途上か）を尋ねて労災適用のケースか否かを確認します。

②　労災が確認できたら，自院が非労災指定医療機関であることを話します。

③　治療費については一時立替払いになることを説明し，理解を求めます。なお治療費については後で詳しく述べますが，労災診療費は医療保険とは異なり，1点単価が12円または11円50銭（非課税病院）となっています。この他，特別な加算などもありますので注意してください。

　　また労災様式は，業務災害の場合は「様式7号⑴」，通勤災害による傷病の場合は「様式16号の5⑴」です。

④　傷病者に治療費の請求方法を説明します。

　これを会話形式にするとどうなるでしょうか。具体的に例を挙げます（ただし，治療を優先する場合は治療後に説明しましょう）。

窓口対応例 1　外来・通勤労災の場合

患者「職場でこの用紙（労災様式第16号の3）をもらってきたのですが，どこへ提出すればいいのですか」

職員「こちらで結構ですが，通勤労災によるおけがで診察を受けていましたか」

患者「いいえ，健康保険を使用していました。けがをしたのは帰宅途中だったのですが，診察は1度くらいで済むと思っていたのでこちらへ伝えていませんでした。何か不都合がありますか」

職員「はい。まず通勤中のおけがは，健康保険での請求ができませんので，前回までの診療費については遡って訂正を行います。受診する際に交通事故や，仕事中のおけがの確認を職員が申し上げていなかったでしょうか？」

患者「通勤中とは言われなかったから，関係ないと思っていました」

職員「そうでしたか。通勤途上中のおけがも労災扱いとなります。たいへん申し訳ございませんが，当院は労災指定の医療機関ではありません。指定医療機関であればお持ちいただいた書類で，治療費を直接労働基準監督署へ請求できます。しかし，指定外の医療機関の場合は，そのつど患者さんに治療費をお支払いいただきます。後ほど手続きをしていただくと，治療費は戻ってきます（＝療養費払い）」（※注：転医の場合対応例2へ）

患者「ずいぶん面倒ですね。でも職場から一番近い病院なので治療費を支払っていきます。職場で何か手続きをする必要はありますか」

職員「会社の総務課または庶務課に労災担当の方がいると思います。その方に，当院が労災指定外の病院であったことを伝えてください。そして次回受診されるとき，会社の労災担当の方に労災用紙の『様式第16号の5⑴』と書いてある書類を用意していただいてこちらにお持ちください。書類を預かり1カ月単位で診療内容を証明いたします。また，支払った領収書はなくさずに保管してください。証明した書類に添付して労働基準監督署へ提出します。労基署へ請求した数カ月後に治療費が戻ってきます」

患者「わかりました。あと何回か診察が必要なようなので，お世話になります」
職員「ありがとうございます。先程の書類は会社のほうへお返しするか，労災指定病院へ変更する場合は必要となりますので，お持ちになっていてください。事務では，労災保険の手続きをあまり扱ったことがないので，迷惑をおかけするかもしれません。ご不明な点がありましたら，いつでもご連絡ください。それでは，お大事にしてください」

　窓口対応例1のケースは治療を継続する場合ですが，患者さんによっては指定外であれば転医を希望することもあります。次のケースは転医する場合の例です。

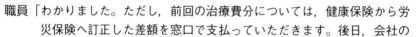

窓口対応例2　外来・通勤労災の場合——転医のパターン

（前述の※注の後より続ける）
患者「そうですか。治療費をそのつど支払うのが面倒なので，次回からは，指定病院で診てもらいたいのですが」

職員「わかりました。ただし，前回の治療費分については，健康保険から労災保険へ訂正した差額を窓口で支払っていただきます。後日，会社の労災担当の方から労災用紙の『様式第16号の5⑴』を用意していただき，こちらにお持ちください。書類をお預かりして，診療内容を証明いたします。また，領収書はなくさずに保管してください。証明した書類に添付して労働基準監督署へ提出します。労基署へ請求した後に治療費が戻ってきます。なお，転医される医療機関には，先程お持ちいただいた用紙（労災様式第16号の3）を提出してください」
患者「はい。会社で書類が準備できたら，また来ます。どうもお世話になりました」
職員「ご不明な点がありましたら，担当までご連絡ください。それでは，どうぞお大事に」

＊　　　＊　　　＊

　このように，指定医療機関と，非指定医療機関での窓口対応には違いがあります。しかし，いずれにしても窓口での対応が重要なポイントとなります。

(3)　患者が様式を未提出の場合の対応

　前述したケースのように説明後，必ず傷病労働者が用紙を提出（または郵送）するとは限りません。医療機関に労災の用紙が届かない場合，診療費の請求が滞ってしまいます。そこで5号用紙がない場合でも労災による疾病で医療機関に受診していることが確認できれば，労災診療費は労働基準監督署に請求することができます。特殊なケースのため後日，労働基準監督署は事業主へ確認の連絡をします。また，医療機関も5号用紙が未提出の理由を添付して請求する必要があります（**5号なし請求**）。
　5号用紙の督促方法および請求の手順は次のとおりです。

> **One point　非指定医療機関も労災保険請求の知識が必要**
>
> 　新聞等で，「労災隠し」という言葉を耳にすることがありますが，医療機関の知識不足で労災として取り扱っていない場合もあるようです。問題となっているのは，非労災指定医療機関のケースが多いようです。もちろん全部の非指定医療機関で行われているわけではありませんが，実例として，①労災診療費の単価を自由診療に準じて1点20円等で請求している，②健康保険点数同様の1点10円で計算して自由診療扱いにしている，③医事職員の理解不足から健康保険扱いにしている——などです。
> 　労災の場合，単に治療費のみならず被災労働者の給与等にも影響を及ぼす場合も考えられます。また，法的にもけがをした原因が業務中・通勤途上である場合には労災保険を使用することが義務付けられています。非指定医療機関であっても，労災診療費は労災診療費算定基準で計算するのは当然のことです。

① 傷病労働者には，必ず本人の連絡先はもちろん，事業所の名称，所在地，連絡先（総務課の労災担当者など）を確認することが必要です。

② 5号用紙が医療機関へ提出されるまでに，早ければ翌日，遅ければ1カ月程度の時間を要します。その期間は保留となります。

③ 受診者が治癒した場合や，転医する場合などは労災の申請を会社に届けているか確認する必要があります。ルーズな患者さんは，何も手続きをしていないケースがあります。

④ 医療機関によって対応が異なると思いますが，一定期間をおき労災の用紙が提出されない場合，本人または事業所（会社）へ連絡します。

⑤ 労災の受診を認めたくない事業所もあります。電話などで対応した場合，必ず日時，担当者名，電話での簡単な内容をメモしておくことが大切です。

⑥ 本人または事業主へ何度か確認の連絡をとります。

⑦ 事業所に用紙の提出意思がまったくないと判明した段階で，それまでの経過を箇条書きにして，5号用紙の代わりに添付して提出します。

　ただし請求前に管轄の労働基準監督署へ問い合わせ，確認をとることが必要です。

＊　　　　＊　　　　＊

　傷病労働者へ口頭で説明をすることはもちろん重要ですが，たとえば図表2のような文書を用意しておけばより親切といえるでしょう。

One point 労災診療補償保険制度

　労働者が被った災害が業務災害または通勤災害と認められない場合には，労災保険ではなく，健康保険など他保険から診療費が支払われることになります。しかし，その場合，労災診療費との相違により医療機関が不利益を被る場合があります。

　これに対し，契約を結んだ労災指定医療機関を対象に，保険料で労災保険と他の保険との差額分の補償を行う労災診療補償保険制度があります。たとえ不支給になる可能性が高いものであっても，労働局に請求さえしていれば不支給通知を受けても健保との差額分が補償保険制度で補填され，結果的に医療機関は減収とならずに済みます。

　＜失敗事例＞

　○○病院の労災担当者A子さんは，監督署から「リハビリ治療を行っている患者Bさんについては，受傷原因に業務遂行性を認めることがむずかしい」と連絡を受けた。そのため，監督署から正式な不支給通知が来るまでBさんの労災請求を保留にしてしまい，補償保険制度を受けられなかった。

　不支給になる可能性があるからといって労災請求を保留にしておいた分については補償の対象とはなりませんので注意が必要です。RICに加入している医療機関は毎月保険料を支払っているので，まずは請求をすることが重要です。

One point 有休消化率

　厚生労働省の「令和5年（2023年）就労条件総合調査」によると，労働者1人当たりの年次有給休暇の平均取得率は62.1％と，昭和59年以降過去最高の取得率となりました。前年の令和2年（2020年）が56.3％，令和元年（2019年）が52.4％と，年々取得率は上がってきています。最も消化できているのは「複合サービス事業」の74.8％で，最も消化できていないのは「宿泊業・飲食サービス業」の49.1％でした。

　一方，世界では，ブラジル・フランス・スペイン・ドイツなどで有給休暇取得率が100％であったほか，イギリス96％，韓国93％，インド75％，アメリカ71％，オーストラリア70％という結果でした。

　では，医療従事者はどうでしようか。MedPeerによるアンケート調査によれば，有給休暇を5割以上取れていると回答した医師は20.1％。また，日本看護協会による「2023年病院看護実態調査」では，看護師の年次有給休暇取得率が5割以上である割合が77.2％（2019年は60.1％）とのことです。

図表2 患者用受診手続き案内

労災による受診手続きのご案内

1．労働者災害保険とは

　労働者の働いている事業所が労働者災害保険（以下，労災保険）に加入している所では労働者の業務上または通勤上の負傷，疾病に対して労災保険が適用され自分で療養費（治療費など）を支払わなくとも治療が受けられます。

　なお仕事上の負傷，疾病に対しては，健康保険では受診できません。（健康保険法第1条より）

⑴　常勤，臨時，アルバイト，日雇い，パート等の区別，雇用期間にかかわらず労災保険が受けられます。

⑵　取締役等の役員の方には，労災保険が適用されません。

　＊ただし一般労働者と同じように労働に従事し，その対象に該当するものとして賃金を得ている方には，労災保険が適用されます。

　＊労働保険事務組合に加入して事務委託している事業主，個人タクシー運転士，大工等の一人親方で特別加入の承認を得た方には，労災保険が適用されます。

2．当院にお持ちいただく書類

　労災保険を受ける方は，下記の書類で該当するものに必要事項をご記入の上，受付窓口までお持ちください。

✓		業務災害	✓	通勤災害
	初診	様式第5号（療養補償給付たる療養の給付請求書）		様式第16号の3（療養補償給付たる療養の給付請求書）
	再診	様式第6号（療養の給付を受ける指定病院等（変更）届）		様式第16号の4（療養の給付を受ける指定病院等（変更）届）

⑴　書類はできるだけ当月中にお持ちください。なお預かり証の期限を過ぎたものについては全額自己負担をしていただきますが，様式第7号用紙（療養補償給付たる療養の費用請求書）も一緒にお持ちいただければ，後日労働基準監督署より自己負担分が返金されます。

3．院外処方箋をお持ちの方へ

　当院は院外処方を行っているため，処方箋をお出しになった調剤薬局へも同様の書類を提出してください。ただし非指定薬局の場合，様式が異なりますのでご確認願います。

4．その他

⑴　業務上，通勤による自動車事故については，労災保険と自動車損害賠償責任保険のどちらを優先するか決定してください。

⑵　一時自費払いした後，労災として処理されたい場合，様式第7号用紙（療養補償給付たる療養の費用請求書）を一緒にお出しください。

⑶　初診で受診した医療機関が非労災指定医療機関の時は，当院に転医後初診扱いとなりますので様式第5号（又は様式第16号の3）を提出して下さい。

⑷　その他労災関係書類について不明な点がございましたら，下記にお問い合せください。

住所，連絡先
病院名
医事課　担当

2．業務災害と通勤災害

　労災保険が適用されるのは，「**業務災害**」または「**通勤災害**」の場合です。これらを具体的にみていきましょう。

1 業務災害

　業務上の事由により発生した災害のことを「**業務災害**」といいます。労働者が被ったけがや病気が業務災害であるかどうかを判断するのは労働基準監督署長です。業務災害であると認定されるためには，業務と傷病等との間に**業務遂行性**と**業務起因性**が認められる必要があります。

(1) 業務遂行性とは

　労働者が労働契約に基づいた事業主の支配下にある状態（作業中だけではなく，作業の準備行為・後始末行為，休憩時間中，出張中などの場合にも「業務」とみなす）にあること。

① **事業主の支配・管理下で業務に従事している場合**

　例）所定労働時間内や残業時間内など，事業場内で業務に従事しているとき

② **事業主の支配・管理下にあるが，業務に従事していない場合**

　例）休憩時間，就業時間前後など

③ **事業主の支配下にあるが，管理下を離れ業務に従事している場合**

　例）出張や社用で外出など，事業場施設外で業務に従事しているとき

(2) 業務起因性とは

　業務と傷病等との間に因果関係が存在すること。疾病の場合，業務が原因で発症したかどうかの判断がむずかしいものもあるので，業務上の疾病（職業病）の範囲は法律で定められています。

① 業務上の疾病のうち，事故による疾病を「**災害性の疾病**」といいます。

② 長期間にわたり業務に従事したことによって発症した疾病を「**職業性の疾病**」といいます。

　例）脳・心臓疾患（脳血管疾患・虚血性心疾患等）や精神障害（自殺）など

　これらの疾患を認定するにあたり，厚生労働省では，認定基準や判断指針を作成しています。2022年度の労災補償状況（請求件数・支給決定件数）をみると，脳・心臓疾患は803件（前年度比50件増）・194件（同22件減），精神障害は2683件（同337件増）・710件（同81件増）となっています。

　働き方改革の推進やコロナ禍による在宅勤務の増加などの要因によって，人々の働き方が変化してきました。近年では，在宅勤務・テレワークにおいても長時間労働から生じる適応障害の症例が労災認定されるなど，働き方の変化に応じて労災の適応範囲の変化も見られるようになってきています。

(3) 業務災害と認められるケース

例1）　**工場で作業中にトイレに行く途中で，転んで負傷した場合**

　　　　この場合は，工場内で発生した災害ですので，使用者の支配下および管理下にあったものと考えられ，また，作業中にトイレなどに行くことは，業務に付随した行為とみなされます。よって業務災害として認められることになります。

例2）　**社内の運動会で転倒し負傷した場合**

　　　　一般的には，運動会そのものは業務として認められませんが，事業主の命令で参加した場合

は，業務の範囲として認められています。

(4) 業務災害と認められないケース

例1）　出張先で飲酒後階段から落ちて負傷した場合

出張中は，全過程について事業主の支配下にあると考えられ，往復の交通機関から旅館などでの宿泊など，すべて業務遂行が認められます。よって，それらのことに起因する災害は業務起因性が認められます。

ただし，<u>通常の順路から外れた場合や泥酔などの私的行為</u>においては，業務遂行性が中断しているため，業務災害としては認められません。

例2）　勤務先の親睦会に出席中に負傷した場合

親睦会・社外のサークル活動等に業務遂行性は認められず，業務災害には当たりません。

2 通勤災害

通勤災害とは，労働者が通勤により被った負傷，疾病，障害または死亡をいいます。この場合の「通勤」とは，「就業に関し，**①住居と就業の場所との間の往復，②就業の場所から他の就業の場所への移動，③単身赴任先住居と帰省先住居との間の移動を，一般的（合理的）な経路および方法で行うこと**」をいいます。

通勤災害における住居とは，労働者が居住して日常生活の用に供している家屋等の場所で，就業のための拠点となる場所をいいます。また，家族の看護のため病院に寝泊まりしている場合など，やむを得ない事情があるときも住居と認められます。

就業の場所とは，業務を開始し，終了する場所のことをいいます。外勤者（営業職など）の場合は，最初の訪問先から最後の訪問先までの経路を含めてすべてが就業場所とみなされます。

合理的な経路および方法とは，住居と勤務地の間を往復する場合に，一般に労働者が用いるものと認められる経路および方法をいいます。

一般的には，乗車定期券に表示されている経路や会社に届け出ているような，鉄道やバスなどの公共機関を利用する経路などは，合理的な経路および方法とみなされます。また，自動車や自転車等を利用する場合も，本来の用法に従って利用する場合には，合理的な方法とみなされます。

就業または通勤とは関係のない目的で合理的な経路からそれることを**「逸脱」**といい，通勤経路上で通勤とは関係のない行為を行うことを**「中断」**といいます。逸脱または中断があるとそのあとは原則として通勤とはなりませんが，日常生活上必要な行為であって，厚生労働省令で定めるもの（下記参照）をやむを得ない事由により最小限度の範囲で行う場合には，逸脱または中断の間を除き，合理的な経路に復したあとは再び通勤となります（図表3）。

【日常生活上必要な行為であって，厚生労働省令で定めるもの】
① 夕食の惣菜等を購入したり，独身労働者が食堂に食事に立ち寄ること
② クリーニング店や理美容院に立ち寄ること
③ 教育訓練・職業訓練を受けに行くこと
④ 病院や診療所等での診察や治療を受けに行くこと
⑤ 選挙の投票に行くこと
⑥ 要介護状態にある家族等の介護を行うこと（継続的にまたは反復して行われるもの）

---

(1) 通勤災害と認められるケース

例1）　病気のため，所定の就業時間終了前に早退をして帰路につき，路上で転倒して負傷した

この場合は，早退したとはいえ，その日の業務が終了して帰ったものと考えられるので，通

図表3　通勤の範囲

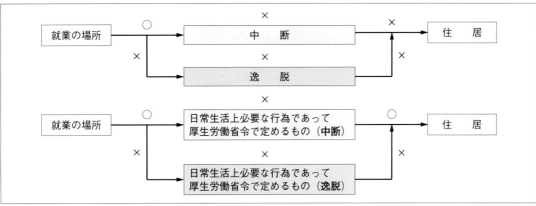

（注）就業の場所から他の就業の場所，赴任先住居から帰省先住居への移動の場合も同様。

勤災害として認められます。

例２）　独身者が業務終了後に帰路の途中で夕食に立ち寄ったあと，規定の通勤経路で負傷した
　　　この場合は日常生活上やむを得ない行動であり通勤災害が認められます。

(2) 通勤災害と認められないケース

例）　業務終了後，友人宅へ泊まり，翌朝友人の家から出勤したときに負傷した
　　　規定の経路以外であるため通勤災害は認められません。

3 通勤災害と業務災害が発生した場合の取扱い

　労災による負傷の原因には，様々なケースがありますが，ここでは少し特殊な労災の取扱いについて説明します。

例）　Aさんは毎日，オートバイで通勤をしているが，運転を誤り足を負傷した。通勤途上につき会社に届けて労災扱いとなったが，運の悪いことに今度は業務中階段から足を踏み外し，体を支えようとして手首を捻ってしまった。そこで再度，会社に届けて業務災害として扱うことになった
　　　このような場合，労災ではそれぞれ別の疾病として扱うため，労災様式も通勤災害（様式16号の3），業務災害（様式5号）がそれぞれ必要となります。ただしレセプト請求をする際には，診察料は主たるほうで算定することになります。

＊　　　＊　　　＊

　このほかにも，特殊なケースがたくさんあると思いますが，判断に迷うケースなどは最寄りの労働基準監督署に問い合わせてください。

　従来，通勤とは，労働者が就業に関し住居と就業の場所との間を，合理的な経路および方法により往復することとされていましたが，現在では，次の①，②の移動も，保険給付を受けられる通勤となります。
　①　複数就業者の事業場間移動：2カ所の事業場で働く労働者が，一つ目の就業の場所から二つ目の就業の場所へ移動する途中で被災した場合
　②　単身赴任者の事業場・住居間移動：単身赴任者が就業の場所と赴任先住居，または就業の場所と帰省先住居との間を移動している間に被災した場合

3．労災保険の給付内容

① 療養補償給付・療養給付

　この給付は，労働者が業務中または通勤途中に生じた傷病に対する給付です。

　療養（補償）給付は，「**療養の給付**」および「**療養の費用の支給**」を総称したものをいいます。労災保険の中核をなす「療養の給付」とは，傷病労働者が労災病院または所轄労働局長が指定した病院または診療所（以下「指定医療機関」という）において，診療を受けることができる**現物給付**をいいます。これに対し，指定を受けていない「非指定医療機関」において診療を受けた場合は**現金給付**となります。療養（補償）給付では，**診察，処置，手術などの治療，入院（看護，給食，室料加算等を含む），薬剤または治療材料の支給，移送費（通院費等を含む）**等が支給されます。なお，療養（補償）給付は，当該傷病が「**治癒**」*するまで支給されます（治癒の例は図表4）。

　労災保険で給付対象となる範囲は図表5のとおりです。

　基本的に労災保険の治療方法や範囲は，健康保険における取扱いに準拠していますが，傷病者救済が目的である労災保険のほうが，給付内容・範囲の幅が充実しています。それは，労災保険と健康保険の制度の目的の違いによるといえます。

　健康保険は，創設以来，「いつでも・どこでも・だれでも」適切に私傷病を治すための適正診療が受けられることを目的としています。

　それに対して労災保険は，労働者の通勤・業務災害について，労働基準法によって義務づけられている「**責任保険**」であり，これらの災害によって損失した労働者の稼働能力の回復と，傷病の早期治癒への誘導，後遺症発生の軽減および防止を図り，職場復帰することを最終目的としています。このような理由から，労災保険は健康保険に比べて療養の範囲に幅がもたされています。また，労災独自の診療行為，診療点数もあります。

（1）給付方式

　労災保険による療養補償給付には，「**療養の給付（現物給付）**」と「**療養の費用の支給（療養費払い，償還払い）**」とがあります。原則としては療養の給付として扱い，例外的な取扱いとして療養の費用の支給を行います。

① 療養の給付

　労災指定医療機関（および労災病院）において傷病労働者が治療を受けた場合，その費用は国（政府）が療養を行った医療機関に直接支払い，傷病労働者は必要な書類を提出するだけで療養の給付を受けることができます。つまり「**療養の給付**」＝「**労災指定医療機関での医療**」となるわけです。

　医療機関のほか，薬局・訪問看護ステーションも同様に労災指定を受けていれば現物給付の対象となります。健康保険で受診する場合は，「健康保険証」を医療機関に提出しますが，労災保険の場合，

＊　治癒
　　労災保険で示す「治癒」とは，医学的に認められている治療を行っていても，その症状が安定し治療上効果が期待できなくなったことをいいます。これを「症状固定」と呼んでいます。
　　また，治療中仕事ができない状態であれば，休業補償給付を受け取り，その後症状固定と診断された後でも身体に障害が残った場合は，障害の等級によって障害補償給付を受け取ることができます。この治癒の判定は，所轄の労働基準監督署長が行いますが，担当医師の臨床所見で決定することが一般的なようです。

図表4　治癒（症状固定）の例

例1　切創若しくは割創の創面がゆ合した場合又は，骨折で骨ゆ合した場合であって，たとえ，なお疼痛などの症状が残っていても，その症状が安定した状態（当該症状がプラトーに達した状態）になり，その後の療養を継続しても改善が期待できなくなったとき。

例2　骨ゆ合後の機能回復療法として理学療法を行っている場合に，治療施行時には運動障害がある程度改善されるが，数日経過すると，元の状態に戻るという経過が一定期間にわたってみられるとき。

例3　頭部外傷が治った後においても中枢神経症状として外傷性てんかんが残る場合があります。この時，治療によって，そのてんかん発作を完全に抑制できない場合であっても，その症状が安定し（当該症状がプラトーに達した状態），その後の療養を継続してもそれ以上，てんかん発作の抑制が期待できなくなったとき。

例4　外傷性頭蓋内出血に対する治療後，片麻痺の状態が残っても，その症状が安定し（当該症状がプラトーに達した状態），その後の療養を継続しても改善が期待できなくなったとき。

例5　腰部捻挫による腰痛症の急性症状は消退したが，疼痛などの慢性症状が持続している場合であっても，その症状が安定し（当該症状がプラトーに達した状態），その後の療養を継続しても改善の期待ができなくなったとき。

出典：「労災医療のあらまし　令和4年4月」（北海道労働局）

図表5　療養の範囲

①診察	外科・整形外科・歯科医師など専門医による診察・検査。また必要に応じて往診など。
②薬剤または治療材料の支給	薬剤は治療上必要な薬。治療材料とは包帯，輸血用血液，コルセットなど治療上必要と認められる材料。
③処置，手術その他の治療	処置は傷病に対する薬剤の塗布・被覆。手術とは，縫合・各種手術。その他の治療はマッサージ・理学療法など。
④居宅における療養	居宅における療養は，往診，療養上の管理およびその療養に伴う世話その他の看護。
⑤病院または診療所への入院	入院傷病者に対する看護・治療。
⑥移送	被災労働者を災害現場から医療機関へ収容すること，または医師の指示で傷病の状態により転医をするため，他の医療機関へ移動する場合。

健康保険証の代わりに，業務上であれば「**様式5号または6号**」，通勤災害の場合は「**様式16号の3号または4号**」の様式を医療機関に対して提出することになっています（様式説明はp.44）。

②　療養の費用の支給

　労働者が災害に遭ったときに，①緊急に診療を受けなければならないため，最寄りの労災指定医療機関以外の医療機関で受診した，②労働者の症状が特殊な医療技術や設備を必要とするが，最寄りには条件を満たす労災指定医療機関がなかった，③労働者の会社の所在地や居住地に労災指定医療機関がなかった——などのケースもあります。そのような場合，療養に要した費用は労働者もしくは会社が一時治療費を立て替え，非労災指定の医療機関で治療を受けることになります。その場合の費用は療養費用給付扱いとなり，後日，申請者の銀行口座に支払った額が振り込まれることになります。ただし，その際に医療機関の証明がなければ療養費用の支給が受けられません。そのため，たとえ非労災指定医療機関であっても医事職員は，最低限度手続きに必要な様式については覚えておかなくてはなりません。また傷病労働者が不安にならないように，手続きに必要な様式について事前説明を行うようにすれば，後の処理もスムーズなはずです。

　具体的には，傷病労働者には，「**療養補償給付たる療養の費用請求書**」（負傷した原因が業務上であれば「様式7号(1)」，通勤災害の場合は「様式16号の5(1)」）を窓口に提出してもらいます。医療機関は，医療保険のレセプトと同様に診療費内訳書に明細を記載します。それを診療費の領収書に添付し，傷病労働者へ管轄の労働基準監督署の労災課に提出するよう説明してください。

図表6　労災保険給付の概要（2024年6月1日現在）

保険給付の種類		保険給付の対象	保険給付の内容	社会復帰促進等事業[※]による給付
療養（補償）給付		業務災害または通勤災害による傷病により療養するとき	必要な療養の給付	
休業（補償）給付		業務災害または通勤災害による傷病の療養のため労働することができず，賃金を受けられないとき	休業4日目から，休業1日につき給付基礎日額の60%相当額	休業特別支給金
障害（補償）給付	障害（補償）年金	業務災害または通勤災害による傷病が治った後に障害等級第1～7級までに該当する障害が残ったとき	障害の程度に応じ，給付基礎日額の313～131日分の年金	障害特別支給金障害特別年金
	障害（補償）一時金	業務災害または通勤災害による傷病が治った後に障害等級第8～14級までに該当する障害が残ったとき	障害の程度に応じ，給付基礎日額の503～56日分の一時金	障害特別支給金障害特別一時金
遺族（補償）給付	遺族（補償）年金	業務災害または通勤災害により死亡したとき	遺族の数等に応じ，給付基礎日額の245～153日分の年金	遺族特別支給金遺族特別年金
	遺族（補償）一時金	①遺族（補償）年金を受け得る遺族がないとき　②遺族（補償）年金を受けている者が失権し，かつ，他に遺族（補償）年金を受け得る者がない場合であって，すでに支給された年金の合計額が給付基礎日額の1000日分に満たないとき	給付基礎日額の1000日分の一時金（ただし②の場合は，すでに支給した年金の合計額を差し引いた額）	遺族特別支給金遺族特別一時金
葬祭料葬祭給付		業務災害または通勤災害により死亡した者の葬祭を行うとき	315,000円に給付基礎日額の30日分を加えた額（給付基礎日額の60日分に満たない場合，給付基礎日額の60日分）	
傷病（補償）年金		業務災害または通勤災害による傷病が療養開始後1年6カ月を経過した日または同日後において，傷病が治っておらず，傷病による障害の程度が傷病等級に該当するとき	障害の程度に応じ，給付基礎日額の313～245日分の年金	傷病特別支給金傷病特別年金
介護（補償）給付		障害（補償）年金または傷病（補償）年金受給者のうち第1級の者または第2級の者（精神・神経の障害および胸腹部臓器の障害の者）であって，現に介護を受けているとき	常時介護は177,950円，随時介護は88,980円が上限（1カ月につき）（親族等の介護を受けていた場合の支給額は省略）	
二次健康診断等給付		事業主が行う直近の健康診断等（一次健康診断）において，血圧検査，血中脂質検査，血糖検査，腹囲の検査またはBMI（肥満度）の測定のすべての検査について異常の所見があると診断され，脳血管疾患または心臓疾患の症状を有していないとき	脳血管や心臓の状態を把握するための二次健診と医師や保健師による特定保健指導の実施	

※　社会復帰促進等事業とは，法第29条に規定される，被災労働者の社会復帰の促進や被災労働者やその遺族の援護，労働者の安全衛生の確保を目的に行われる給付である。

(2)　療養の給付の対象範囲

　労災保険法の第12条の8（業務災害）・第21条（通勤災害）に基づき療養給付の範囲が決められています。この法律には「政府が必要と認めるものに限る」とされていますが，一部を除けば健康保険

と同様の扱いと考えてよいでしょう。したがって，健康保険で認められていない特殊な療法・新薬などは給付の対象となりません。また，労災によって生じた傷病に対して治療が医学的に効果が得られないと医師が判断した場合（慢性症状が残存した場合も含む），労災保険では**「症状固定」**いわゆる**「治癒」**となり，療養補償給付の対象から外されます。しかし，残存している慢性的な症状については，その障害の程度により障害補償給付が行われることになります。この療養の範囲については，図表5のとおりです。

① 医療材料と装具の取扱い

　労災保険では被災労働者が1日も早く社会復帰ができるようにさまざまな配慮がされています。その一つに療養上必要な**治療材料および装具**があります。これらは，健康保険では支給対象にされていないものでも，労災保険では独自に支給対象としているものもあります。また，社会復帰促進等事業として支給される**義肢等補装具**もあります。

　図表7が労災保険（義肢等補装具費支給要綱）として給付が認められている材料および装具です。一部健康保険でも認められている材料もありますが，労災保険の場合は被災労働者の保護と療養生活の充実を図るために種々の補装具が認められているわけです。窓口業務をしていると時として被災労働者から補装具のことについて尋ねられることがあります。一覧表にして，労災ファイルとして各種様式などと一緒にしておくようにすると便利です。

2 療養補償給付以外の主な給付

(1) 休業補償給付・休業給付

　休業補償給付・休業給付を受けるためには，**業務災害**では**「様式8号」**，**通勤災害**では**「様式16号の6」**が必要です。直接，被災労働者が医療機関に持ってくる（診療担当者の証明が必要な）様式なので覚えてください（その後，被災労働者が所轄の労働基準監督署に提出する）。

　休業（補償）給付は，労働者が業務上または通勤途上の傷病に係る療養のため働くことができず，かつ賃金が支払われない場合，労働ができなくなり賃金を受けていない日の休業4日目から支給されます。支給額は休業1日につき給付基礎日額*の6割です。なお，業務災害の場合には，最初の3日間は**「待期期間」**といって事業主に補償義務が課せられていますが，通勤災害の場合は，「待期期間」に対する事業主の補償義務はありません。

　支給額は以下のとおり算出されます。

　・休業（補償）給付＝（給付基礎日額の6割）×休業日数
　・休業特別支給金＝（給付基礎日額の2割）×休業日数

　休業補償給付を窓口に持って来られた場合は，できるだけ早く書類を作成しなくてはなりません。患者さんにとっては，「書類＝給料の源」であるからです。

(2) 障害補償給付・障害給付

　障害補償給付・障害給付を受けるためには，被災労働者が，**業務災害**では**「様式10号」**，**通勤災害**では**「様式16号の7」**を所轄の労働基準監督署長に提出する必要があります。

　障害（補償）給付は，業務上の傷病が治ったときに，残存する身体障害による労働能力の喪失に対する補償を目的とするもので，当該労働者の障害の程度に応じて支給されます。なお，労災保険でい

　＊　給付基礎日額
　　原則として，これを算定すべき事由が生じた日（賃金締切日が定められているときは，算定事由が生じた日の直前の賃金締切日）前3カ月間にその労働者に対して支払われた賃金の総額を，その期間の総日数（休日などを含めた暦日数）で除して得た額となります。つまり，算定事由が生じた日前3カ月間の1日当たりの賃金額です。通常，7月に改正され，8月1日から施行されます。

図表7　社会復帰促進等事業として労災保険給付が認められている材料・装具

義肢	手，足，手指，足指を亡失した場合等に，1障害部位について2本支給される。
筋電電動義手	両上肢を手関節以上で失い，障害（補償）給付を受けた場合等に1人につき1本が支給される。
上肢装具および下肢装具	上肢または下肢の機能に障害が残存している場合等に，1障害部位について2本支給される。
体幹装具	脊柱に荷重障害を残し，障害等級第8級以上の場合等に支給される。
座位保持装具	四肢または体幹に著しい障害があり，かつ障害等級第1級の場合で座位が不可能か著しく困難な場合に支給される。
盲人安全つえ	両眼に視力障害があり障害等級第4級以上の障害がある場合等に支給される。
義眼	1眼または両眼を失明した場合等，1眼につき1個支給される。
眼鏡（コンタクトレンズを含む）	1眼または両眼に視力障害が残存し，障害等級第13級以上の場合等に支給される。
点字器	両眼に視力障害が残存し，障害等級第4級以上の場合等に支給される。
補聴器	1耳または両耳に聴力障害が残存し，障害等級第11級以上の場合等に支給される。
人工喉頭	言語の機能を廃した場合等に支給される。
車椅子	両下肢を全廃または亡失し，義足・下肢装具の使用ができない場合，または，療養中であっても治癒後は両下肢の全廃または亡失が免れず，治癒後も義足および下肢装具の使用ができないと明らかである場合等に認められる。
電動車椅子	両下肢または両上肢に著しい障害があり，通常の車いすの使用が困難である場合等に支給される。
歩行車	高度の失調または平衡機能障害のため歩行することが困難の場合に支給される。
収尿器	脊髄損傷者，外傷性泌尿器障害者等で尿失禁を伴う場合，手術で尿路変向を行った場合等に支給される。
ストマ用装具	大腸または小腸に人工肛門を造設した場合等に所轄の労働局長が必要と認めた範囲でその枚数が支給される。
歩行補助つえ	下肢の全部または一部を亡失し，または下肢の機能に障害が残存し障害等級第7級以上の場合等に支給される。
かつら	頭部に著しい醜状が残存した場合等に支給される。
浣腸器付排便剤	脊髄損傷者等で，障害（補償）給付の支給決定を受けた場合等に支給される。
床ずれ防止用敷ふとん	神経系統の機能に著しい障害を残し，常時介護にかかる介護（補償）給付を受けている場合等に支給される。
介助用リフター	傷病等級第1級第1号もしくは第2号に該当する場合，障害等級第1級第3号もしくは第4号に該当する場合等に1人につき1台支給される。
フローテーションパッド（車いす・電動車いす用）	社会復帰促進等事業として支給された車いすまたは電動車いすを使用し，褥瘡が臀部または大腿部に発生するおそれがあり，かつ医師が必要と認めた場合に支給される。
ギャッチベッド	傷病等級第1級第1号もしくは第2号に該当する場合，障害等級第1級第3号もしくは第4号に該当する場合等に1人につき1台が支給される。
重度障害者用意思伝達装置	両上下肢の用を全廃または両上下肢を亡失し，言語の機能を廃したことにより，障害（補償）給付の支給決定を受ける場合等に1人につき1台が支給される。

う「傷病が治癒したとき」とは，負傷または傷病に対する治療効果が期待できなくなり，かつその症状が固定した状態になったときをいいます。

　この場合の治癒とは，「これ以上治療効果を期待することができず，症状が固定した場合」をいいます。労災保険では，障害の程度に応じて1級から14級に区分して**障害等級表**が定められています。

　障害補償給付の支払いは，**年金**と**一時金**の2つに分けられ，障害等級が1級から7級に該当する障害については年金とされ，8級から14級に該当する障害は一時金として支給されます。

　支給金額は，被災労働者の給付基礎日額に，障害等級に応じて決められている給付日数を乗じて算出されます（障害補償給付支給請求書は様式10号です）。

　労災からは**障害補償年金**が支給されますが，厚生年金・国民年金からも**障害年金**が支払われます。しかし，支給額はたとえば厚生年金から障害厚生年金を受け取っている場合には，労災の障害補償年金額は83％に減額されます。また，一時金については労災からの**障害補償一時金**のみが支給され，他の障害手当金は全額停止され，重複支給されません。

　障害補償給付の請求の際には，次の点を押えておきましょう。

① 必要書類は障害補償給付支給請求書（様式10号）
② 請求期限はけがなどが治癒（症状固定）した日の翌日から５年間
③ 添付書類は障害に対しての医師の診断書（必要に応じてレントゲン写真など）
④ 提出先は所轄の労働基準監督署長で，障害給付の対象になるか否かの審査も行われる

(3) 遺族補償給付・遺族給付

　業務中・通勤途上の災害が原因で，被災労働者が死亡した場合に，その遺族に対して**遺族（補償）年金**または**遺族（補償）等一時金**および**葬祭料**等が支払われます。遺族が死亡労働者に扶養されていなかった場合のように，年金を受ける資格のないときは一時金が支給されます。遺族（補償）年金，遺族（補償）等一時金とも，請求権については「被災労働者が亡くなった日の翌日から５年」の時効が存在します。

　受給資格者〔遺族（補償）年金〕となるのは，労働者の死亡当時その収入によって生計を維持していた配偶者，子，父母，孫，祖父母，兄弟姉妹です。

　遺族が，年金は**様式第12号（業務災害）**または**様式第16号の 8（通勤災害）**，一時金は**様式第15号（業務災害）**または**様式第16号の 9（通勤災害）**を所轄労働基準監督署長に提出します。

(4) 傷病補償年金・傷病年金

　請求手続きはありませんが，**療養開始後１年６カ月経過しても傷病が治っていないとき**は，業務中・通勤災害ともに「**様式第16号の 2**」を所轄の労働基準監督署長に提出します。

　業務・通勤災害による傷病のため，療養を開始してから１年６カ月を経過した日，またはその日以降で，次に挙げる場合は労働基準監督署長の決定によって，傷病（補償）年金が支払われます。

① けがなどの傷病が治っていない場合
② 障害の程度が傷病等級の１級から３級に該当する場合

(5) 介護補償給付・介護給付

　一定の障害（補償）年金または傷病（補償）年金受給者であって，常時または随時介護を要する者には**介護（補償）給付**が行われます。①一定の障害の状態に該当すること，②現に介護を受けていること，③病院または診療所に入院していないこと，④介護老人保健施設，障害者支援施設（生活介護を受けている場合に限る），特別養護老人ホームまたは原子爆弾被爆者特別養護ホームに入所していないこと——が支給要件です。

　被災労働者が，所轄の労働基準監督署長に「**様式第16号の 2 の 2**」等を提出します。

3 二次健康診断等給付制度

(1) 予防給付導入の背景

　日本における生産年齢人口のピークは，1995年の8717万人でした。その後は，総労働力が減少するばかりでなく，低出産率を背景とする労働力全体の高齢化も招いているというのが現状です。一方で，近年，それまでの感染症に代わって慢性疾患，とくに生活習慣に伴う各種疾患対策が医療の大きな

テーマとなってきました。生産人口減少下の状況では，希少な労働力を維持する必要性から，生活習慣病の予防がとくに重要な問題となってきます。

また，労働者の健康状態をみるために，99年に労働省（当時）が定期健康診断の結果を調査したデータによりますと，その42.9％になんらかの所見がみられたということです。そのおもな項目は，血中脂質，心電図，肝機能，血圧，尿糖などでした。さらに98年以降，労働者の脳・心疾患を原因とする突然死が急増しているというデータもあります。これらを背景に労働者の健康増進策を図るべきだという気運が高まりました。

これを受けて労働省では，労災保険における「**二次健康診断等給付事業**」に関する法案を国会に提出し，2000年11月可決，2001年4月から施行されることになったわけです。

(2)　二次健康診断等給付の目的と要件

二次健康診断等給付は，労働安全衛生法（安衛法）による一次健康診断*で次のすべての検査項目について「異常所見」があると診断された場合に受けることができます。

① 　血圧の測定
② 　血中脂質検査（LDL コレステロール，HDL コレステロールまたは血清トリグリセライドの量の検査）
③ 　血糖検査
④ 　腹囲の検査または BMI（肥満度）の測定

しかし，二次健診の目的はこれらの個々の異常についてさらに詳しく調べることではありません。業務上の脳血管疾患および心臓疾患の発症のリスクをあらかじめ把握することにより，事業者による配置転換あるいは保健指導による生活改善などの予防措置を講じることを目指しているものです。

そのためすでに医師により脳・心臓疾患の症状を有すると診断されている人については二次健診等給付の対象とはなりません。

また，上記4項目の検査値すべてに異常所見がみられない場合でも，産業医がその労働者の就業環境などを総合的に勘案して必要と診断すれば，異常所見ありとして二次健診の対象とすることもあります。その際には，給付請求書の裏面に産業医の記入と署名等が必要となります。

(3)　二次健康診断等給付の内容

二次健診等給付事業は，①**二次健康診断**と②**特定保健指導**からなっています。

給付事業を行えるのは二次健康診断等給付医療機関で，これは原則として労災保険指定医療機関あるいは一定の基準を満たした健康診断機関のいずれかから実施機関としての指定を受けた病院または診療所となります。

① 　二次健康診断

二次健康診断では，脳血管および心臓の状態を把握するために必要な検査（図表8）を行います。

またほかに，脳・心臓疾患では家族歴がリスク要因として重要であることから，随時，問診を行い既往歴とともに把握しておくことが必要とされます。

これらの検査内容の組み合わせを具体的に示すと図表9のようになります。

---

*　**安衛法による一次健康診断**
　安衛法による一次健康診断とは，直近の定期健康診断〔労働安全衛生規則（安衛則）第44条〕，雇入時の健康診断（安衛則第43条），特定業務従事者の健康診断（安衛則第45条），海外派遣労働者の健康診断（安衛則第45条の2）を指します。安衛法による定期健康診断の検査項目は，①既往歴・業務歴の調査，②自覚症状・他覚症状の有無の検査，③身長，体重，腹囲，視力・聴力の検査，④胸部エックス線検査・喀痰検査，⑤血圧の測定，⑥貧血検査，⑦肝機能検査，⑧血中脂質検査，⑨血糖検査，⑩尿検査，⑪心電図検査です。

図表8　二次健康診断の対象となる検査

①	空腹時血中脂質検査	一次健診では集団方式であること，時間帯の制約などから厳密な検査ができないため，空腹時の血液を採取し食事による影響を排除した低比重リポ蛋白コレステロール（LDL コレステロール），高比重リポ蛋白コレステロール（HDL コレステロール），血清トリグリセライド（中性脂肪）の量により血中脂質を測定する。
②	空腹時血糖値検査	空腹時の血中グルコースの量（血糖値）を測定する。
③	ヘモグロビン A1c（HbA1c）検査	食事による一時的な影響が少なく，過去1～2カ月の平均的な血糖値を表すとされるヘモグロビンA1cの検査。ただし，一次健診で行っていない場合のみ支給される。
④	負荷心電図検査または胸部超音波（心エコー）検査	負荷心電図検査は運動負荷をかけて心電図検査を行うもので，潜在性心疾患のスクリーニングに有用。運動負荷の様式により，階段（マスター台）を一定の回数昇り降りするマスター2段階負荷試験とトレッドミルや自転車エルゴメーターを用いる多段階負荷試験に分けられる。一般には簡便なマスター2段階法が多く行われるが，運動負荷試験は負荷をかけることから常に心疾患に関連する事故の危険性がある。また，非侵襲的検査としては，超音波探触子を胸に当てて心血管の形態と心機能の評価を可能とする心エコーが用いられる。 負荷心電図と心エコーはどちらか一方のみが給付される。
⑤	頸部超音波（頸部エコー）検査	超音波探触子を頸部に当てて脳に入る動脈（頸動脈）の状態を調べる検査。頸動脈が硬化している場合，直接的に虚血性脳血管障害に，あるいは間接的には虚血性心疾患に関与している可能性が高いことから，有意なスクリーニング検査とされている。
⑥	微量アルブミン尿検査	早朝尿中のアルブミン（血清中に含まれる蛋白質の一種）の量を精密に測定する検査で，脳・心血管系疾患のよい指標となる。ただし，一次健診で尿蛋白が疑陽性（±）または弱陽性（＋）を示した場合にのみ行われる。

図表9　検査内容の具体的な組み合わせ

	心エコー	負荷心電図	頸部エコー	空腹時血糖値	HbA1c	空腹時血中脂質	微量アルブミン尿	特定保健指導
1	○		○	○	○	○	○	○
2		○	○	○	○	○	○	○
3	○		○	○	○	○		○
4		○	○	○	○	○		○
5	○		○	○		○	○	○
6		○	○	○		○	○	○
7	○		○	○		○		○
8		○	○	○		○		○

1．負荷心電図と心エコーはいずれかの選択です。
2．HbA1cについては一次健診で行った場合は行えません。
3．微量アルブミン尿検査については一次健診で疑陽性，弱陽性であった者に対して行います。
4．二次健康診断の結果，脳・心臓疾患の症状を有する場合は特定保健指導は行えません。

② 特定保健指導

　二次健診の結果，**肥満・高血圧・高脂血症・高血糖**が認められる場合，脳・心臓疾患の発症の予防を図るために，医師または保健師の面接により食生活上の注意など具体的な指導（図表10）が行われ

図表10　特定保健指導

①	栄養指導	1日の総摂取カロリー，バランスのとれた食生活など，具体的な食生活上の指針を示して指導を行う。
②	運動指導	血栓等の形成がなく運動を行っても危険のない人を対象に，歩行・自転車エルゴメーターなど必要かつ安全な運動の指導を行う。
③	生活指導	飲酒・喫煙・休息・睡眠などの生活習慣について，現在の仕事を続けながら健康な生活を送れるような指導を行う。

ます。

　なお，二次健診の結果で脳・心臓疾患の症状を有しているという診断が出た場合は，すでに予防の段階を過ぎているため特定保健指導の給付対象とはなりません。

(4)　二次健康診断等の給付の請求と費用の請求

①　給付の請求

　二次健診等給付を受けようとする労働者は，**二次健康診断等給付請求書（様式第16号の10の2）**（図表11・12）に必要事項を記入し，一次健康診断の結果を証明する書類を添付して，健診給付医療機関等を経由して，所轄の都道府県労働局長に提出します。

　この請求は一次健診の受診日から天変地異等やむをえない事情がある場合を除き，3カ月以内に行わなければいけません。また二次健診は同一年度内（4月1日から翌年3月31日まで）には1回しか受けられません。

②　費用の請求

　受診した労働者に対しては現物給付となりますので，費用の請求は健診給付医療機関等が労働局に行うこととなります。

　健診給付医療機関は二次健診等給付を行った場合，検査項目の報酬額について，**労災診療費算定基準（健保準拠分については1点単価12円）**を基礎に計算します。

　算出した毎月分の費用を「労働者災害補償保険二次健康診断等費用請求書」に費用請求内訳書を添えて都道府県労働局に提出し支払いを受けます。請求書および内訳書は労働局長が定めた様式によります。

(5)　まとめ

　これまでに述べた全体のスキームをまとめると図表13になります。

　また，給付の流れを簡略に表すと図表14のようになります。

　二次健診の結果について，実施した医師は受診者のプライバシーに配慮しながら産業医に報告しなければなりません。

　事業主は，その健診結果・産業医の判断・労働者の既往歴などを踏まえて，安衛法に基づく適切な事後措置をとる義務があります。具体的には，①就業場所の変更，②作業の転換，③労働時間の短縮，④深夜業の回数の減少——などとなります。

4　支給制限

　支給制限とは，労災保険からの給付を一切行わない，または一部減額するなど，労災保険の支給を制限することをいいます。支給制限が行われる可能性があるのは，次のケースです。

①**故意に負傷，疾病，障害もしくは死亡またはその直接の原因となった事故を発生させた場合**：保険給付はまったく行われない。

②**故意の犯罪行為または重大な過失により，負傷，疾病，障害，死亡もしくはこれらの原因となった事故を発生させた場合**：休業（補償）給付，傷病（補償）年金，障害（補償）給付を支給するたび

労災保険制度

概　要
災　害
給　付
関連制度

図表11　請求書記載例（表）

■　様式第16号の10の2　（表面）　労働者災害補償保険
　　　　　　二次健康診断等給付請求書

裏面に記載してある注意事項をよく読んだ上で、記入してください。

標準字体

0	5	ア	カ	サ	タ	ナ	ハ	マ	ヤ	ラ	ワ
1	6	イ	キ	シ	チ	ニ	ヒ	ミ		リ	ン
2	7	ウ	ク	ス	ツ	ヌ	フ	ム	ユ	ル	゛
3	8	エ	ケ	セ	テ	ネ	ヘ	メ		レ	゜
4	9	オ	コ	ン	ト	ノ	ホ	モ	ヨ	ロ	ー

帳票種別　①管轄局　②帳票区分③保留　④受付年月日
※ ３８５３０　□□　無 新規 1 移行　□　□□□□□□□
　　　　　　　　　　　　　　　　1~9年は右へ↑ 1~9月は右へ↑ 1~9日は右へ↑

⑤労働保険番号　府県 所掌 管轄 基幹番号 枝番号
1 3 1 0 1 1 2 3 4 5 6 0 0 0

⑥処理区分　⑦支給・不支給決定年月日　⑧特例コード
※　□□　□□□□□□□　□□
　　　　　　　　　　　　　　　13か月超 3 産業医等 51及び3

→ 一次健康診断を受けた年月日を記入してください。

⑨性別　⑩労働者の生年月日　⑪一次健康診断受診年月日　⑫二次健康診断受診年月日
1 男 3 女　1　3大正 5昭和 7平成 9令和　5 5 0 0 4 2 6　7平成 9令和　9 0 3 0 5 1 4　7平成 9令和　9 0 5 0 6 2 0
　　　　　　　　　　　1~9年は右へ↑ 1~9月は右へ↑ 1~9日は右へ↑　1~9年は右へ↑ 1~9月は右へ↑ 1~9日は右へ↑

→ 実際に二次健康診断を受けた日を記入してください。
　［検査が複数の日にわたって行われた場合は，最初の日を記入してください。］

⑬労働者の

シメイ（カタカナ）：姓と名の間は1文字あけて記入してください。濁点・半濁点は1文字として記入してください。
コウロウ　タロウ

氏　名　厚労　太郎　　　（○○歳）

フリガナ　チヨダクカスミガセキ
住　所　千代田区霞ヶ関1-2-2

②郵便番号 100 - 8916

→ 一次健康診断の結果について記入してください。

◎裏面の注意事項を読んでから記入してください。

→ 一次健康診断における尿蛋白検査の結果を記入してください。

一次健康診断結果欄

一次健康診断（直近の定期健康診断等）における以下の検査結果について記入してください。
（以下の⑭、⑮、⑰及び⑱の異常所見について、すべて「有」の方が二次健康診断等給付を受給することができます。）

⑭血圧の測定における異常所見（高い場合に限る。）	⑮血中脂質検査における異常所見（高い場合に限る。ただし、HDLコレステロールについては、低い場合に限る。）	血　糖　検　査		⑱腹囲又はBMI（肥満度）の測定における異常所見（高い場合に限る。）	⑲尿蛋白検査についての所見	⑳脳又は心臓疾患について療養を行っているなど、当該疾患の症状の有無
		⑯検査方法	⑰異常所見（高い場合に限る。）			
1 有 3 無 [1]	1 有 3 無 [1]	1血糖値検査 3 ヘモグロビンA1c検査 [1]	1 有 3 無 [1]	1 有 3 無 [1]	1 - 3 ± 5 + 7 ++ 9 +++ [3]	1 有 3 無 [3]

→ 脳または心臓疾患の症状の有無について記入してください。

→ 血糖検査の方法を記入してください。

二次健康診断等実施機関の

名　称　○○病院　　　電話番号　−　−
所在地　練馬区東大泉○-○-○　　　郵便番号　−

→ 二次健康診断および特定保健指導を受けた医療機関の名称および所在地を記入してください。
　［心エコー検査および頚部エコー検査を別の医療機関で受けた場合は，その医療機関については記入する必要はありません。］

㉑の期日が⑪の期日から3か月を超えている場合、その理由について、該当するものを○で囲んでください。
イ　天災地変により請求を行うことができなかった。　　ハ　その他（理由：
ロ　医療機関の都合等により、一次健康診断の結果の通知が著しく遅れた。　　）

→ 一次健康診断を受けた日から3か月以内に請求することができなかった場合には、その理由について該当するものに○を付してください。

事業主証明欄

⑬の者について、⑪の期日が一次健康診断の実施日であること及び添付された書類が⑪の期日における一次健康診断の結果であることを証明します。
5 年 6 月13日

事業の名称　株式会社　○○商事　　　電話番号　−　−
事業場の所在地　中央区銀座2-4-○○　　　郵便番号　xxx-xxxx
事業主の氏名　○○　太郎　　　（印）
（法人その他の団体であるときはその名称及び代表者の氏名）　（記名押印又は署名）
労働者の所属事業場の名称・所在地　　　電話番号　−　−

→ 事業主の証明が必要です。支店長等が事業主の代理人として選任されている場合、当該支店長等の証明を受けてください。

上記により二次健康診断等給付を請求します。

東京　労働局長　殿

㉑請求年月日　7平成 9令和　9 0 5 0 6 1 8
　　　　　　1~9年は右へ↑ 1~9月は右へ↑ 1~9日は右へ↑

（○○　病院 経由 診療所）

請求人の住　所　千代田区霞ヶ関1-2-2
郵便番号 100 - 8916　　電話番号　−　−
氏　名　厚労　次郎　　　（印）
（記名押印又は署名）

→ 自筆による署名の場合は押印は必要ありません。

支不支給決定決議書

	局長	部長	課長	調査年月日	・ ・
				復命書番号	第　号
				決定年月日	・ ・
				不支給理由	

※印の欄は記入しないでください。（職員が記入します。）

※折り曲げる場合には（▲）の所を谷に折りさらに2つ折りにしてください。

（この欄は記入しないでください。）

→ 二次健康診断等給付を請求した年月日（二次健康診断等を医療機関に申し込んだ日）を記入してください。

出典：厚生労働省ホームページ

図表12　請求書記載例（裏）

様式第16号の10の2（裏面）

一次健康診断を行った医師が異常の所見がないと診断した項目について、産業医等が異常の所見があると診断した場合、当該産業医等が新たに異常の所見があると診断した項目について、該当するものを○で囲んでください。

　イ　血圧

　ロ　血中脂質

　ハ　血糖値

　ニ　腹囲又はBMI（肥満度）

異常の所見があると診断した産業医等の氏名

印

（記名押印又は署名）

一次健康診断を行った医師が血圧，血中脂質，血糖値，腹囲またはBMI（肥満度）のいずれかについては異常なしと判断した場合で，その後産業医等が上記のいずれかの項目について異常を認めたことにより二次健康診断等給付を受ける要件を満たした場合には，産業医等が異常を認めた項目に○を付してください。

〔注意〕

1　□□□で表示された枠（以下「記入枠」という。）に記入する文字は、光学式文字読取装置（OCR）で直接読取りを行うので、汚したり、穴をあけたり、必要以上に強く折り曲げたり、のりづけしたりしないでください。

2　記載すべき事項のない欄又は記入枠は空欄のままとし、事項を選択する場合には該当事項を○で囲み（⑨及び⑭から⑳までの事項並びに⑩、⑪、⑫及び⑳の元号については、該当番号を記入枠に記入すること。）、※印のついた記入欄には記入しないでください。

3　記入枠の部分は、必ず黒のボールペンを使用し、様式表面右上に記載された「標準字体」にならって、枠からはみ出さないように大きめのカタカナ及びアラビア数字で明りように記入してください。

4　「一次健康診断」とは、直近の定期健康診断等（労働安全衛生法第66条第1項の規定による健康診断又は当該健康診断に係る同条第5項ただし書の規定による健康診断のうち、直近のもの）をいいます。

5　⑫は、実際に二次健康診断を受診した日（複数日に分けて受診した場合は最初に受診した日）を、また、㉑は、二次健康診断等給付を請求した日（二次健康診断等を医療機関に申し込んだ日）をそれぞれ記入してください。

6　⑭から⑳までの事項を証明することができる一次健康診断の結果を添えてください。

7　「二次健康診断等実施機関の名称及び所在地」の欄については、実際に二次健康診断等を受診した医療機関の名称及び所在地を記載してください（胸部超音波検査（心エコー検査）又は頸部超音波検査（頸部エコー検査）を別の医療機関で行った場合、当該医療機関については記載する必要はありません。）。

8　「事業主の氏名」の欄及び「請求人の氏名」の欄は、記名押印することに代えて、自筆による署名をすることができます。

9　「労働者の所属事業場の名称・所在地」の欄については、労働者が直接所属する事業場が一括適用の取扱いを受けている場合に、労働者が直接所属する支店、工事現場等を記載してください。

10　「産業医等」とは、労働安全衛生法第13条に基づき当該労働者が所属する事業場に選任されている産業医や同法第13条の2に規定する労働者の健康管理等を行うのに必要な医学に関する知識を有する医師（地域産業保健センターの医師、小規模事業場が共同選任した産業医の要件を備えた医師等）をいいます。

出典：厚生労働省ホームページ

に，所定給付額の30%が減額される（年金については，療養開始後3年以内に支払われる分に限られる）。

③正当な理由がなく，療養に関する指示に従わないことにより，負傷，疾病，障害の程度を増進させ，もしくはその回復を妨げた場合：休業（補償）給付の10日分または傷病（補償）年金の365分の10相当額が減額される。

5　給付に必要な様式の扱い

　これまで説明したように，一口に労災といっても，指定医療機関の場合と非指定医療機関の場合の取扱いは異なります。また，業務中なのか通勤途上であるのか，それらの該当する労災様式は何号に当たるのか，といったことを覚えなくてはなりません。

(1)　様式の種類

　労災指定医療機関では，傷病労働者が療養を受ける場合，必ず**様式5号（業務中の災害）**（図表

図表13　二次健康診断等給付のスキーム

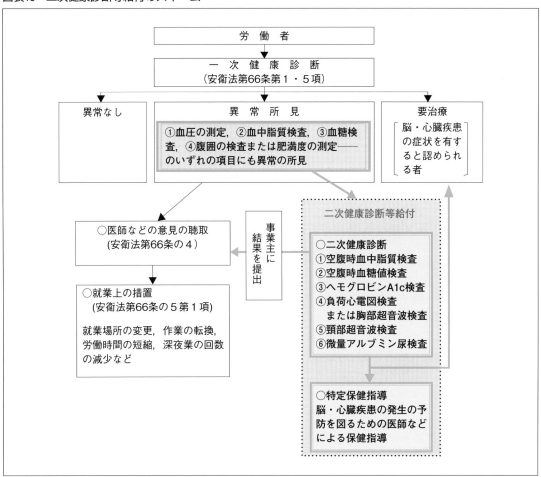

図表14　給付の流れ

出典：厚生労働省ホームページ

15) または**様式16号の3（通勤途上の災害）**（図表16）のいずれかの書式を窓口で確認する必要があります。

　これらは労災診療を受ける資格があるかどうかを確認する書類ですので，決して紛失などしないよう窓口での取扱いには十分注意するようにしてください。また，提出された書式に所定の記載事項が書かれているか確かめてください。とくに，「**労働保険番号**」「**事業主の署名押印**」がもれていないか等を確認する必要があります。

　さらにこれらの書式は，傷病労働者の診療費を初めて労働基準監督署に請求する際，診療費請求内訳書に添付して提出することになっています。

　この他にも，給付を受けるための様式の種類は40以上もありますが，医療機関で取り扱うことの多い業務・通勤に関する様式を図表18にまとめました。医事課職員として最低限度知らなくてはならない項目のみをピックアップしましたので，その他，詳しい制度を知りたい場合は，最寄りの労働基準監督署までお尋ねください。

(2)　診断書の料金と請求方法（主な様式）

　前述の様式の作成費用は，労災保険のレセプトで請求できます。ただし，一部の書類（図表17）は療養費払いになります。

　図表17の様式の中で障害（補償）給付支給請求書の料金だけは，すでに症状固定となっているため，書類代は被災労働者本人からいただくことになります。労災指定医療機関の場合は直接保険請求（レセプト請求）できますが，労災指定医療機関以外の場合は償還払いの対象となりますので，被災労働者には業務災害の場合は様式7号，通勤災害であれば様式16号の5を持ってきてもらい，証明します。また，被災労働者には，書類代金の領収書と労災様式を所轄の監督署で手続きをすれば，払い戻しが受けられることも伝えましょう。

One point　新型コロナ労災

　厚生労働省の資料によると，2024年5月31日現在，新型コロナウイルス感染症に関する労災請求件数は，請求件数23万9406件，決定件数22万7036件，うち支給件数22万6308件とされています。
　使用者には，新型コロナウイルスに関する労災認定について，基本的な実務の運用を理解するとともに，労働者へ周知し，併せて労働者の安全・健康を守る観点から，クラスターの発生防止等を含めた職場環境づくりをすることが求められています。

＜新型コロナウイルスに関する労災認定の考え方＞
　厚生労働省は，新型コロナウイルスに係る労災認定について2つの通知を発出しています。
　まず，2020年基補発0203第1号では，「個別の事案ごとに感染経路，業務又は通勤との関連性等の実情を踏まえ，業務又は通勤に起因して発症したと認められる場合には，労災保険給付の対象となる」としたうえで，新型コロナウイルス感染が労災保険給付の対象となることを前提に，慎重な判断を行う旨が示されました。そして，同年基補発0428第1号では，以下のように判断を行う旨が示されました。

　ア　医療従事者等
　　　患者の診療若しくは看護の業務又は介護の業務等に従事する医師，看護師，介護従事者等が新型コロナウイルスに感染した場合には，業務外で感染したことが明らかである場合を除き，原則として労災保険給付の対象となる。
　イ　医療従事者等以外の労働者であって感染経路が特定されたもの
　　　感染源が業務に内在していたことが明らかに認められる場合には，労災保険給付の対象となる。
　ウ　医療従事者等以外の労働者であって上記イ以外のもの
　　　調査により感染経路が特定されない場合であっても，感染リスクが相対的に高いと考えられる次のような労働環境下での業務に従事していた労働者が感染したときには，業務により感染した蓋然性が高く，業務に起因したものと認められるか否かを，個々の事案に即して適切に判断する。
　　　この際，新型コロナウイルスの潜伏期間内の業務従事状況，一般生活状況等を調査した上で，必要に応じて医学専門家の意見も踏まえて判断する。
　　(ア)　複数（請求人を含む）の感染者が確認された労働環境下での業務
　　(イ)　顧客等との近接や接触の機会が多い労働環境下での業務

　新型コロナウイルス感染症は2023年5月8日以降，5類感染症に位置づけられましたが，労災の取扱いについては変更ありません。

図表15　様式第5号の記載方法

■　様式第5号（表面）労働者災害補償保険
　業務災害用
　療養補償給付たる療養の給付請求書

裏面に記載してある注意事項をよく読んだ上で、記入してください。

標　準　字　体	0	1	2	3	4	5	6	7	8	9	゛	ー
ア	イ	ウ	エ	オ	カ	キ	ク	ケ	コ	サ	シ	ス	セ	ソ	タ	チ	ツ	テ	ト	ナ	ニ	ヌ
ネ	ノ	ハ	ヒ	フ	ヘ	ホ	マ	ミ	ム	メ	モ	ヤ	ユ	ヨ	ラ	リ	ル	レ	ロ	ワ	ン	

標準字体で記入してください。

帳票種別	①管轄局署	②業通別	③保留	④処理区分
※ 3 4 5 9 0		1 1業 3通	1全レセ 3全給付	

④受付年月日
元号　年　月　日
※

⑤労働保険番号
府県	所掌	管轄	基幹番号	枝番号
1 4	1	0 3	1 2 3 4 5 6 0 0 0	
年金証書番号記入欄

⑦支給・不支給決定年月日
元号　年　月　日
※

⑧性別　1男 3女　1
⑨労働者の生年月日
元号　年　月　日
5 5 0 0 8 2 6
（～年は右へ）（～9日は右へ）（～9日は右へ）

⑩負傷又は発病年月日
元号　年　月　日
9 0 5 0 5 3 0
（～9年は右へ）（～9日は右へ）（～9日は右へ）

⑪再発年月日
元号　年　月　日
※

⑬三者　1自 3男 5他
⑭特疾
⑮特別加入者　1特定 疾病
※

⑫労働者の

シメイ（カタカナ）：姓と名の間は1文字あけて記入してください。濁点・半濁点は1文字として記入してください。
コ ウ ロ ウ 　 タ ロ ウ

氏名　厚労　太郎　　（○○歳）

⑯郵便番号　100－8916
フリガナ　チヨダクカスミガセキ
住所　千代田区霞ヶ関1-2-2

⑰負傷又は発病の時刻
午前/午後　10時 40分頃

⑱災害発生の事実を確認した者の職名、氏名
職名　第一工場長
氏名　○○　二郎

職種　鋳物工

⑲災害の原因及び発生状況　（あ）どのような場所で（い）どのような作業をしているときに（う）どのような物又は環境に（え）どのような不安全な又は有害な状態があって（お）どのような災害が発生したかを詳細に記入すること

鋳物工場内の2階倉庫から1階作業場に通じる階段において、（木箱65×45×20cm）を倉庫から搬出作業中、後ろ向きに階段を下っていたため、足を踏み外し、約1.7m下に転落し、左足首を捻挫した。

⑳指定病院等の
名称　○○病院　　電話番号　○○○局 ○○○○番
所在地　川崎市高津区千年○○-○　　郵便番号　213－××××

㉑傷病の部位及び状態　左足関節捻挫

⑫の者については、⑩、⑰及び⑲に記載したとおりであることを証明します。
5年5月30日

事業の名称　○○工業株式会社　　電話番号　○○○局 ○○○○番
事業場の所在地　川崎市川崎区槙町○-○　　郵便番号　210－××××
事業主の氏名　代表取締役　○○　一郎　　㊞
（法人その他の団体であるときはその名称及び代表者の氏名）
労働者の所属事業場の名称・所在地　　電話番号　○○○局 ○○○○番

（注意）1　労働者の所属事業場の名称・所在地については、労働者が直接所属する事業場が一括適用の取扱いを受けている場合に、労働者が直接所属する支店、工事現場等を記載してください。
　2　派遣労働者について、療養補償給付のみの請求がなされる場合にあっては、派遣先事業主は、派遣元事業主が証明する事項の記載内容が事実と相違ない旨裏面に記載してください。

上記により療養補償給付たる療養の給付を請求します。
5年6月4日

川崎南　労働基準監督署長　殿

○○　病院 診療所 薬局 訪問看護事業者　経由　請求人の

郵便番号　100－8916　　電話番号　○○○局 ○○○○番
住所　千代田区霞ヶ関1-2-2　　（　　方）
氏名　厚労　太郎　　㊞

支不支給決定決議書	署長	次長	課長	係長	係	決定年月日
						・　・
					不支給の理由	
調査年月日	・　・		・　・		・　・	
復命書番号	第　号	第　号	第　号			

（この欄は記入しないでください。）

右側注釈:

事故の発生日時または発病の日時を正確に記入してください。

災害発生の事実を確認した人の職名と氏名を記入します。

職種はなるべく具体的に、作業内容がわかるように記入してください。

（あ）どのような場所で、（い）どのような作業をしているときに、（う）どのような物または環境に、（え）どのような不安全または有害な状態があって、（お）どのような災害が発生したかをわかりやすく記入してください。負傷または発病年月日と初診日が異なる場合はその理由も記入してください。

事業主の証明が必要です。支店長等が事業主の代理人として選任されている場合、当該支店長等の証明を受けてください。

直接所属している事業場が上欄の事業場と異なる（一括適用の取扱いをしている支店、工場、工事現場等）場合に記入します。

自筆による署名の場合には、押印は必要ありません。

直接所属している事業場を管轄している労働基準監督署名を記入します。

派遣労働者について、療養補償給付のみの請求がなされる場合には、派遣先事業主は、派遣元事業主が証明する事項の記載内容が事実と相違ない旨裏面に記載してください。

（※印の欄は記入しないでください。職員が記入します。）

折り曲げる場合には◀の所を谷に折りさらに2つ折りにしてください。

出典：厚生労働省ホームページ

図表16 様式第16号の3の記載方法

出典：厚生労働省ホームページ

図表17 診断書の料金

様 式 名	様 式	内 容	金 額
休業（補償）給付支給請求書	業8号 通16号の6	傷病のため仕事を4日以上休んだとき	2,000円
傷病の状態等に関する届	16号の2	療養開始後，1年6カ月以上経過しても傷病が治っておらず，かつ傷病等級に該当する場合	4,000円
障害（補償）給付支給請求書	業10号 通16号の7	症状固定となったが，障害等級表に該当し身体障害が残存した場合	4,000円

図表18　おもな様式

様式内容（業務災害）	様式番号	様式・請求書の種類
労災指定医療機関等に受診したとき	様式5号	療養補償給付請求書
他院に転医する場合	様式6号	療養補償給付を受ける指定病院等の（変更）届
非指定病院に受診したとき	様式7号(1)	療養の費用請求書
非指定薬局から投薬を受けたとき	様式7号(2)	療養の費用請求書
柔道整復師に受診したとき	様式7号(3)	療養の費用請求書
はり・きゅう，あん摩マッサージ・指圧を受診したとき	様式7号(4)	療養の費用請求書
非指定訪問看護ステーションから看護を受けたとき	様式7号(5)	療養の費用請求書
傷病のため賃金を受けていない日が4日以上のとき	様式8号	休業補償給付支給請求書 休業特別支給金支給申請書
労働者数が1000人以上いる事業所で休業補償を受けるとき	様式9号	平均給与額証明書
症状固定後，障害等級表に定める身体障害が残ったとき	様式10号	障害補償給付支給請求書 障害特別支給金支給申請書 障害特別年金支給申請書 障害特別一時金支給申請書
障害補償年金の前払一時金を受けたいとき	年金申請 様式10号	障害補償年金前払一時金請求書
年金受給者に障害の変更があったとき	様式11号	障害補償給付変更請求書 障害特別年金変更申請書
労働者が死亡したとき	様式12号	遺族補償年金支給請求書 遺族特別支給金支給申請書 遺族特別年金支給申請書
	様式15号	遺族補償一時金支給請求書 遺族特別支給金支給申請書 遺族特別一時金支給申請書

様式内容（通勤災害）	様式番号	様式・請求書の種類
労災指定医療機関等に受診したとき	様式16号の3	療養給付請求書
他院に転医する場合	様式16号の4	療養給付を受ける指定病院等の（変更）届
非指定病院に受診したとき	様式16号の5(1)	療養の費用請求書
非指定薬局から投薬を受けたとき	様式16号の5(2)	療養の費用請求書
柔道整復師に受診したとき	様式16号の5(3)	療養の費用請求書
はり・きゅう，あん摩マッサージ・指圧を受診したとき	様式16号の5(4)	療養の費用請求書
非指定訪問看護ステーションから看護を受けたとき	様式16号の5(5)	療養の費用請求書
傷病のため賃金を受けていない日が4日以上のとき	様式16号の6	休業給付支給請求書 休業特別支給金支給申請書
労働者が1000人以上いる事業所で休業補償を受けるとき	様式9号	平均給与額証明書
症状固定後障害等級表に定める身体障害が残ったとき	様式16号の7	障害給付支給請求書 障害特別支給金支給申請書 障害特別年金支給申請書 障害特別一時金支給申請書
障害年金の前払一時金を受けたいとき	年金申請 様式10号	障害年金前払一時金請求書
年金受給者に障害の変更があったとき	様式11号	障害給付変更請求書 障害特別年金変更申請書
労働者が死亡したとき	様式16号の8	遺族年金支給請求書 遺族特別支給金支給申請書 遺族特別年金支給申請書
	様式16号の9	遺族一時金支給請求書 遺族特別支給金支給申請書 遺族特別一時金支給申請書

One point　再発の場合の取扱い

　労災保険を使用して治癒扱いの患者さんが，再度，同部所の違和感を訴え，再発として新たに様式5号を持参した場合は，同一災害であるため，療養の給付請求書取扱料を再度算定することはできないので留意が必要です。また，請求の際は様式5号の上部余白に「再発」と付記することになっています。ちなみに，この再発が不支給になった場合には労災診療補償保険制度の対象にはなりません。

4. 労災保険における 関連制度

1 アフターケア制度

　業務・通勤災害などで負傷し，その後の治療によって医師が，症状固定（治癒）と診断した後でも，後遺症状・後遺障害に関係する疾病が発症（再発*）する可能性もあります。このような場合の措置として，「**アフターケア制度**」があります。

　2006年4月から対象疾病が増えたことで，対象となる被災労働者も増えました。

　本節では，制度の概要・対象疾病・窓口での対応・請求方法等を述べていきます。

(1) 制度の対象

　このアフターケア制度を実施できる医療機関等は，**労災病院，医療リハビリテーションセンター，総合せき損センター，労働者災害補償保険法施行規則第11条の規定により指定された病院・診療所・薬局（労災指定機関）**となっています。

　アフターケアの対象疾患として，20の傷病が定められています。概要は**図表19**のとおりです。アフターケアでの医療行為には対象疾患ごとに制限があるため，請求の際にはご注意ください。アフターケアの範囲以外の医療行為は健康保険での算定となるため，一部負担金が発生する場合があります。

(2) 窓口対応

　この制度は，すでに症状固定と診断されていて，なおかつアフターケアの対象疾病に該当する場合に限り適用される制度です。被災労働者が窓口でアフターケアについて相談されてきた場合は，まず，所轄の労働基準監督署で相談するように伝えましょう。監督署では，以前治療を受けていた診断書等を労働局に提出して，アフターケアが必要であるかを判断します。したがって，医療機関が決めることはできませんので注意してください。

　その結果，該当となれば被災労働者に「**アフターケア手帳**」（図表20）が発行されます。手帳には，①対象疾病，②交付年月日，③有効期限，④労働保険番号，⑤被災時の所属事業場——などの内容が書かれています（窓口では，とくに①～③をよく確認してください）。

(3) 「アフターケア記録」の記入方法

　被災労働者が来院して受診されるたびに「アフターケア手帳」の中の「アフターケア記録」に以下のことを記入する必要があります。

　①「措置の種別」
　　診療行為を記載します。たとえば診察のみであれば「診察」と記入します。
　②「措置年月日」
　　診療を行った日を記入します。

＊　**再発**
　　担当医師が治癒と判断した後に，数カ月または数年経過してから当該疾病が発生し，過去の疾病と医学上因果関係が認められた場合に「再発」と呼んでいます。因果関係が認められた場合には，再度労災保険法により療養給付が開始されます。

③「措置の結果」

措置種別より細かく記入する必要があります。たとえば措置種別がレントゲンと書いてあれば，撮影部位を記載するなどです。

④「医療機関認印」

認印を押します。

(4)　アフターケア委託費請求内訳書の提出先

アフターケアを扱う医療機関等は，1患者1診察ごとにアフターケアのレセプトであるアフターケア委託費請求内訳書を作成し，労働局に提出します。

(5)　アフターケアの診療費算定留意事項

アフターケアによる診療費の算定は，通常の労災診療費と一部算定方法が違う項目がありますので，注意して算定してください（様式と記載例は図表21を参照）。

①「診察料」

初診料・再診料ともに金額は，労災診療費同様の額で請求します。

ただし，それまで受診していた医療機関で症状固定と診断され，さらに引き続き被災労働者がアフターケアについても受診した場合，アフターケアの最初の診察については初診料は算定できず，労災診療費の再診料または健保点数表に定める外来診療料の点数を労災診療費（1点12円）に置き換えて請求することになります。

②「保健指導」

アフターケアの疾患に対して，その傷病について指導を行った場合，健康保険の特定疾患療養管理料の点数を労災診療費（1点12円）に置き換えて月2回を限度として請求することができます。その際，「委託費請求内訳書」の摘要欄には指導した内容を記載する必要があります（ただし，許可病床数が200床以上の病院では，健康保険同様に請求はできません）。また，同一医療機関で2以上の診療科でアフターケアを受けている場合は主な対象疾病に対してのみ算定することになります。なお，ペースメーカ等の定期チェックおよび精神療法・カウンセリング等と同時に行った場合，保健指導にかかわる費用は算定できません。

③「処置」

健保点数表の所定点数を労災診療費に置き換えて算定します。また，自宅で使用する滅菌ガーゼや絆創膏，カテーテル等の材料は健保では算定できませんが，アフターケアにおいては支給した場合，購入価格を10円で除し，さらに労災診療費に置き換えて算定できます。

④「検査」

健保点数表の所定点数を労災診療費に置き換えて算定します。ただし，振動障害にかかわる検査の一部は労災診療費の所定点数を算定します。

⑤ペースメーカ等の定期チェック

健保点数表の心臓ペースメーカー指導管理料の所定点数を労災診療費に置き換えて算定します。

⑥「精神療法・カウンセリング」

健保点数表の所定点数（通院・在宅精神療法，通院集団精神療法）を労災診療費に置き換えて算定します。

⑦「薬剤」

健保点数表の所定点数を労災診療費に置き換えて算定します。アフターケア実施医療機関の医師が交付した処方せんに基づき，院外薬局での支給も可能です。ただし，院外処方の場合，労災指定を受けている薬局だけがアフターケアを適用できます。

⑧「その他」

労災診療費の初診時ブラッシング料・再診時療養指導管理料，健康保険の外来管理加算・在宅自

図表19　アフターケア制度一覧表

①　せき髄損傷に係るアフターケア

対象者　(1)せき髄損傷者で，労災保険法(以下「法」)による障害等級第3級以上の障害(補償)給付を受けている人または受けると見込まれる人(症状が固定した人に限る)のうち，医学的に早期にアフターケアの実施が必要であると認められた人，(2)障害等級第4級以下の障害(補償)給付を受けている人であっても，医学的に特に必要と認められる人

期間　原則として3年間(更新後は5年間)

範囲　(1)診察…原則として1カ月に1回程度　(2)保健指導…診察の都度　(3)処置…①褥瘡処置，②尿路処置(導尿，膀胱洗浄，留置カテーテル設置・交換を含む)　(4)検査…①尿検査(診察の都度，必要に応じて)，②CRP検査(年2回程度)，③末梢血液一般・生化学的検査，④膀胱機能検査，⑤腎臓，膀胱および尿道のエックス線検査(③～⑤は年1回程度)，⑥損傷せき椎および麻痺域関節のエックス線，CT，MRI検査(医学的に特に必要と認められる場合に限り，年1回程度)　(5)薬剤の支給…①抗菌薬(抗生物質，外用薬を含む)，②褥瘡処置用・尿路処置用外用薬，③排尿障害改善薬および頻尿治療薬，④筋弛緩薬(鎮痙薬を含む)，⑤自律神経薬，⑥末梢神経障害治療薬，⑦向精神薬，⑧鎮痛・消炎薬(外用薬を含む)，⑨整腸薬，下剤および浣腸薬

②　頭頸部外傷症候群等に係るアフターケア

対象者　(1)①頭頸部外傷症候群，②頸肩腕障害，③腰痛に罹患した人で，法による障害等級第9級以上の障害(補償)給付を受けている人または受けると見込まれる人(症状が固定した人に限る)のうち，医学的に早期にアフターケアの実施が必要であると認められる人，(2)障害等級第10級以下の障害(補償)給付を受けている人であっても，医学的に特に必要と認められる人

期間　原則として2年間(更新はできない)

範囲　(1)診察…原則として1カ月に1回程度　(2)保健指導…診察の都度　(3)検査…①エックス線検査(年1回程度)　(4)薬剤の支給…①神経系機能賦活薬，②向精神薬(頭頸部外傷症候群)，③筋弛緩薬，④鎮痛・消炎薬(外用薬を含む)，⑤循環改善薬(鎮暈薬，血管拡張薬および昇圧薬を含む)

③　尿路系障害に係るアフターケア

対象者　尿道狭さくの障害を残す人または尿路変向術を受けた人で，法による障害(補償)給付を受けている人または受けると見込まれる人(症状が固定した人に限る)のうち医学的に早期にアフターケアの実施が必要であると認められる人

期間　原則として3年間(更新後は1年間)

範囲　(1)診察…原則として1～3カ月に1回程度　(2)保健指導…診察の都度　(3)処置…①尿道ブジー(誘導ブジーを含む)，②尿路処置(導尿，膀胱洗浄および留置カテーテル設置・交換を含む)　(4)検査…①尿検査(尿培養検査を含む)(1～3カ月に1回程度)，②末梢血液一般・生化学的検査，③CRP検査(②，③は年2回程度)，④エックス線検査，⑤腹部超音波検査(④，⑤は年1回程度)，⑥CT検査(代用膀胱を造設した人に対し，年1回程度)　(5)薬剤の支給(尿道ブジーおよび尿路処置の実施の都度，1週間分程度)…①止血薬，②抗菌薬(抗生物質を含む)，③自律神経薬，④鎮痛・消炎薬，⑤尿路処置用外用薬，⑥排尿障害改善薬および頻尿治療薬

④　慢性肝炎に係るアフターケア

対象者　ウイルス肝炎に罹患し，法による障害(補償)給付を受けている人または受けると見込まれる人(症状が固定した人に限る)のうち，医学的に早期にアフターケアの実施が必要であると認められる人

期間　原則として3年間(更新後は1年間)

範囲　(1)診察…①HBe抗原陽性の人およびC型肝炎ウイルスに感染している人(原則として1カ月に1回程度)，②HBe抗原陰性の人(原則として6カ月に1回程度)　(2)保健指導…診察の都度　(3)検査…①末梢血液一般検査，②腹部超音波検査(①，②は6カ月に1回程度)，③生化学的検査(HBe抗原陽性の人およびC型肝炎ウイルスに感染している人は，1カ月に1回程度，HBe抗原陰性の人は，6カ月に1回程度)，④B型肝炎ウイルス感染マーカー，⑤HCV抗体，⑥HCV-RNA同定(定性)検査，⑦AFP(α-フェトプロテイン)，⑧PIVKA-Ⅱ，⑨プロトロンビン時間検査，⑩CT検査(④～⑩は，医学的に特に必要と認められる場合)

⑤　白内障等の眼疾患に係るアフターケア

対象者　(1)白内障，緑内障，網膜剥離，角膜疾患等の眼疾患の傷病者で，法による障害(補償)給付を受けている人または受けると見込まれる人(症状が固定した人に限る)のうち，医学的に早期にアフターケアの実施が必要であると認められる人，(2)障害(補償)給付を受けていない人(症状が固定した人に限る)であっても，医学的に特に必要と認められる人

期間　原則として2年間(更新後は1年間)

範囲　(1)診察…原則として1カ月に1回程度　(2)保健指導…診察の都度　(3)検査…①矯正視力検査，②屈折検査，③細隙燈顕微鏡検査，④前房隅角検査，⑤精密眼圧測定，⑥精密眼底検査，⑦量的視野検査(いずれも診察の都度，必要に応じて)　(4)薬剤の支給…①外用薬，②眼圧降下薬

⑥　振動障害に係るアフターケア

対象者　業務災害による振動障害に罹患した人で，法による障害補償給付を受けている人または受けると見込まれる人（症状が固定した人に限る）のうち，医学的に早期にアフターケアの実施が必要であると認められる人
期間　原則として２年間（更新後は１年間）
範囲　(1)診察…原則として１カ月に２〜４回程度　(2)保健指導…診察の都度　(3)理学療法…必要と認められる場合　(4)注射…特に必要な場合，一時的な消炎・鎮痛のため行う　(5)検査…①末梢血液一般・生化学的検査，②尿検査，③末梢循環機能検査（常温下皮膚温・爪圧迫検査，冷水負荷皮膚温・爪圧迫検査），④末梢神経機能検査〔常温下痛覚・振動覚検査，冷水負荷痛覚・振動覚検査，神経伝導速度検査（遅発性尺骨神経麻痺の場合のみ）〕，⑤末梢運動機能検査（①〜⑤は年１回程度），⑥手関節および肘関節のエックス線検査（放射線による身体的影響を考慮して必要な場合に限り２年に１回程度）　(6)薬剤の支給…①ニコチン酸薬，②循環ホルモン薬，③ビタミン B_1, B_2, B_6, B_{12}, E剤，④Ca拮抗薬，⑤交感神経 α-受容体抑制薬，⑥鎮痛・消炎薬（外用薬を含む）

⑦　大腿骨頸部骨折及び股関節脱臼・脱臼骨折に係るアフターケア

対象者　(1)大腿骨頸部骨折および股関節脱臼・脱臼骨折をした人で，法による障害（補償）給付を受けている人または受けると見込まれる人（症状が固定した人に限る）のうち，医学的に早期にアフターケアの実施が必要であると認められる人，(2)障害（補償）給付を受けていない人（症状が固定した人に限る）であっても，医学的に特に必要と認められる人
期間　原則として３年間（更新後は１年間）
範囲　(1)診察…原則として３〜６カ月に１回程度　(2)保健指導…診察の都度　(3)検査…①末梢血液一般・生化学的検査，②エックス線検査（①，②は，３〜６カ月に１回程度），③シンチグラム，CT，MRI等検査（医学的に特に必要と認められる場合に限る）　(4)薬剤の支給…鎮痛・消炎薬（外用薬を含む）

⑧　人工関節・人工骨頭置換に係るアフターケア

対象者　人工関節および人工骨頭に置換した人で，法による障害（補償）給付を受けている人または受けると見込まれる人（症状が固定した人に限る）のうち，医学的に早期にアフターケアの実施が必要であると認められる人
期間　原則として３年間（更新後は５年間）
範囲　(1)診察…原則として３〜６カ月に１回程度　(2)保健指導…診察の都度　(3)検査…①末梢血液一般・生化学的検査，②エックス線検査（①，②は，３〜６カ月に１回程度），③CRP検査（年に２回程度），④シンチグラム検査（医学的に特に必要と認められる場合に限る）　(4)薬剤の支給…鎮痛・消炎薬（外用薬を含む）

⑨　慢性化膿性骨髄炎に係るアフターケア

対象者　骨折等により化膿性骨髄炎を併発し，引き続き慢性化膿性骨髄炎に移行した人で，法による障害（補償）給付を受けている人または受けると見込まれる人（症状が固定した人に限る）のうち，医学的にアフターケアの実施が必要であると認められる人
期間　原則として３年間（更新後は１年間）
範囲　(1)診察…原則として１〜３カ月に１回程度　(2)保健指導…診察の都度　(3)検査…①末梢血液一般・生化学的検査（１〜３カ月に１回程度），②CRP検査（年に２回程度），③エックス線検査（３〜６カ月に１回程度），④シンチグラム，CT，MRI等，⑤細菌検査（④，⑤は医学的に特に必要と認められる場合のみ）　(4)薬剤の支給…①抗菌薬（抗生物質，外用薬を含む），②鎮痛・消炎薬（外用薬を含む）

⑩　虚血性心疾患等に係るアフターケア

対象者　(1)虚血性心疾患に罹患した人…①業務災害により虚血性心疾患に罹患した人で，法による障害等級第９級以上の障害補償給付を受けている人または受けると見込まれる人（症状が固定した人に限る）のうち，医学的に早期にアフターケアの実施が必要であると認められる人，②障害等級第10級以下の障害補償給付を受けている人であっても，医学的に特に必要と認められる人
(2)ペースメーカ等を植え込んだ人…ペースメーカまたは除細動器を植え込んだ人で，法による障害（補償）給付を受けている人または受けると見込まれる人（症状が固定した人に限る）のうち医学的に早期にアフターケアの実施が必要であると認められる人
期間　原則として３年間（対象者(1)は更新後１年間，対象者(2)は更新後は５年間）
範囲　(1)診察…①虚血性心疾患に罹患した人は，原則として１カ月に１回程度，②ペースメーカ等を植え込んだ人は，原則として１〜３カ月に１回程度　(2)保健指導…診察の都度　(3)ペースメーカ等の定期チェック…ペースメーカ等を植え込んだ人については，ペースメーカまたは除細動器のパルス幅，スパイク間隔，マグネットレート，刺激閾値，感度等の機能指標の計測とともに，アフターケア上必要な指導が６カ月〜１年に１回程度行われる。
(4)検査　虚血性心疾患に罹患した人…①末梢血液一般・生化学的検査，②尿検査，③心電図検査（安静時に負荷検査），④胸部エックス線検査（①〜④は，１カ月に１回程度），⑤ホルター心電図検査，⑥心臓超音波検査，⑦心臓核医学検査（医学的に特に必要と認められる場合のみ）
ペースメーカ等を植え込んだ人…①末梢血液一般・生化学的検査，②尿検査，③心電図検査（安静時に負荷検査）（①〜③は１〜６カ月に１回程度），④胸部エックス線検査（６カ月に１回程度），⑤ホルター心電図検査（年１回程度），⑥心臓超音波検査，⑦心臓核医学検査（医学的に特に必要と認められる場合のみ）　(5)薬剤の支給…①抗狭心症薬，②抗不整脈薬，③心機能改善薬，④循環改善薬（利尿薬を含む），⑤向精神薬

⑪ **尿路系腫瘍に係るアフターケア**

対象者 業務に起因する尿路系腫瘍に罹患し，法による療養補償給付を受けており，この尿路系腫瘍の症状が固定したと認められる人のうち，医学的に早期にアフターケアの実施が必要であると認められる人
期間 原則として3年間（更新後は1年間）
範囲 (1)診察…原則として1カ月に1回程度 (2)保健指導…診察の都度 (3)検査…①尿検査（尿培養検査を含む），②尿細胞診検査（①，②は1カ月に1回程度），③内視鏡検査，④超音波検査，⑤腎盂造影検査，⑥CT検査（③～⑥は，3～6カ月に1回程度） (4)薬剤の支給…①再発予防のための抗がん剤（医学的に特に必要と認められる場合のみ。投与期間は症状固定後1年以内），②抗菌剤（抗生物質を含む）

⑫ **脳の器質性障害に係るアフターケア**

対象者 (1)①外傷による脳の器質的損傷，②一酸化炭素中毒（炭鉱災害によるものを除く），③減圧症，④脳血管疾患，⑤有機溶剤中毒等〔一酸化炭素中毒（炭鉱災害によるものを含む）を除く〕に由来する脳の器質性障害が残存した人で，法による障害等級第9級以上の障害（補償）給付を受けている人または受けると見込まれる人（症状固定した人に限る）のうち，医学的に早期にアフターケアの実施が必要であると認められる人
(2)障害等級第10級以下の障害（補償）給付を受けている人であっても，医学的に特に必要があると認められる人
期間 対象者①～③は2年間，対象者④，⑤は3年間（更新後は1年間）

範囲 (1)診察…原則として，1カ月に1回程度 (2)保健指導…診察の都度
(3)検査（四肢麻痺等の場合を除く）…①末梢血液一般・生化学的検査，②尿検査，③脳波検査，④心理検査，⑤視機能検査（眼底検査等も含む），⑥前庭平衡機能検査，⑦頭部のエックス線検査（①～⑦は，年に1回程度），⑧頭部のCT，MRI等検査（医学的に特に必要と認められる場合に限り，1年に1回程度）
(4)精神療法およびカウンセリング (5)薬剤の支給（四肢麻痺等の場合を除く）…①神経系機能賦活薬，②向精神薬，③筋弛緩薬，④自律神経薬，⑤鎮痛・消炎薬（外用薬を含む），⑥抗パーキンソン薬，⑦抗てんかん薬，⑧循環改善薬（鎮暈薬，血管拡張薬および昇圧薬を含む）

⑬ **外傷による末梢神経損傷に係るアフターケア**

対象者 外傷により末梢神経を損傷し，症状が固定した後も激しい疼痛が残った人で，法による障害等級第12級以上の障害（補償）給付を受けている人または受けると見込まれる人（症状が固定した人に限る）のうち，医学的に早期にアフターケアの実施が必要であると認められる人
期間 原則として3年間（更新後は1年間）
範囲 (1)診察…原則として1カ月に1～2回程度 (2)保健指導…診察の都度 (3)注射…1カ月に2回を限度として神経ブロックを行うことができる（医学的に特に必要な場合のみ） (4)検査…①末梢血液一般・生化学的検査，②尿検査（①，②は，1カ月に1回程度），③エックス線検査，④骨シンチグラフィー（③，④は，医学的に特に必要と認められる場合に限り，年2回を限度） (5)薬剤の支給…①鎮痛・消炎薬（外用薬を含む），②末梢神経障害治療薬

⑭ **熱傷に係るアフターケア**

対象者 (1)熱傷の傷病者で，法による障害等級第12級以上の障害（補償）給付を受けている人または受けると見込まれる人（症状が固定した人に限る）のうち，医学的に早期にアフターケアの実施が必要であると認められる人，(2)後遺障害の程度が障害等級第14級に該当し，医学的に早期にアフターケアが必要であると認められる人
期間 原則として3年間（更新後は1年間）
範囲 (1)診察…原則として1カ月に1回程度 (2)保健指導…診察の都度 (3)検査…①末梢血液一般・生化学的検査，②尿検査（いずれも，年1回程度） (4)薬剤の支給…外用薬等（抗菌薬を含む）

⑮ **サリン中毒に係るアフターケア**

対象者 いわゆる「地下鉄サリン事件」によりサリンに中毒した人で，法による療養（補償）給付を受けて，サリン中毒の症状が固定した人のうち，次の①～④に掲げる後遺症状によって，医学的に早期にアフターケアの実施が必要であると認められる人
①縮瞳，視覚障害等の眼に関連する障害 ②筋萎縮，筋力低下，感覚障害等の末梢神経障害および筋障害 ③記憶力の低下，脳波の異常等の中枢神経障害 ④心的外傷後ストレス障害
期間 原則として3年間（更新後は1年間）

範囲 (1)診察…原則として1カ月に1回程度 (2)保健指導…診察の都度 (3)検査…①末梢血液一般・生化学的検査，②尿検査，③視機能検査（眼底検査を含む），④末梢神経機能検査（神経伝達速度検査），⑤心電図検査，⑥筋電図検査，⑦脳波検査，⑧心理検査（いずれも年2回程度） (4)精神療法およびカウンセリングの実施 (5)薬剤の支給…①点眼薬，②神経系機能賦活薬，③向精神薬，④自律神経薬，⑤鎮痛・消炎薬（外用薬を含む）

⑯　精神障害に係るアフターケア

対象者　業務による心理的負荷を原因として精神障害を発病した人で，法による療養補償給付を受けて，この精神障害の症状が固定した人のうち，①気分の障害（抑うつ，不安等），②意欲の障害（低下等），③慢性化した幻覚性の障害または慢性化した妄想性の障害，④記憶の障害または知的能力の障害の後遺症状によって医学的に早期にアフターケアの実施が必要であると認められる人

期間　原則として3年間（更新後は1年間）
範囲　(1)診察…原則として1カ月に1回程度　(2)保健指導…診察の都度　(3)検査…①心理検査，②脳波検査，CT，MRI検査（①，②は，年2回程度），③末梢血液一般・生化学的検査（向精神薬を使用している場合に限り，年2回程度）　(4)精神療法およびカウンセリングの実施
(5)薬剤の支給…①向精神薬，②神経系機能賦活薬

⑰　循環器障害に係るアフターケア

対象者　(1)心臓弁を損傷した人，心膜の病変の障害を残す人または人工弁に置換した人…心臓弁を損傷した人，心膜の病変の障害を残す人または人工弁に置換した人で，法による障害（補償）給付を受けている人または受けると見込まれる人（症状が固定した人に限る）のうち，医学的に早期にアフターケアの実施が必要であると認められる人，(2)人工血管に置換した人…人工血管に置換した人で，症状が固定した人のうち，医学的に早期にアフターケアの実施が必要であると認められる人
期間　原則として3年間（更新後，心臓弁を損傷した人および心膜の病変を残す人は1年間，人工弁または人工血管に置換した人は5年間）
範囲　(1)診察…原則として1～3カ月に1回程度　(2)

保健指導…診察の都度　(3)検査…①末梢血液一般・生化学的検査，②尿検査（①，②は，1～6カ月に1回程度），③心電図検査（安静時に負荷検査），④エックス線検査（③，④は，3～6カ月に1回程度），⑤心音図検査（人工弁に置換した人に対し，3～6カ月に1回程度），⑥心臓超音波検査（人工弁または人工血管に置換した人に対し，年1回程度），⑦CRP検査（人工弁または人工血管に置換した人に対し，年2回程度），⑧脈波図検査（人工血管に置換した人に対し，年1回程度），⑨CTまたはMRI検査（人工血管に置換した人に対し，医学的に特に必要と認められる場合のみ）　(4)薬剤の支給…①抗不整脈薬，②心機能改善薬，③循環改善薬（利尿薬を含む），④向精神薬，⑤血液凝固阻止薬

⑱　呼吸機能障害に係るアフターケア

対象者　呼吸機能障害を残す人で，法による障害（補償）給付を受けている人または受けると見込まれる人（症状が固定した人に限る）のうち，医学的に早期にアフターケアの実施が必要であると認められる人
期間　原則として3年間（更新後は1年間）
範囲　(1)診察…原則として1カ月に1回程度　(2)保健指導…診察の都度　(3)検査…①末梢血液一般・生化学的

検査，②CRP検査，③喀痰細菌検査，④スパイログラフィー検査，⑤胸部エックス線検査（①～⑤は，年2回程度），⑥血液ガス分析（年2～4回程度），⑦胸部CT検査（年1回程度）　(4)薬剤の支給…①去痰薬，②鎮咳薬，③喘息治療薬，④抗菌薬（抗生物質を含む），⑤呼吸器用吸入薬および貼付薬，⑥鎮痛・消炎薬（外用薬を含む）

⑲　消化器障害に係るアフターケア

対象者　消化吸収障害等を残す人または消化器ストマを造設した人で，法による障害（補償）給付を受けている人または受けると見込まれる人（症状が固定した人に限る）のうち，医学的に早期にアフターケアの実施が必要であると認められる人
期間　原則として3年間（更新後は1年間）
範囲　(1)診察……原則として1カ月に1回程度　(2)保健指導……診察の都度　(3)処置…①ストマ処置，②外瘻の処置，③自宅等で使用するための滅菌ガーゼ

(4)検査…①末梢血液一般・生化学的検査，②尿検査（①，②は3カ月に1回程度），③腹部超音波検査，④消化器内視鏡検査（ERCPを含む），⑤腹部エックス線検査，⑥腹部CT検査（③～⑥は，医学的に特に必要と認められる場合のみ），(5)薬剤の支給…①整腸薬，止瀉薬，②下剤，浣腸薬，③抗貧血用薬，④消化性潰瘍用薬，⑤蛋白分解酵素阻害薬，⑥消化酵素薬，⑦抗菌薬（抗生物質，外用薬を含む），⑧鎮痛・消炎薬（外用薬を含む）

⑳　炭鉱災害による一酸化炭素中毒症に係るアフターケア

対象者　炭鉱災害による一酸化炭素中毒症について法による療養補償給付を受けており，その症状が固定した人のうち，医学的に早期にアフターケアの実施が必要であると認められる人
期間　原則として3年間（更新後は1年間）
範囲　(1)診察…原則として1カ月に1回程度　(2)保健指導…診察の都度　(3)検査…①全身状態の検査，②自覚症状の検査，③精神，神経症状の一般的検査（①～③

は，年1回程度），④尿中の蛋白，糖およびウロビリノーゲンの検査，⑤赤血球沈降速度および白血球数の検査，⑥視野検査，⑦脳波検査，⑧心電図検査，⑨胸部エックス線検査，⑩CT，MRI検査（④～⑩は，①～③の結果，医学的に特に必要と認められる場合）
(4)薬剤の支給…①脳機能賦活薬，②向精神薬，③筋弛緩薬（鎮痙薬を含む），④鎮痛薬，⑤血管拡張薬，⑥抗パーキンソン薬，⑦抗痙攣薬，⑧内服昇圧薬

図表20   アフターケア手帳

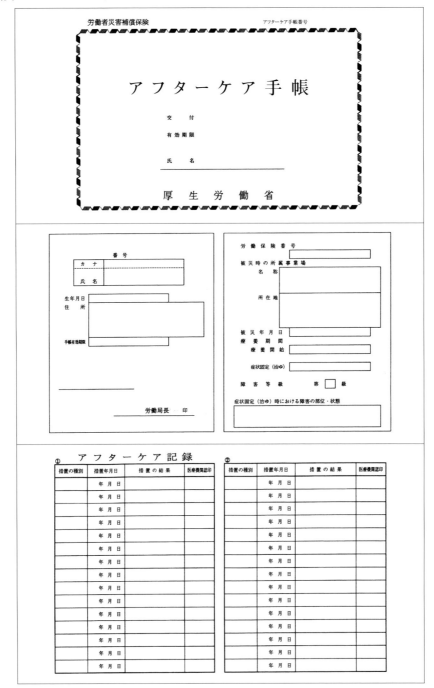

己導尿指導管理料等についてはアフターケアでは請求できませんので注意してください。

　なお，抗てんかん剤，抗不整脈剤等の継続投与を行う場合であって，抗てんかん剤，抗不整脈剤
等の血中濃度を測定し，その測定結果をもとに投与量を精密に管理した場合，健保点数表に定める
特定薬剤治療管理料の点数を労災診療費に置き換えて算定します。算定は月1回に限ります。

　以上のような方法で請求するわけですが，労働局によれば通常の労災診療費算定と若干違うため，
請求ミスも目立つそうです。とくに，初診料の取扱いと⑧「その他」の扱いのミスが多いそうです。
最近のコンピュータは労災診療費の請求までできるようになっていますが，アフターケアについては

まだ対応ができていないのが現状のようです。請求する前にもう一度よく確かめて提出するように心掛けましょう。

⑹　アフターケア傷病コード

アフターケア委託費請求内訳書には，通常の労災診療費請求内訳書とは異なり，対象となるアフターケア傷病コードを記入することとなっています（図表22）。

⑺　薬局におけるアフターケア

①　アフターケアによる薬剤請求の範囲

アフターケア制度は病院による治療範囲も通常の労災保険の取扱いとは異なっていますが，薬剤についても同様に支給範囲が決まっています。たとえば，慢性化膿性骨髄炎でアフターケアを受けている場合の薬剤支給範囲は，①抗菌剤（抗生物質，外用薬を含む），②鎮痛・消炎剤（外用薬を含む）

図表21　アフターケア委託費請求内訳書の記載例

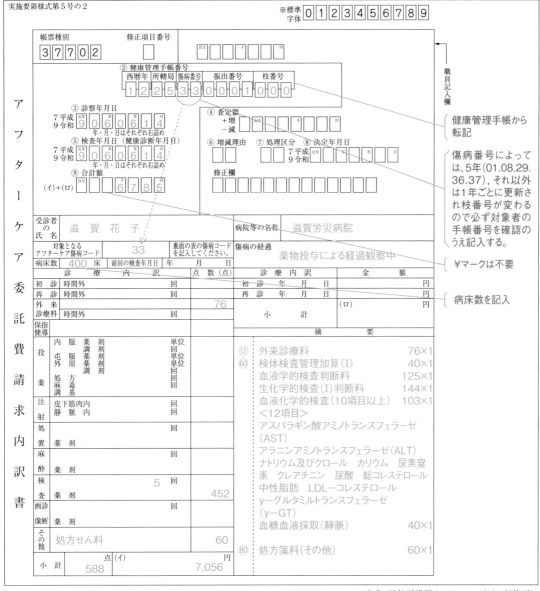

出典：滋賀労働局ホームページ（一部修正）

図表22　アフターケア傷病コードと傷病名

傷病コード	傷　病　名	傷病コード	傷　病　名
00	炭鉱災害による一酸化炭素中毒		尿路系障害
01	せき髄損傷	24	（尿道狭さく及び尿路変向術後）
05	白内障等の眼疾患	25	（代用膀胱造設後）
06	振動障害		慢性肝炎
07	大腿骨頸部骨折及び股関節脱臼・脱臼骨折	26	（Hbe抗原陽性及びC型肝炎ウイルス感染）
		27	（HBe抗原陰性）
08	人工関節・人工骨頭置換		虚血性心疾患等
09	慢性化膿性骨髄炎	28	（虚血性心疾患）
11	尿路系腫瘍	29	（ペースメーカ及び除細動器）
14	外傷による末梢神経損傷		脳の器質性障害
15	熱傷	30	〔一酸化炭素中毒（炭鉱災害を除く）〕
16	サリン中毒	31	（外傷による脳の器質的損傷）
17	精神障害	32	（減圧症）
19	呼吸機能障害	33	（脳血管疾患）
20	消化器障害	34	（有機溶剤中毒等）
	頭頸部外傷症候群等		循環器障害
21	（頭頸部外傷症候群）	35	（弁損傷及び心膜病変）
22	（頸肩腕症候群）	36	（人工弁置換後）
23	（腰痛）	37	（人工血管置換後）

となっており，この薬剤以外を投薬してもアフターケア制度の対象とはなりません。

② 労災指定薬局におけるアフターケア請求

　アフターケア制度を利用するためには，労働局が発行した「健康管理手帳」が必要です。これは院外薬局も同じで，医療機関同様に，手帳を確認する必要があります。

　薬局での薬剤請求方法は，最寄りの労働局から「アフターケア委託費請求書」を取り寄せて請求することになります。ただし，労災指定薬局以外の薬局の場合は，厚生労働省労災補償部補償課または所轄の労働局まで問い合わせてください。

2　特別加入者制度

　労災保険は，労働者が業務上・通勤途上の災害によって負傷した場合の治療費・休業補償などを事業主に代わって災害補償する制度です。したがって，原則として事業主は災害補償を受けることができません。

　ただし，中小企業の事業主や家族従業員，一人親方などは，雇用主とはいえ実際は労働者と同様の業務を行っていることが多く，当然業務上の災害を被る危険性もあり，災害によって生活が不安定になることも一般労働者と変わらないと考えられます。そのため，中小企業の事業主に対しては一般労働者と同様に労災保険に加入する制度が設けられています。これを**「特別加入者制度」**といいます。

One point　労災特別加入はさかのぼれない

　国保等の場合，保険料をさかのぼって支払えば被保険者証を交付してもらえますが，労災特別加入制度については，労災事故の発生日にさかのぼって加入することはできません（道理に反するという理念による）。

(1)　対象となる事業主等

特別加入者制度に加入できるのは，以下の事業主等に限られています。

① 　中小企業主：常時300人以下の労働者を雇用する事業所（主）と，家族従事者または株式会社などの法人事業所の代表者以外の役員。ただし，保険業・不動産業・金融業・小売業などの場合は，常時雇用労働者が50人以下とされています。また，卸売業，サービス業の場合は100人以下に限定されています。

② 　一人親方：個人貨物運送業・個人タクシー・建設業[*1]・林業などの一人親方または自営業主とその家族従事者。

③ 　特定作業従事者：厚生労働省令で定めている危険性の高い機械を使用する農作業従事者，プレス機械などを使用する金属加工業を家内労働で行っている事業所の作業従事者等。

④ 　海外派遣者：海外で行われる事業に派遣されている労働者等。

(2)　特別加入の手続き

新たに特別加入を申請する場合には，前述した(1)の①～④のいずれかに該当し，さらに次の2つの要件を満たすことが必要です。

① 　雇用する労働者について労働保険関係が成立していること。

② 　労働保険の事務処理を労働保険事務組合[*2]に委託していること。

中小企業主等に該当する方が特別加入したいときには，労働保険事務組合を通じて所轄の労働基準監督署長を経由して都道府県労働局長に対して特別加入申請書を提出します。

特別加入の手続きについては，①～④の職種によってそれぞれ違いがあります。最寄りの労働基準監督署に相談してください。労働基準監督署に「特別加入制度のしおり」（中小事業主等用，一人親方その他の自営業者用，特定作業従事者用，海外派遣者用）があります。

3　外科後処置

労災保険の療養（補償）給付は，傷病が治った場合には行われないことになっています。この「治った場合」とは，原則として負傷の場合にあっては創面がゆ合したとき，また，疾病の場合にあっては急性症状が消退し，慢性症状が持続していても医療効果が期待できない状態になったときをいいます。

しかし，傷病が治ったといっても，義肢を装着するために失った手足の断端部の再手術をしなければならない，あるいは顔面に残った醜状を軽減するために整形手術を行わなければならないなど，創

One point　「特別加入」の対象拡大

2021年4月1日より，特別加入制度の対象者に，柔道整復師，一人親方等として創業支援等措置に基づく事業を行う高年齢者，（特定作業従事者として）芸能従事者とアニメーション制作従事者——が追加されました。「芸能従事者」とは，いわゆる芸能人や，コンテンツを企画・制作する人のことです。様々な職種が対象となっていますので，厚生労働省のホームページを一度ご覧ください。

また，同年9月1日からは，自転車を使用して貨物運送事業を行う者とITフリーランスも追加されました。「自転車を使用して貨物運送事業を行う者」とは，新型コロナ感染症の影響で急激に増えたフードデリバリーサービスの配達員などを指します。配達員の多くは会社から業務委託を受ける個人事業主のため，配達会社との直接的な雇用関係はありません。そのため，これまでは配達中のけが等は労災保険扱いになりませんでしたが，今回晴れて対象となりました。

さらに，2022年4月1日より，あん摩マッサージ指圧師・はり師・きゅう師等の資格者も対象となり，同年7月1日には歯科技工士の資格者が追加されました。働き方の多様化とともに，特別加入の範囲はどんどん広がっています。

面が治った後もなお残る神経症状を消退させるため，電気治療やマッサージなどの理学療法を行わなければならない場合があります。

このような再手術や理学療法などは，被災労働者の労働能力を回復し，その生活条件を向上させ，社会復帰をさせるために必要不可欠なものですから，被災労働者に対し，治ゆ後に無料で診療の機会を与える制度が設けられています。これを**「外科後処置」**といいます。

外科後処置を受けることができる者は，労災保険の障害（補償）給付の支給決定を受けた者のうち外科後処置により，失った労働能力を回復できる見込みのある者，あるいは，醜状を軽減し得る見込みのある者に限られます。

外科後処置の範囲は，原則として，整形外科的診療，外科的診療および理学療法とされており，その処置に必要な医療の給付は，①診察，②薬剤または治療材料の支給，③処置，手術その他の治療，④病院または診療所への入院およびその療養に伴う世話その他の看護，⑤筋電電動義手の装着訓練等——です（2011年7月1日改正）。効果が期待できる限り，回数に制限なく受けられます。

実施医療機関は，**労災病院，医療リハビリテーションセンター，総合せき損センター**および**都道府県労働局長が指定する病院・診療所**（外科後処置の任務を含む指定を受けた病院・診療所に限る）です。実施医療機関が外科後処置委託費を請求する場合は，労災保険法の規定による療養の給付に要する診療費の算定方法の例により算定した毎月分の診療費用の額を，外科後処置委託費請求書に内訳書を添付して管轄労働局長に提出します。

4 地方公務員公務災害診療

地方公務員による業務災害（通勤災害）は，**地方公務員災害補償法**により補償されています。詳細についてはふれませんが，ほぼ労災保険に準じていると理解してよいでしょう（国家公務員も同様です）。ここでは，東京都を例にとり，地方公務員の災害補償の取扱いについて説明します。

請求の手順を以下にまとめます。

(1) 受診手続き

労災による受診の手続きは労働災害の取扱いとほぼ同様です。ただし公務災害は労働基準監督署ではなく，**地方公務員災害補償基金の各都道府県支部**にて災害補償が決定されます。そこで受診者本人に，職場へ労災による届出を済ませているか確認してください。

届け出が済んでいる場合，約1〜2カ月以内に療養の給付請求書および療養費請求書を本人が持参するか，職場の担当者から郵送されてきます。

＊1 建設業の特別加入に伴う取扱いの変更

建設業者が労働者を使用して東日本大震災の復旧・復興作業を行う場合，その作業中に労働者が被った災害については，労災保険法に基づく保険給付（労災保険給付）が行われますが，建設業を行う一人親方等は，労災保険に特別加入をしなければ，復旧・復興作業中の災害に対する労災保険給付は受けられません。

特別加入者が被災した場合における労災保険給付の支給・不支給の判断は同法施行規則に規定された事業内容の範囲内で届出のあった業務の内容を基礎として行われますが，復旧・復興作業のなかには，高圧水による工作物の洗浄や側溝に溜まった堆積物の除去など，建設業では通常行うことが想定されない作業が含まれることから，これらの作業を含め，復旧・復興作業を行う建設業の一人親方等が作業中に被った災害について適切な補償を行うことができるよう，同法施行規則の改正（平成23年12月27日・厚生労働省令第154号）が行われました。2012年1月1日以後に発生した負傷，疾病，障害，死亡に起因する労災保険給付に適用されます。

＊2 労働保険事務組合

事業主から委託を受けて労働保険の保険料の申告・納付等の労働保険事務を行うことについて厚生労働大臣の認可を受けた事業主団体等をいいます。労働保険事務は事業主が行うことが原則ですが，中小事業主については事務組合に委託することができます。常時使用する労働者が，①金融・保険・不動産・小売業にあっては50人以下，②卸売の事業・サービス業にあっては100人以下，③その他の事業にあっては300人以下の事業主が委託できます。

図表23　療養費請求書

（別添２）

都支部様式第１号

地方公務員災害補償
療養費請求書

医療機関コード							

地方公務員災害補償基金
東京都支部長　殿

下記の療養費を請求します。

令和　年　月　日

医療機関の　郵便番号
所在地
名称
氏名　印
電話

請求金額	百	十	万	千	百	十	円

（請求金額の内訳は裏面のとおり）

※ 負傷又は発病年月日	令和　年　月　日	※ 認定番号	～
※ 所属団体・部局		※ 被災者氏名	

送金先	振込先銀行	銀行　支店
	預金科目	□普通預金No.　□当座預金No.
	（フリガナ）預金名義	

注１　**医療機関の方へ**

(1)　この請求書は、医療機関等との協定に基づき、公務上又は通勤により負傷し又は疾病にかかった地方公務員が診療を受ける際に使用するものです。
なお、療養に要した費用は、地方公務員災害補償基金東京都支部から、口座振替の方法により直接支払いますから、本人には請求しないでください。

(2)　この請求書は、月ごとに次の区分により提出してください。
ア　東京都医師会に加入している会員が開設又は管理する病院等（下記イの病院等を除く。）
〒101-0062　東京都千代田区神田駿河台２－５　東京都医師会あて
イ　都立病院、都職員共済組合直営診療所、三楽病院、関東中央病院、労災病院、国家公務員共済組合連合会直営病院、厚生労働省所管の国立病院及び診療所、日赤病院及び日赤療養所、済生会病院及び済生会診療所、厚生年金病院等
〒163-8001　東京都新宿区西新宿２－８－１　地方公務員災害補償基金東京都支部あて

(3)　療養費は協定料金により支払います。

(4)　「送金先」の欄は、明確に記入してください。なお、「預金名義」の欄は、通帳に記入してあるとおりに正しく記入してください。

(5)　請求に当たり疑義のある場合は、地方公務員災害補償基金東京都支部にお問い合わせください。

２　**被災職員（所属事務担当者）へ**

(1)　この請求書用紙は、上記の１の(2)のア及びイに掲げる医療機関で受診する場合にのみ使用してください。

(2)　※印欄は、被災職員（所属事務担当者）が記入してください。

(3)　初診の際（認定後）は、この用紙のほかに療養の給付請求書（様式第５号）を必ず提出してください。

※ 所属事務担当者	係名		氏名		電話	

図表24　療養費の内訳

診療費の内訳　（令和　年　月分）　□初請求　□継続請求

診療期間	令和　年　月　日から 令和　年　月　日まで	診療日	1 2 3 4 5 6 7 8 9 10 11 12 13 14 15 16 17 18 19 20 21 22 23 24 25 26 27 28 29 20 31
診療実日数	日		

（傷病名）	（現在の状態）	（傷病の経過）	
	令和　年　月　日現在 □治ゆ　□死亡 □中止　□継続中 □転医	1　現在の状態と治療内容	2　今後の療養予定

診療内容		点数（点）
⑪初診	□時間外　□休日　□深夜	
⑫再診	外来診療料　×　回 継続管理加算 外来管理加算　×　回 時間外　×　回 休日　×　回 深夜　×　回	
⑬指導		
⑭在宅	往診　回 夜間　回 緊急・深夜　回 在宅患者訪問診療　回 その他 薬剤	
⑳投薬	21内訳（薬剤　単位 調剤　回 22屯服　薬剤　単位 23外用（薬剤　単位 調剤　回 24調　剤　回 25処　方　回 26麻　毒　回 27調　基	
㉚注射	31皮下筋肉内 32静脈内 33その他	
㊵処置	回 薬剤	
㊿手術麻酔	回 薬剤	
㊵病理検査	回 薬剤	
㊼画像診断	回 薬剤	
㊳その他	回 処方せん　回 薬剤	
㊾入院	入院年月日　年　月　日 病｜診｜衣　入院期間　月　日～　月　日　日間 ㊾入院基本料　×　日間　×　日間　×　日間 ㊿入院基本料加算　×　日間　×　日間　×　日間　×　日間 ㊽特定入院料・その他	
小計	点　(イ)　円	

診療内容		金額
⑪初診	令和　年　月　日 （緊急医療管理加算　□入院　□外来）	円
⑫再診		円
⑬指導		円
文書料	□認定時診断書 □療養給付請求書（様式第５号） □転医証明 □移送費証明 □休業補償証明 （　年　月～　年　月分） □その他（　）	円
⑳その他		円
㊼食事	基準　□Ⅰ　□Ⅱ　□特別管理 □特別食　□食堂 円　×　回 円　×　回 円　×　日	
食事療養	日	円
室料加算	□個室　□２人部屋　□３人部屋　□４人部屋 （理由）□他の患者から隔離が必要 □他の患者の療養を著しく妨げるのを防ぐ □普通室が満床で、かつ、緊急入院が必要 □その他特別な事情（　） 月　日～　月　日	（　×　）円 （　）日 円
小計		(ロ)　円
診療費の合計		(イ)+(ロ)　円

摘要

医師会審査印

注　1　□印の該当するところには、レで表示してください。
2　診療日欄は、実際に診療した日を○で囲み、日数を実日数欄に記載してください。
3　診断書の文書料は、認定時の１通分のみ支払います。他の診断書については自己負担となります。
4　明細書等書ききれない場合は、別紙を添付してください。

⑵　提出書類

①　療養の給付請求書（様式第5号）
②　療養費請求書（診療明細書）（都支部様式第1号）（図表23・24）
③　公務災害認定通知書（都支部様式第17号）

　提出書類のうち，①は，労災保険の様式番号の名称と同様ですが書式は異なります。また，初診時のみ持参します。②は，診療明細書兼請求書となります（両面）。各月1枚必要となります。③については，コピーをとった後，本人へ返却します。

⑶　診療費の点数

　保険点数は，労災診療費算定基準に準じます。

⑷　請求書の提出

　療養の給付請求書（様式第5号），療養費請求書（都支部様式第1号）を添えて公務災害診療費総括表に必要事項を記載し，診療月の翌月10日までに各都道府県の地方公務員災害補償基金支部宛（東京都は医師会宛）に提出します（郵送可）。

5　第三者行為による災害の取扱い

　労災保険では，業務上または通勤途上による災害が一般的ですが，この災害以外にも①歩行中に看板が落ちてけがをした場合，②自動車に乗って信号待ちをしているときに，後ろから追突されて首などを捻挫した場合等があります。

　このように，第三者による行為が原因で引き起こされた災害を「第三者行為災害」といいます。労災保険では，この第三者の行為による災害が，業務上，通勤途上に該当していれば，労災保険に対して保険給付の請求ができます。この場合にほとんどのケースが民法上の不法行為であり，被災労働者または遺族等は，加害者である第三者に対しても民法上，損害賠償を請求することができます。しかし，第三者からの損害賠償と労災保険給付の内訳が重複する場合（療養費・休業補償など）は二重補償となってしまうため，どちらか一方の給付となります。

　このようなケースは業務中・通勤途上における交通事故などによくみられます。これは**自動車損害賠償責任保険**および**自動車損害賠償責任共済**（両者を合わせて一般的には**自賠責保険**と呼んでいます）からも，治療費・休業補償・後遺症障害等の損害額が保険金として支払われるので，ほとんどが労災保険の給付と重複してしまうからです。では，労災保険においてはどのような取扱いをするか（労災保険法第12条の4）に基づいて説明します。

　以下の2通りのケースがあります。

⑴　第三者が原因となって起きた事故により労災保険から先に被災労働者に対して保険給付をした場合，政府は，保険給付の価額の限度で，被災労働者が第三者に対して有する損害賠償の請求権を得て，直接第三者に対して直接行使します（**求償**）。

⑵　逆に労災保険から保険給付する前に，被災労働者が（同一の事由で）先に第三者から損害賠償を受けた場合には，政府は，保険給付額から第三者が支払った額を差し引いて額を保険給付の対象とします（**控除**）。

　どちらを先に受けるかは被災労働者の自由ですが，該当するケースで最も多い自動車事故による災害については，被災労働者と第三者の双方であらかじめ支払いの順序，内容等をできるだけ調整し事前に協議しておくことが，トラブル防止と円滑な処理のためにも必要と思われます。

　一般的には以下のように考えるケースが多いようです。
　① 　原則として，自賠責保険を先に支払う。
　② 　被災労働者が労災保険の給付を希望した場合は，労災保険を先に使用する。

　まず，自賠責保険を先に優先すると，仮渡金支払の制度や内払金制度（p.143）が利用できます。このことによって，損害賠償額の支払が速やかに行われることと，自賠責保険の損害内容は労災保険の給付より幅があることから，自賠責保険の給付を先に受け，支払い限度額を超えた場合に労災保険給付を受けたほうが，被災労働者にとっても有利といえるでしょう。しかし，選択するのはあくまでも被災労働者です。このことをふまえて次のことに注意しておきましょう。

(1) 　業務中・通勤途上での第三者行為による被災労働者が来院した場合には，損害賠償等の責任問題が発生するので，必ず相手方（加害者）の氏名・住所・電話番号・事業所名・事業所の電話番号などをカルテに記載し，担当医師にも（後々こじれる場合もあるので）伝えておきましょう。

(2) 　第三者による災害が業務中・通勤途上の場合で労災保険の保険給付を受けようとするときは，必ず第三者行為災害届を所轄の労働基準監督署に提出しなければなりません。

　　また，すでに第三者と示談が成立している場合には，示談書の写しと，自動車事故の場合は交通事故証明書を**第三者行為災害届出用紙**（図表27）と一緒に所轄の労働基準監督署に提出します。

図表25　災害補償と損害賠償との関係

図表26　「第三者行為災害届」提出時に添付する書類一覧表

	交通事故による災害	交通事故以外による災害	提出部数	備　考
「交通事故証明書*1」または「交通事故発生届」	○	－	2	自動車安全運転センターの証明がもらえない場合は「交通事故発生届」
念書*2	○	○	3	
示談書の謄本	○	○	1	示談が行われた場合（写しでも可）
自賠責保険等の損害賠償金等支払証明書または保険金支払通知書	○	－	1	仮渡金または賠償金を受けている場合（写しでも可）
死体検案書または死亡診断書	○	○	1	死亡の場合（写しでも可）
戸籍謄本	○	○	1	死亡の場合（写しでも可）

＊1　交通事故証明書は，自動車安全運転センターにて交付証明を受けたものを提出する。なお，警察署へ届け出ていない等の理由により，証明書の提出ができない場合，交通事故発生届（様式第3号）を提出する。なお，念書および交通事故証明書（もしくは，交通事故発生届）以外の添付書類については，備考欄に該当する場合のみ必要である。

＊2　労災保険の給付を受ける人が，不用意な示談を行って，思わぬ損失を被る場合がある。念書は，このようなことのないように注意事項を文面で記載したもの。念書は，労災保険の給付を受ける本人が署名する。

図表27　第三者行為災害届出用紙（届その１）

第三者行為災害届（業務災害・通勤災害）
（交通事故・交通事故以外）

令和　年　月　日

労働者災害補償保険法施行規則第22条の規定により届けます。

保険給付請求権者

署受付日付

住　所

〒（　－　）

フリガナ
氏　名　㊞

電話（　－　）

＿＿＿＿労働基準監督署長　殿

1　第一当事者（被災者）

フリガナ
氏　名　（男・女）

生年月日　年　月　日（　歳）

住所

職種

2　第一当事者（被災者）の所属事業場

労働保険番号

府県	所掌	管轄	基幹番号	枝番号

名称

所在地

〒　-　電話　-　-

代表者（役職）

（氏名）

担当者（所属部課名）

（氏名）

3　災害発生

日時　平成　年　月　日

午前・午後　時　分頃

場所

4　第二当事者（相手方）

氏名　（　歳）

住所

〒　-　電話　-　-

第二当事者（相手方）が業務中であった場合

所属事業場名称

所在地

〒　-　電話　-　-

代表者（役職）

（氏名）

5　災害調査を行った警察署又は派出所の名称

警察署　係（派出所）

6　災害発生の事実の確認者（5の災害調査を行った警察署又は派出所がない場合に記入してください）

氏名

住所

〒　-　電話　-　-

7　あなたの運転していた車両（あなたが運転者の場合にのみ記入してください）

車種	大・普・特・自二・軽自・原付自			登録番号（車両番号）		
運転者の免許	有無	免許の種類	免許証番号	資格取得 年　月　日	有効期限 年　月　日まで	免許の条件

なお，自賠責保険の請求方法については**第４章**で詳しくふれます。

(1)　第三者行為災害に関する提出書類

第三者行為災害に関する労災保険の請求の際は，以下の書類を提出します。

①　被災者等が提出する書類

第三者行為災害届：被災労働者等が第三者行為災害について労災保険の給付を受ける場合，所轄の労働基準監督署に，第三者行為災害届を２部提出します。正当な理由がなく第三者行為災害届を提出しない場合，労災保険の給付が一時差し止められることがあります。添付する書類は図表26のとおりです。

②　第三者に対して提出を求める書類

労災保険の給付を行う原因となった第三者に該当する人は，**第三者行為災害報告書**を提出します。この第三者行為災害報告書は，第三者に関する事項，災害発生状況および損害賠償金の支払状況等を確認するために必要な書類です。

6　労災保険における「はり・きゅう」「マッサージ」「柔道整復師施術」の取扱い

医療保険でも療養費による給付制度がありますが，労災保険においても医療機関で理学療法・投薬治療などを行う一方で，現在の治療に「はり・きゅう」および「マッサージ」を併施することによって早期回復が望めると判断された場合に限り労災保険の支給対象となります。

また，「柔道整復師施術」とは，打撲，捻挫，挫傷（筋，腱の損傷），骨折，脱臼などに対する施術のことですが，業務上あるいは通勤時の負傷等の場合，労災保険の扱いとなります。

第 2 章

労災診療費の請求と算定

1. 労災保険の請求と支払い

① 請求方法

(1) 請求書類

　労災診療費の請求は，「**労災診療費請求書**」に，各傷病者ごとに作成した「**診療費請求内訳書**」を添付して，各月ごとに労働局長が指定する期日までに，指定医療機関の所在地を管轄する労働局長宛に請求をします。

　また，第1回目の請求を行うときは，初診時に被災労働者が提出した「**療養の給付請求書**」（様式第5号または第16号の3等）または「**指定病院等（変更）届**」を必ず「**労災診療請求書**」に添えて提出しなければなりません。

(2) 請求書の提出先

① 療養の給付請求書

　療養の給付請求書は，指定医療機関の所在地を管轄する労働局を経由して所轄の労働基準監督署長に提出します。

② 診療費請求書

　診療費請求書は，指定医療機関の所在地を管轄する労働局長に直接提出します。

(3) 労災保険の請求時効

　労災保険においても健康保険同様に診療費請求権は5年となっています（民法第170条。2020年4月1日より適用）。

　当然のことですが，請求の積み残しがないようにしなければなりません。

(4) 労災保険と医療保険の混在

　労働者が業務上あるいは通勤途上に発生した傷病については労災保険の扱いとなりますが，それ以外の疾病（私病）については，労災保険に請求することはできません。したがって，健康保険または自由診療として扱うことになります。

　たとえば，業務上の災害で左前腕骨骨折で治療を受けている際，かぜを引いたなどの場合，私病扱いとなり労災保険の給付対象にはなりません。

　ただし，労災対象となっている疾病が引き金となって他の疾患を合併した場合には，労災診療として扱うことができます。その場合には必ず医師の症状詳記が必要です。

> **One point　労災と私病の混在にひと工夫**
>
> 　労災で外来通院している患者さんに労災診療以外の疾病が生じた場合には，健保用カルテを作成しますが，入院の場合で私病と労災が混在しているケースは，まさに医事課泣かせです。その場合，医師に協力してもらい，たとえば私病が発生したときは労災外であることなどを明記してもらうなどの工夫が必要です。特に電子カルテ化が進んでいくと，余計にわかりにくい状況になるので，注意が必要です。

2 請求書類

(1) 診療費請求書

　診療費請求書（図表28）は，健保における「診療報酬請求書」にあたります。労災指定医療機関が労災診療費を請求する際に必要な用紙です。記載項目と注意点を示します。

「①指定病院等の番号」

　　医療機関の所在地を管轄する労働局長が医療機関ごとに振り出した番号（7桁）を記入します。

「②受付年月日」

　　労働局が記載する欄ですので，医療機関では記入する必要はありません。

「③請求金額」

　　各診療費請求内訳書の合計額を合算した額を記入して，金額の頭に¥マークをつけてください。

「④内訳書添付枚数」

　　診療費請求内訳書の枚数を記入してください。なお，「療養の給付請求書（様式第5号および第16号の3）」，「指定病院等（変更）届（様式第6号および第16号の4）」および「診療費請求内訳書（続紙)」は枚数には数えません。

図表28　労災診療費請求書様式

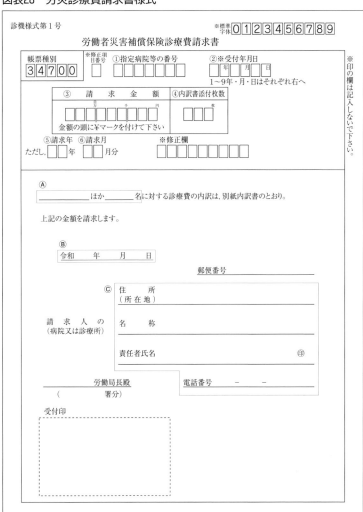

「⑤請求年」

　　請求する診療費請求内訳書のうち，最新の診療月の属する年を記入してください（令和5年と令和6年の診療費請求内訳書がある場合は「6」と記入）。

「⑥請求月」

　　請求する診療費請求内訳書のうち，最新の診療月を記入してください（5月と6月がある場合は「6」と記入）。

「Ⓐ」

　　診療費請求書に添付しているレセプトのうち，1枚目の患者の氏名およびそのほかの患者の実数を記入します。

「Ⓑ」

　　診療費請求書を提出（発送）する年月日を記入します。

「Ⓒ」

　　請求人（医療機関）の郵便番号・住所・名称・責任者氏名・電話番号を記入します。ゴム印等を使用する場合でも，「責任者氏名」欄の記名押印または署名は，必ず行ってください。

(2)　診療費請求内訳書

　通常，医療機関で患者さんの治療費を請求する明細書を「レセプト」と呼んでいますが，労災保険では「**診療費請求内訳書**」となります。この内訳書は，原則として労災患者1人に1枚作成することになっていますが，同月内に入院・外来で治療を受けていた場合は，入院・外来の内訳書をそれぞれ作成しなければなりません（健康保険と同様です）。請求内訳書には外来用（図表29）と入院用（図表30）の2種類があります。

① 内訳書の項目

　内訳書には，まず最初に指定病院等の番号を書きます。この番号は労災指定の認定を受けた時に，労働基準監督署から発行される番号です。次に病院等の名称を書きます。以下，内訳書に並んでいる番号順に項目の説明をします。

　なお，③⑤⑧⑨⑫については労働基準監督署が記載するので記入する必要はありません。

「①新継再別」

　　傷病労働者が初診の場合は「1」を記載し，他院からの転移の場合は「3」，継続治療は「5」，いったん症状固定となり再発した場合には「7」を記入します。

「②転帰事由」

　　診療が終了した場合に記入します。したがって，記載するときはカルテをみるだけでなく，もう一度医師に確認しておく必要があります。

「④労働保険番号」

　　傷病労働者が所属する事務所の労働保険番号〔14桁すべて（枝番号がない場合，下3桁は"000"）〕を記入します。

「⑥生年月日」

　　傷病労働者の生年月日を記入します。

「⑦傷病年月日」

　　初診年月日ではなく，傷病労働者が負傷または発病した年月日を記入します。

「⑩療養期間」

　　当月の診療日と請求の期間を記入します。ただし，休業補償給付支給請求書（様式第8号）の証明をした場合，診療担当者の証明「㉛療養のため労働することができなかったと認められる期間」と同日の期間を記入します。

「⑪診療実日数」

　　実際に診療を行った日数を記入しますが，同一日に2回以上（同日再診）があった場合でも1

図表29　外来用診療費請求内訳書

診機様式第3号

　　　　第　回（同一傷病について）

| 指定病院等の番号 | | 病院等の名称 | |

| 帳票種別 | 修正項目番号 | ①新継再別 ②転帰事由 | ③ 支払額 |
| 3 4 7 0 3 | | 1初　診 3転医始診 5継　続 7再　発 | 1治ゆ 3継続 5転医 7中止 9死亡 |

④ 労働保険番号	府県　所掌　管轄　基幹番号　枝番号	⑤ 増減コード及び増減額
⑥ 生年月日	1明治 3大正 5昭和 7平成 9令和 元号 年 月 日	⑦ 傷病年月日 年 月 日	⑧ 増減理由 ⑨ 決定年月日 年 月 日
⑩ 療養期間	年 月 日 － 年 月 日	⑪ 診療実日数 日	⑫ 処理区分
⑬ 合計額 ⑦+⑤	百万 千 円	修正欄

労働者の氏名	（　　歳）	傷病の部位及び傷病名
事業の名称		傷病の経過
事業場の所在地	都府道県　　郡区市	

診療費請求内訳書（入院外用）

診療内容		点数（点）	診療内容	金額	摘要
⑪初診 時間外・休日・深夜			⑪初診　　　　円		
⑫再診	外来管理加算　×　回		⑫再診　回　　円		
	時間外　　　×　回		⑬指導　回　　円		
	休　日　　　×　回		⑧その他　　　円		
	深　夜　　　×　回				
⑬指導			小　計　⑤　　　円		
⑭在宅	往　診　　　　回		摘　要		
	夜　間　　　　回				
	緊急・深夜　　回				
	在宅患者訪問診療　回				
	その他				
	薬　剤				
⑳投薬	㉑内服薬剤　　　　単位				
	調剤　×　回				
	㉒屯服薬剤　　　　単位				
	㉓外用薬剤　　　　単位				
	調剤　×　回				
	㉕処　方　　　×　回				
	㉖麻　毒　　　　回				
	㉗調　基				
㉚注射	㉚皮下筋肉内　　回				
	㉜静脈内　　　　回				
	㉝その他　　　　回				
⑩処置	回				
	薬　剤				
⑩手術麻酔	回				
	薬　剤				
⑩検査病理	回				
	薬　剤				
⑩画像診断	回				
	薬　剤				
⑧その他	処方せん　　　回				
	薬　剤				
小　計	点 ⑦　　　　　円				

図表30 入院用診療費請求内訳書

診機様式第2号

第 回（同一傷病について）

| 指定病院等の番号 | | 病院等の名称 | |

| 帳票種別 | | | | | 修正項目番号 | | ①新継再別 | ②転帰事由 | ③ 支払額 |
| 3 | 4 | 7 | 0 | 2 | | | 1初　診
3転医始診
5継　続
7再　発 | 1治ゆ
3継続
5転医
7中止
9死亡 | 百万　　　　千　　　　円 |

④労働保険番号　府県　所掌　管轄　基幹　番号　枝番号

⑤ 増減コード及び増減額　増＋減—　百万　　千　　円

⑥生年月日　1明治 3大正 5昭和 7平成 9令和　元号　年　月　日

⑦ 傷病年月日　年　月　日

⑧ 増減理由

⑨ 決定年月日　年　月　日

⑩ 療養期間　年　月　日 — 年　月　日

⑪ 診療実日数　日

⑫ 処理区分

⑬ 合計額　(イ)+(ロ)+(ハ)　百万　　千　　円　修正欄

診療費請求内訳書（入院用）	労働者の氏名	（　　歳）	傷病の部位及び傷病名	
	事業の名称		傷病の経過	
	事業場の所在地	都府道県　　郡区市		

	診　療　内　容	点数（点）	診療内容	金　額	摘　要
⑪初診	時間外・休日・深夜		⑪　初　診	円	
⑬指導			⑧その他	円	
⑭在宅					
⑳投薬	㉑内服	単位			
	㉒屯服	単位			
	㉓外用	単位			
	㉔調剤		小　計	㊣ 円	
	㉖麻毒	日	⑰食事		備　考
	㉗調基		基準		
㉚注射	㉛皮下筋肉内	回		円×　回	
	㉜静　脈　内	回		円×　回	
	㉝そ　の　他	回		円×　日	
㊵処置		回			
	薬剤		食事療養	回 ㈥ 円	
㊿手術麻酔		回	摘　　要		
	薬剤				
⑥検病査理		回			
	薬剤				
⑦画診像断		回			
	薬剤				
⑧その他					
	薬剤				
⑩入院	入院年月日　年　月　日				
	病　診　衣　⑩入院基本料・加算				
	×　日間				
	×　日間				
	×　日間				
	×　日間				
	×　日間				
	⑫特定入院料・その他				
小　計	点 ㋑	円			

日として扱います。また，診療はしていませんが，文書料（休業補償給付請求書等）だけを請求する場合は「999」と記入します。この「999」は記入もれが多いので，注意してください。

※この場合の療養期間は，書類を記入した日付けとなります。「999」とある場合にはたとえ療養が終了していても終了後の日付で請求することができます。

「⑬合計額」

当月内の診療費小計の(イ)(ロ)〔入院は(ハ)も〕合計を記入します。¥マークは記入しません。

ここまでが，内訳書の上半分の記入方法です。次に診療内容の書き方ですが，患者名と病名までは健康保険と同じですが，労災保険ではこの他に事業所名・所在地・請求月の傷病経過などを記載しなければなりません。とくに高点数となっている場合などは，経過を詳しく記載する必要があります。

② 診療内容の書き方

診療費請求内訳書は点数で記入するもの（内訳書の左側）と，金額で記入するもの（内訳書の右側）に分かれています。

「⑪初診」

初診料3,850円を金額欄に記入します。ただし2024年6月1日より，紹介状なしで受診した場合の定額負担料（健保における選定療養費）を傷病労働者から徴収した場合は1,850円となります。また，医科において初診料を算定できる2つ目の診療科を受診した場合（健保点数表の注5のただし書に該当する場合），1,930円を算定できます。時間外，休日，深夜加算についてはそれぞれの加算点数のみを点数欄に記入します。

診　療　内　容		点数(点)	診療内容	金　　額
⑪初診	(時間外)・休日・深夜	85	⑪初診	3,850円

「⑫再診」

一般病床の病床数200床未満の医療機関および一般病床の病床数200床以上の医療機関の歯科，歯科口腔外科においては，再診料についても初診料と同様に，点数ではなく1,420円で算定します。また，併科再診料を算定できる場合（健保点数表の注3に該当する場合）については，710円を算定します。ただし2024年6月1日より，一般病床200床以上の医療機関の歯科，歯科口腔外科の再診について，他の病床数200床未満の病院または診療所に対して紹介状を発行する旨を申し伝えたにもかかわらず，当該医療機関を受診した場合の定額負担料（健保における選定療養費）を傷病労働者から徴収した場合は1,020円となります。外来管理加算および時間外，休日，深夜加算については，それぞれの加算点数のみを点数欄へ記入します。

また，労災保険における外来管理加算の特例扱いによる点数算定がある場合は外来管理加算の欄（点数欄）に記入するとともに金額欄の摘要欄に「㊙52×○回」と記入してください。その他の再診料の算定に関する取扱いについては，健保点数表に準拠して行います。

診　療　内　容		点数(点)	診療内容	金　額	摘　　要
⑫再診	外来管理加算　52×1回	52	⑫再診　1回	1,420円	㊙52×1回
	時間外　　　　　×　回				
	休日　　　　　　×　回				
	深夜　　　　　　×　回				

「⑬指導」

特定薬剤治療管理料，てんかん指導料など健保点数に準拠して算定するものについては点数欄に記入し，再診時療養指導管理料（労災特例項目）については金額欄に記入します。

診　療　内　容		点数(点)	診療内容	金　額	摘　　要
⑬指導	てんかん指導料	250	⑬指導　1回	920円	再診時療養指導管理料

「⑧その他」

金額欄のその他に記入する項目は，①救急医療管理加算，②療養の給付請求書取扱料，③入院室料加算，④休業（補償）給付支給請求書——等，労災独自項目で金額により算定できるものです。

診療内容	金　　額	摘　　　　　要
⑧その他	1,250円 2,000円	救急医療管理加算（入院外） 療養の給付請求書取扱料

「小計」

①については，合計点数に課税医療機関の場合は12円を乗じて得た金額，非課税医療機関の場合は11.5円を乗じて得た金額を記入します。

⑩については合計金額，⑧（入院のみ）については食事療養費の合計金額を記入します。

この①，⑩，⑧の合計金額を内訳書上部の⑬合計額に記入します。

「⑩処置，⑩手術・麻酔」の労災特例加算の例

労災保険において，四肢の傷病に対する処置・手術は特例扱いとなります。摘要欄の⑩処置または⑩手術・麻酔に点数×加算倍率（1.5または2）を記入します。

⑩	創傷処置（1日につき）（100㎠未満） 　（52×1.5）	78×1
⑩	骨折非観血的整復術（左膝） 　（1,440×1.5）	2,160×1

(3)　請求書のまとめ方

健康保険でもレセプトを編綴する際，保険者別に種分けをして提出しますが，労災保険では，災害別に分けて提出することになっています。東京都の例によりまとめ方を図表31に示します。なお，まとめ方は都道府県ごとに異なりますので確認が必要です。

請求書初回分については，監督署別に①から⑤の順にまとめ，提出します。

2回目以降分は監督署別にはせず，すべて1枚ずつの請求書であるものを①から⑤の順にまとめて指定医療機関等の所在地の労働局に提出します。

図表31　請求書の編綴

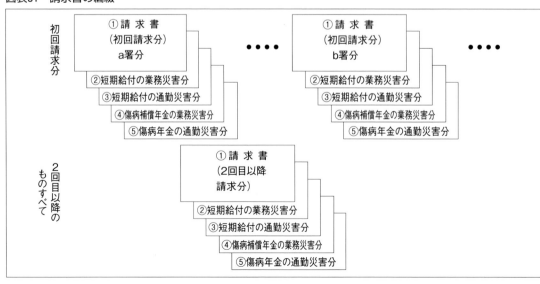

(4) 労災レセプトのオンライン請求

　2014年2月請求分から，労災保険の診療費請求がオンライン（もしくは電子媒体）でできるようになりました。健康保険（支払基金・国保連合会）のオンライン請求と同様の方法です。これにより医療機関側は，健康保険と同様に，①査定結果・理由・支払額の確認が可能である，②データの不備が事前にわかる，③請求受付時間が延長される——といったメリットを享受することができます。また，オンライン（電子媒体）請求を行うことで，レセプト1件当たり5点の「**労災電子化加算**」の算定もできます（2024年改定により，2026年3月診療分まで期間延長されました）。

　労災保険のオンライン（電子媒体）請求を行うためには，健康保険のオンライン請求で使用している送信用コンピュータを労災レセプト対応に改修することが必要ですが，データの作成は現在導入している医事コンピュータで対応します。都道府県労働局へ届出を行い，IDとパスワードを取得し，ソフトウェアのインストール後に設定作業を行い，確認試験を経てオンライン請求の準備が完了します。

③ 審査・支払いのしくみ

(1) 労災診療費が支払われるまで

　指定医療機関が提出した診療費請求書および診療費請求内訳書はOCR（光学式文字読取装置）で読み取られ，請求金額等のデータは通信回線を介して厚生労働省労災補償部労災保険業務室のコンピュータに取り込まれます。通常は月末または翌月の15日までに，指定医療機関が指定した金融機関の口座に診療費が振り込まれます。

　しかし，医療機関の記入する文字が正確に記入されていなければ，コンピュータが文字を読みとることができず入金が遅れてしまうこともあるようです。提出時にもう一度，チェックが必要です。

　また，診療費の支払額と審査結果等を記した「**診療費支払振込通知書**」が厚生労働省から指定医療機関に郵送されてきます。もし査定があり疑問が残る場合は，健康保険同様に再審査請求をすることができます。

(2) 労災保険のレセプト審査

　健康保険の診療によるレセプト審査は，支払基金または国保連合会等で毎月行われていますが，労災保険でも同様に提出された診療明細を各都道府県の労働局にある「**診療費審査委員会**」が行っています。各診療科ごとに3～4名，おおむね20名の審査委員で構成されています。また，審査委員は労働局長が労災病院・国立大学病院で勤務している医師に委託しています。

　審査があるということは，査定（減額）されることもあります。また，年々審査が厳しくなってきているようです。そのため医療機関としてレセプト提出前に最低チェックしておきたいポイントを挙げてみます。

① 請求額が高額なもの
② 傷病名から判断して入院期間が長いと思われるもの
③ 傷病名からみて不必要と思われる検査等があるもの
④ 明らかに労災対象外の傷病名が多いもの

　このような請求内訳書は減額対象になりやすいため，医師に症状詳記の依頼をする必要があると思われます。また，傷病に対しての説明だけでは実際の状態等判断されにくいケースは，「図」あるいは「写真」などを症状詳記に添付して請求することも1つの方法です。とくに手術を行った場合は手術記録などを添付したらよいと思われます。

(3) レセプト査定と再審査

　健康保険の査定（減額）については，毎月医療機関に査定内容が送られてきます。一方，労災保険

においては，減額金額のみ通知されます。したがって，査定された項目・理由等はわかりません。万が一査定を受けた場合は，直接所轄の労働基準監督署に連絡をして確認することも必要であると思います。理由および金額によっては医師と相談したうえで，再請求も考慮することもあるからです。

　再請求を希望する場合，**①傷病者名**，**②傷病名**，**③査定された項目**，**④減点点数**——を記載して，労働基準監督署に提出します。なお，とくに再請求用の書式はありませんので，宛名を変えて健保の再請求に使用している用紙を準用することも可能です。

　提出後は，再度，診療費審査委員会で検討され，その結果が郵送されてきます。詳細については地域による違いも考えられますので，各監督署にご確認ください。

　現在のところ再請求の件数は東京都の場合で年間数件のようですが，査定内容によっては，もっと積極的に再請求を行ってもよいのではないでしょうか。

　参考までに再請求の方法を一つご紹介します。

①　再請求するものについて労働局労災補償課に査定内容の問い合わせをする。
②　労働局より査定内容を知らせる連絡が入る。
③　査定内容を元に書類を作成する（図表32〜35）。
④　作成した書類を労働局労災補償課に郵送する。
⑤　後日，再審査の結果が労働局から郵送されてくる（図表36）。

⑷　不支給とその対応

　事業主から療養の給付請求書（様式5号もしくは6号）が発行され，労災として診療していたにもかかわらず，数カ月後に労働基準監督署から不支給の通知が来ることがあります。なお，これは突然来るものではなく，ここに至るまでの間に労働局や監督署からは主治医宛の意見書や診断書の依頼があったり，また，監督署からは調査中である旨の通知がくる場合などあるため，あらかじめ準備をすることができます。

　実際に不支給になった場合の対応の手順は次のとおりです。

①　健康保険扱いとするか，事業主に自費で支払ってもらうかどうかの確認をする。
②　健康保険で扱う場合，労災レセプトは返戻されない。そこで，新たに健康保険のレセプトを作成する。
③　事業主もしくは本人に医療費の請求をする。

　以上のような作業が発生しますが，入院加療があった場合などは費用が高額になり，受傷者にとっては，突然降って湧いた出費となって支払いが遅れたり，未納になるケースも出てくることが予想されます。そのため，受傷者への連絡の際には合わせて高額療養費等の制度を紹介するなどのサポートをすることも大切です。

　労働基準監督署で労災不支給の決定がなされたあとでも，受傷者である労働者（およびその家族）は，労働基準監督署に対して不服申し立てをすることができます。不服申し立てによる再審査の結果，労災認定がされた場合，さかのぼって初診時から労災診療が認められます。しかし改めて再審査を行っても不支給の結論が変わらなかった場合，医療機関側が請求可能である「労災診療補償保険金」は，初診から最初に不支給決定がされたタイミングまでの期間しか対象になりません。長期間にわたって労災決定が成されないケースについては，医療機関側がリスクを抱える期間が長くなることも

One point　在宅自己導尿指導管理料の算定

　せき髄損傷に係るアフターケアで在宅自己導尿をしている方に病院からカテーテルをお渡しした場合，アフターケアでは在宅自己導尿指導管理料は算定できません。そのため，カテーテル材料は処置材料として10円で除した点数に労災単価を乗じて請求します。また，在宅自己導尿指導管理料については，健康保険扱いで算定することは可能です。

図表33　査定レセプト

労働者の氏名	三〇 改 〇	(57歳)	傷病の部位及び傷病名	右下腿骨骨折
事業場の名称	〇〇〇〇		傷病の経過	内容 別紙に記載致しました

	診療内容	点数(点)	金額 円	摘要
⑪初診 時間外・休日・深夜				＊労災 休業補償証明料 2000×1
⑫再診			2,000円	
⑬指導				
⑭在宅				
⑳投薬 ㉑内服 ㉒地域 ㉓外用 ㉔調剤 ㉕麻毒 ㉗調基	単位 単位 単位 日 日			
㉚注射 ㉛皮下筋肉内 ㉜静脈内 ㉝その他	回 回 回			
㊵処置	薬剤			ⓒ 要 18,750×1
㊵	薬剤 1回	18,750	800円×93回 円×回 60円×31回	18,750点 −18,750点
㊿手術麻酔	薬剤			＊難治性骨折超音波治療法 12,500×1.5　7/3
㉚検査病理診断				50 ＊右脛・腓骨 X-P 半切2分割　1枚
㊻画像診断	薬剤 2回	165	165×1	70
㊻	薬剤 回	285	190×1.5 285×1	80 ＊運動器リハビリテーション料（I） 理学療法士による場合 発症日 2/27 実施日数 1日 疾患名 右下腿骨骨折
㊾入院		70,436		90 ＊急性期一般入院料1 入院期間加算（14日以内） ＊1級地地域加算 ＊療養環境加算 ＊診療録管理体制加算2 ＊急性期一般入院料1 入院期間加算（15日以上30日以内） ＊急性期一般入院料1
	入院年月日 ○年7月1日			2,644×14 18×31 25×31 30×1 1,897×16 1,705×1

㊾入院基本料・加算 急一般1 ×　31日間 環境 ×　日間 録管2 ×　日間
㊾特定入院料・その他

| 小計 | 89,636点 ㋑ | 1,075,632円 |

図表32　再審査請求書の例

●●●労働基準局　御中

令和　年　月　日

指定医療機関の
所在地及び名称
開　設　者　名
電　話　番　号

再　審　査　請　求　書

下記の理由により、労働者災害補償保険診療費請求内訳書の再審査をお願いいたします。

指定医療機関コード		
保険番号 年金証書番号		
受 年月日 傷	療養期間	
フリガナ 患者氏名	三〇 改 〇	当初請求金額

	査定金額	点数	査定内容
①	225,000	18,750	難治性骨折超音波治療法→〇
②			
③			
④			
⑤			
⑥			
⑦			
⑧			
⑨			
⑩			
計	225,000	18,750	

再審査理由につきましては、別途添付いたしました。
ご審査の程よろしくお願いいたします。

懸念材料となりますので，患者と同時に労働基準監督署や患者の勤務先との連絡を密にし，進捗や方向性の確認をしておく必要があります。

図表34　査定レセプトに付記してあった症状詳記（例）

症　状　詳　記

患者　三○　政○　殿についての症状・概要及び治療経過は下記の通りでした。よろしくご審査お願いいたします。

　　　　　　　　　　　　　　　　　　○○○○病院
今月の重点治療病名　　　　　　　　主治医　○○○○

　右下腿骨骨折

症状及び治療経過

R○.2.27　鉄板にはさまれ受傷。左下腿骨骨折にて入院。
　　3. 2　下腿髄内釘による手術を行ったが，骨折部の遊離骨片を閉鎖整復できずopen reductionを行った。このため，骨膜を広範囲に剥離したために骨癒合の遷延が危惧された。
　　　　　その後，レントゲンフォローアップをするも，骨の仮骨形成が乏しく，同部の圧痛を残存した。
　　5.18　横止め抜去し，荷重開始を行うも，骨折部の圧痛⊕X線上仮骨⊖であった。術後，約5カ月でも圧痛残存するため，骨折遷延治癒の可能性大と判断した。
　　　　　また，下腿下1/3の血流の乏しい部位，open reductionによる骨膜剥離なども考えて，より骨癒合を得られる可能性について検討し，超音波治療法を7月3日に行った。

図表35　再審査請求に付記した症状詳記（例）

症　状　詳　記

　　　　　　　　　　　　　　　　○○○○病院
　　　　　　　　　　　　　　　　整形外科　○○○○

患者名　三○　政○　殿

　　　　　今月の重点病名　右下腿骨骨折遷延治癒

令和○年2月27日受傷後，即日入院となった患者さんです。
3月2日，骨折に対し観血的整復術施行。
5月18日には内固定抜去し，以後筋力増強・関節可動域改善を目的としたリハビリ訓練を行っていた。抜釘後2カ月が過ぎても，X-P上，仮骨（-）。
もともと下腿骨遠位1/3部が粉砕していた骨折のため，骨癒合しにくいとも考えられた。その他にも，X-P上，骨癒合が認められず，遷延治癒と判断し難治性骨折超音波療法（セーフス）を使用することとした。
超音波療法は在宅でも行えることから，現在は退院に向け杖を利用した歩行訓練を強化的に行っています。
以上のことより同治療は不可欠と考えております。

図表36　再審査請求の結果

　　　　　　　　　　　　　　　　　　　令和○年○月○日

○○○○病院
　病院長殿

　　　　　　　　　　　　　　　　○○○労働局
　　　　　　　　　　　　　　　　　労災補償課長

　　　　　　　　　　　　再審査について

　　令和○年○月○日付で提出されました標記について，再審査の結果，下記のとおりとなりましたので通知いたします。

　　　　　　　　　　　　　　記

　　氏名　　　三○　政○　　　昭和34年2月10日生
　　内容　：　難治性骨折超音波治療法について
　　結果　：　復活として，別途，追給します。
　　復活事項
　　　　　難治性骨折超音波治療法　　　18,750点
　　追給額
　　　　　18,750×12円＝225,000円

2. 労災保険の診療単価

　健康保険の場合は，1点10円で保険請求を行っていますが，労災保険では，労災指定医療機関では1点12円で請求します。

　また，労災非指定医療機関でも，これに準じて取り扱うことが基本となりますが，政府との間に何らかの契約（労災診療の契約）をしているわけではないので労災診療算定基準に縛られることはありません。ただ，被災労働者に対してはこの基準による算定額が限度として支払われるため，労災診療算定基準を超える金額で請求する場合にはあらかじめ被災労働者に説明しておくことが必要です。

　ただし，法人税法および同法施行令に規定される以下の非課税医療機関は，1点11円50銭となります。

【非課税医療機関】

① 設立形態により判断できるもの

　国，地方公共団体，国立大学法人，地方独立行政法人，独立行政法人，日本赤十字社，社会福祉法人，私立学校法による学校法人，全国健康保険協会，健康保険組合，健康保険組合連合会，国民健康保険組合，国民健康保険団体連合会，国家公務員共済組合，国家公務員共済組合連合会，地方公務員共済組合，全国市町村職員共済組合連合会，日本私立学校振興・共済事業団，社会医療法人，公益財団法人結核予防会，公益社団法人等の運営するハンセン病療養所（神山復生病院），学術の研究を行う公益法人に付随するもの，農業協同組合連合会（所得税法および法人税法の規定に基づく財務省告示により指定するもの）

② 課税，非課税の別を医療機関に照会し判断するもの

　医師会，歯科医師会，看護師等の人材確保の促進に関する法律第14条第1項による指定を受けた公益社団法人等，上記以外の公益法人等で，診療月の属する会計年度の前々年度（事業年度が会計年度と異なるときは診療月の属する会計年度当初においてすでに確定申告を行った直近の事業年度）の医療保健業について，当該法人等が非課税医療機関に該当するとして確定申告を行った医療機関

　このように医療機関によって1点単価が違いますので注意してください。

One point 健康保険組合によるレセプト審査

　最近の健康保険組合では，レセプトの傷病名に外傷病名が明記されていた場合，傷病原因に対する調査依頼を医療機関側に行うことが多々あります。

　改めて問診票・カルテ等を確認すると労災を疑われるようなケースがあり，患者さんに改めて確認すると，やはり労災扱いとなることもよくあるため，受診時の問診票にはあらかじめ仕事中等の傷病であるかがわかる質問項目を加えておくことも必要だと思います。

労災診療費の請求と算定　請求　診療単価　基本診療　特掲診療

3. 基本診療料の算定

　では基本診療料の算定からみていきましょう。なお，基本診療料は大きく分けて，初診料・再診料・入院基本料・入院基本料等加算・特定入院料から構成されています。

1 初診料

(1) 基本金額とルール

初診料	3,850円

　健康保険では，初診料は291点と定められていますが，労災保険では，初診料は3,850円が算定できます。この場合の初診とは，傷病労働者の傷病について医学的に初診といわれる診療行為があった場合を指します。

　2010年改定により，初診料の算定基準が一部変更されました（図表37）。

　① 労災保険の初診料は，支給事由となる災害の発生につき算定できます。したがって，すでに傷病の診療を継続（当日を含む）している期間中に，当該診療を継続している医療機関において，当該診療に係る事由以外の業務上の事由または通勤による負傷または疾病により初診を行った場合は初診料を算定できます。

　② 健保点数表（医科に限る）の初診料の「注5」のただし書（同一日複数科受診時の初診料）に該当する場合については，1,930円を算定できます。

　なお，2024年6月1日より，紹介状なしで受診した場合の定額負担料（健康保険における選定療養費）を傷病労働者から徴収した場合は，1,850円を算定します。

　その他，初診料に係る取扱いは，健康保険と同様に取り扱います。

① 健康保険の保険外併用療養費と労災保険の関係

　健康保険では，一般病床200床以上の病院の場合で，他の医療機関から紹介状を持参せずに初診で受診した患者からは，保険外併用療養費を徴収することが認められています（緊急やむをえない場合を除く）。しかし，労災保険においては，受診時すでに緊急性があるとみなされているため徴収できません。そのため，労災保険では**「救急医療管理加算」**（入院6,900円・入院外1,250円）を初診時に初診料とは別に請求することができます。

(2) 労災特例

初診時ブラッシング料	91点

　創傷部位が汚染している場合に，生理食塩水，蒸留水，ブラシ等で除去を行った場合に1回に限り91点が算定できます。ただし，デブリードマンおよび創傷処理によるデブリードマン加算との重複算定はできません。

　また，時間外等の加算対象（初診時ブラッシング料を含む処置，手術の所定点数の合計が150点以上の場合）になりますが，四肢加算の対象にはなりません。

図表37　労災保険における初診料算定の例

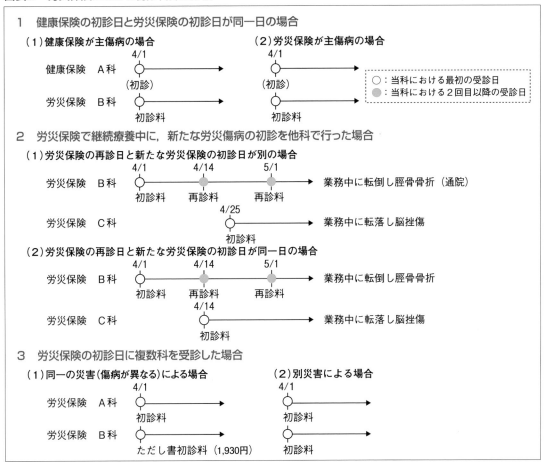

1　健康保険の初診日と労災保険の初診日が同一日の場合

（1）健康保険が主傷病の場合　　　　　　　（2）労災保険が主傷病の場合

○：当科における最初の受診日
●：当科における2回目以降の受診日

2　労災保険で継続療養中に，新たな労災傷病の初診を他科で行った場合

（1）労災保険の再診日と新たな労災保険の初診日が別の場合

（2）労災保険の再診日と新たな労災保険の初診日が同一日の場合

3　労災保険の初診日に複数科を受診した場合

（1）同一の災害（傷病が異なる）による場合　　　（2）別災害による場合

労災診療費の請求と算定

請　　求
診療単価
基本診療
特掲診療

救急医療管理加算　　　　　　　　　入院　6,900円（1日につき）・入院外　1,250円

　労災の特例項目です。初診時に救急医療を行った時に算定することができます。算定要件は，傷病労働者を受け入れる際に，労働者が初診である場合（一般的に労災での傷病は緊急性を要することが多いため），入院・外来ともに同一傷病につき，初診時にそれぞれ1回算定ができます。なお，入院については初診に引き続き入院している場合は7日間を限度として算定することができます〔健保点数表（医科に限る）の初診料の「注5」のただし書き（同一日複数科受診）に該当し，1,930円を算定する場合は救急医療管理加算の算定はできません〕。

　ただし，健保点数表にある救急医療管理加算，特定入院料および保険外併用療養費（初診時自己負担金）とは重複請求はできませんので注意してください。また，健保点数表における救急医療管理加算（1,050点・420点）の算定要件を満たす場合には健保点数表に規定する所定点数を算定することができます。算定要件を満たさない場合は，労災診療費算定基準に規定する救急医療管理加算を算定します。

　なお，救急収容した医療機関で応急処置のみを行い，同日に他の医療機関に転医した場合，転医先の医療機関では初診料が算定でき，かつ，緊急性があれば救急医療管理加算も算定することができます。再発の場合，症状が安定した後に転医した場合，初診料（3,850円）が算定できない場合などは，救急医療管理加算は算定できません。

> **療養の給付請求書取扱料**　　　　　　　　　　　　　　　　　　　　　　　　　　**2,000円**

　労災指定医療機関において，「療養（補償）給付たる療養の給付請求書」（様式第5号または第16号の3）を取り扱った場合に算定できます。ただし，再発の場合や，転医始診の場合（転医により診療を開始した場合）は算定できません。

2 再診料・外来診療料

(1)　基本金額・点数とルール

　健康保険では，再診料は75点と定められていますが，労災保険では，再診料は1,420円が算定できます。一般病床200床未満の病院と診療所，一般病床200床以上の病院の歯科，歯科口腔外科では，再診の傷病労働者に対して「再診料」を算定し，一般病床200床以上の病院の場合，再診料の代わりに「外来診療料」を算定します。この場合において，夜間・早朝等加算，外来管理加算，時間外対応加算，明細書発行体制等加算等（「注4」から「注8」まで，「注10」から「注14」に規定する加算）は算定できません。

　その他の再診料の算定に係る取扱いについては，健保点数表の「注8」を除き健保準拠です。

　なお，2024年6月1日より，歯科，歯科口腔外科の再診について，他の病院（病床数200床未満に限る）または診療所に対して，文書による紹介を行う旨の申出を行ったにもかかわらず，当該医療機関を受診した場合の定額負担料（健康保険における選定療養費）を傷病労働者から徴収した場合は，1,020円を算定します。

> **再診料**　　　　　　　　　　　　　　　　　　　　　　　　　　　　　　　　　**1,420円**

　一般病床200床未満の医療機関および一般病床200床以上の病院の歯科，歯科口腔外科において再診を行った場合に算定します。健保点数表の再診料「注3」に該当する場合（同一日に複数の診療科を再診した場合）は，710円を算定できます。

【レセプト記載例】

診　療　内　容			点数(点)	診療内容		金　額	摘　　　　要	
⑪初診	時間外・休日・深夜			⑪初診		円		
⑫再診	外来管理加算	×　回		⑫再診	2　回	2,130円	複再 外科	710円×1
	時間外	×　回		⑬指導	回	円		
	休日	×　回		⑧その他				
	深夜	×　回				円		
⑬指導								

> **電話再診**（一般病床200床未満の病院および診療所）　　　　　　　　　　　　　**＝再診料**

　電話にて，患者またはその看護にあたっている者から，治療上の意見を求められ指示した場合に算定できます。ただし，同一日に初診料または再診料を算定した患者から，一定時間おきに病状の報告

One point　私病通院の患者が労災受診となった場合

　2010年改定より，初診料が一災害ごとに算定できるよう改定されました。療養の給付請求書取扱料の算定もれや，健康保険の初診料算定との調整に気をつけましょう。

をする場合等には，電話再診料は別に算定できません。また，一般病床200床以上の病院については電話再診料を算定することはできません。

(2) 労災特例

① 外来管理加算と処置の関係

労災保険上の外来管理加算の算定要件は，健康保険と2つの大きな違いがあります。

①　処置料が外来管理加算の52点に満たない場合，処置点数にプラスして外来管理加算が算定できる。ただし処置点数がすでに52点を超えている場合，外来管理加算は算定できない。

②　処置行為が2種類あった場合，いずれの処置料も外来管理加算の52点に満たない場合は，もっとも外来管理加算に近い点数を52点に変更して算定する。

なお，後ほど説明しますが，この場合の処置料とは，労災特例加算（四肢・手指）後の点数になりますので注意してください。

外来管理加算の特例扱い算定をまとめると以下のとおりとなります。

労災診療費の請求と算定

請　求
診療単価
基本診療
特掲診療

区分 ＼ 項目	再診料	外来管理加算 健保準用点数	外来管理加算 特例	処置等の点数 健保準用点数	処置等の点数 特例 読み替え
処置等がないとき	1,420円	＋52点			
52点未満の処置等が1つあるとき	1,420円		＋52点	所定点数	
52点未満の処置等が2つあるとき	1,420円		＋52点	最も点数の低いものは所定点数	その他のものは52点と読み替える
52点以上の処置等のみのとき	1,420円			所定点数	
2科目再診料を算定したとき	1,420円 ＋710円			——	

② 外来管理加算と処置料の算定例

例1）　「消炎鎮痛等処置「2」器具等による療法（腰部）　35点」を実施した場合

処置点数が35点なので，処置料＋外来管理加算を算定します。

【例1レセプト記載例】

診　療　内　容		点数(点)	診療内容	金　額	摘　　　要
⑪初診	時間外・休日・深夜		⑪初診	円	㊙52×1
⑫再診	外来管理加算　　　52×1回 時間外　　　　　　　×　回 休日　　　　　　　×　回 深夜　　　　　　　×　回	52	⑫再診　1回	1,420円	
			⑬指導　回	円	
⑬指導			⑧⓪その他	円	
⑭在宅	往診　　　　　　　回 夜間　　　　　　　回 緊急・深夜　　　　回 在宅患者訪問診療　回 その他　　　　　　回 薬剤　　　　　　　回		小　計 ㋺	円	
			摘　　　要		
			40 消炎鎮痛等処置（腰部）　35×1		
⑭⓪処置	薬剤	1回 35			

例2）　「消炎鎮痛等処置「2」器具等による療法（四肢）　35点」を月に5回実施した場合

処置点数35点×1.5倍（労災特例加算）＝53点となり，所定点数が外来管理加算（52点）を超えているため外来管理加算は算定できず処置料のみとなります。

【例2レセプト記載例】

診　療　内　容		点数(点)	診療内容	金　額	摘　　要
⑪初診	時間外・休日・深夜		⑪初診	円	
⑫再診	外来管理加算　　　×　回 時間外　　　　　×　回 休日　　　　　　×　回 深夜　　　　　　×　回		⑫再診　5回	7,100円	
			⑬指導　　回	円	
⑬指導			⑧⓪その他	円	
⑭在宅	往診　　　　　　　　回 夜間　　　　　　　　回 緊急・深夜　　　　　回 在宅患者訪問診療　　回 その他　　　　　　　回 薬剤　　　　　　　　回		小　計　⓪	円	
			摘　　要		
			40	消炎鎮痛等処置（四肢） 　　　（35×1.5）　53×5	
⑳投	㉑内服　薬剤　　　単位 　　　調剤 ㉒屯服　薬剤　　　単位				
⑭⓪処置		5回	265		
	薬剤				

3　入院基本料

入院料は大きく，入院基本料・入院基本料等加算・特定入院料の3つから成り立っています。

(1)　基本点数とルール

入院基本料
　入院の日から起算して2週間以内の期間　　　　　　健保点数の1.30倍
　上記以降の期間　　　　　　　　　　　　　　　　健保点数の1.01倍
　（＊いずれも1点未満の端数は四捨五入する）

　入院基本料は特例扱いとなっており，入院日から起算して2週間以内の期間は健保点数の1.3倍，それ以降については1.01倍の点数（共に入院患者の入院期間に応じて加算する点数は含まない。また，1点未満は四捨五入）により算定します（各「注」加算の取扱いは，図表38）。

　入院診療計画に関する基準を満たすことが入院基本料の算定要件となっていることから，図表39の労災治療計画書（または入院診療計画書等）を交付して説明することが入院基本料の算定要件となります。ただし，以下のように特別な事情があり，かつ，入院後7日以内の場合については，その理由をレセプトに記載することにより，労災治療計画書（または入院診療計画書等）を交付して説明することができない場合でも入院基本料を算定することができます。

【特別な事情】
①　患者の急変などにより，他の医療機関へ転院または退院することとなった場合
②　患者が意識不明の状態で，家族と直ちに連絡をとることができなかった場合
③　その他，①，②に準ずると認められる場合

①　外泊期間中の取扱い

　入院基本料の所定点数の15％を算定します。この基本点数とは，初期加算，入院基本料等加算など

図表38　健保点数表における入院基本料「注」加算の取扱い

	1.30倍（1.01倍）できるもの →（入院基本料＋加算点数）×1.3（1.01）	1.30倍（1.01倍）できないもの →（入院基本料×1.3（1.01））＋加算点数
一般病棟入院基本料	———	「注3」　期間加算（～14日：450点，15～30日：192点）
		「注5」救急・在宅等支援病床初期加算（150点）
療養病棟入院基本料	「注4」褥瘡対策加算1・2（15点・5点）	「注6」急性期患者支援療養病床初期加算（300点）
	「注9」慢性維持透析管理加算（100点）	「注6」在宅患者支援療養病床初期加算（350点）
	「注10」在宅復帰機能強化加算（50点）	「注11」経腸栄養管理加算（300点）
	「注12」夜間看護加算（50点）	
	「注13」看護補助体制充実加算1・2・3（80点・65点・55点）	
結核病棟入院基本料	———	「注4」　期間加算（～14日：400点，15～30日：300点，31～60日：200点，61～90日：100点）
精神病棟入院基本料		「注3」　期間加算（～14日：465点，15～30日：250点，31～90日：125点，91～180日：10点，181日～1年：3点）
	「注7」精神保健福祉士配置加算（30点）	「注4」重度認知症加算（300点）
		「注5」救急支援精神病棟初期加算（100点）
特定機能病院入院基本料		「注3」　期間加算（一般）（～14日：712点，15～30日：207点）
	「注5」看護必要度加算1・2・3（一般）（55点・45点・25点） 「注10」入院栄養管理体制加算（270点）	「注3」期間加算（結核）（～30日：330点，31～90日：200点）
		「注3」期間加算（精神）（～14日：505点，15～30日：250点，31～90日：125点，91～180日：30点，181日～1年：15点）
		「注4」重度認知症加算（精神）（300点）
専門病院入院基本料	「注3」看護必要加算1・2・3（55点・45点・25点）	「注2」期間加算（～14日：512点，15～30日：207点）
	「注4」一般病棟看護必要度評価加算（5点）	
障害者施設等入院基本料	「注11」夜間看護体制加算（161点）	「注3」期間加算（～14日：312点，15～30日：167点）
		「注9」看護補助加算（～14日：146点，15～30日：121点）
		「注10」14日以内（看護補助体制充実加算1・2・3 176点・161点・151点），15～30日（看護補助体制充実加算1・2・3 151点・136点・126点）
		「注11」夜間看護体制加算（161点）
有床診療所入院基本料	「注4」夜間緊急体制確保加算（15点）	「注3」有床診療所急性期患者支援病床初期加算（150点）
		「注3」有床診療所在宅患者支援病床初期加算（300点）
	「注5」医師配置加算1・2（120点・90点）	「注7」看取り加算（1000点または2000点）
	「注6」看護配置加算1・2（60点・35点）	「注12」介護障害連携加算1・2（192点・38点）
	「注6」夜間看護配置加算1・2（105点・55点）	
	「注6」看護補助配置加算1・2（25点・15点）	
	「注10」栄養管理実施加算（12点）	
	「注11」有床診療所在宅復帰機能強化加算（20点）	
有床診療所療養病床入院基本料	「注4」褥瘡対策加算1・2（15点・5点）	「注6」有床診療所急性期患者支援療養病床初期加算（300点）
	「注10」栄養管理実施加算（12点）	「注6」有床診療所在宅患者支援療養病床初期加算（350点）
	「注11」有床診療所療養病床在宅復帰機能強化加算（10点）	「注7」看取り加算（1000点または2000点）
	「注12」慢性維持透析管理加算（100点）	

労災診療費の請求と算定

請　求
診療単価
基本診療
特掲診療

図表39 労災治療計画書（記載例）

<table>
<tr><td colspan="2" align="center">労 災 治 療 計 画 書</td></tr>
</table>

（患者氏名）　　　　　　　　　　　殿

令和　　　年　　　月　　　日

病　　　　棟　　　　（病　　　　室）	
主 治 医 以 外 の 担 当 者 名	
傷　　　　　　病　　　　　　名 （他　に　考　え　得　る　病　名）	左下腿開放骨折
傷　　　病　　　部　　　位	左下腿脛骨，腓骨
症　　　　　　　　　　　状	左下腿疼痛
入　　院　　日　　及　　び 推　定　さ　れ　る　入　院　期　間	入院3週間を要す。
治　　　　療　　　　計　　　　画	救急入院，当日手術。 術後，2週間にて抜糸。 リハビリ1週間追加し退院予定。
検　査　内　容　及　び　日　程	1～2週間ごとにレントゲン検査。 血液検査にて感染の有無の確認。
手　術　内　容　及　び　日　程	救急手術（入院当日） 観血的整復内固定術
入　院　中　の　注　意　事　項	松葉杖による無～部分荷重歩行要す。
退　院　時　に　お　い　て 回　復　が　見　込　ま　れ　る　程　度	松葉杖による部分荷重歩行，入浴不可，出勤は術後6週間不可。
そ　　　　　　の　　　　　　他 （看護，リハビリテーション等の計画）	術後2～3カ月で全荷重歩行可予定。 特に通院でのリハビリ不要と考える。

注1）傷病名等は，現時点で考えられるものであり，今後検査等を進めていくにしたがって，変わり得るものである。
注2）入院期間は，現時点で予想されるものである。
注3）退院時において回復が見込まれる程度は，現時点で予想されるものである。

（主治医氏名）　　　　　　　印

One point　定年退職と労災給付

　被災労働者のなかには，療養補償給付および休業補償給付を受けている最中に，定年退職を迎える人もいます。労働基準法では以下のような考えのもと，このような被災労働者に対して不具合のないように規定されています。

① 療養補償給付について，退職後は支給されないとなると，業務上の事由により負傷し療養しているのにもかかわらず，その治療を受けられないという不合理なことになる。

② 休業補償給付については，定年退職後は当然賃金を受けることができなくなるので，休業損害が生じないと思われがちだが，負傷していなければ，定年により被災した事業場を退職し，当該事業場から賃金を受けないとしても，他の事業場に再就職し，賃金を得ることもできる。

　以上のように，業務上の事故に対する補償は雇用関係の存続とは別に考えられることになります。このことは，労働基準法第83条と労働者災害補償保険法第12条の5で「補償を受ける権利は，労働者の退職によって変更されることはない」と規定されています。たとえ，退職の理由により使用者との間に雇用関係がなくなったとしても，支給事由が存在する限り保険給付を受けることができます。

の加算点数は含みません。よって，入院基本料の所定点数×0.15の点数に1.3倍または1.01倍します。

例）急性期一般入院料１（２週間以内の期間）の例

1,688点×0.15＝253.2点→253点　　253点×1.3＝328.9点→329点

②　180日超入院の取扱い

保険外併用療養費である「入院期間が180日を超える入院」の取扱いについては，労災保険では適用せず，健保点数表に定められている所定点数をもとに算定します。したがって，選定療養には該当せず，傷病労働者から特別の料金を徴収することはできません。

また，労災保険の算定においては，健保点数表における，65歳以上が対象となる「生活療養を受ける場合」の点数を適用することはありません。健保点数表のA400「２」における「短期滞在手術等基本料３」についても適用せず，対象の手術を実施した場合でも出来高で算定することになります。

(2)　労災特例

病衣貸与料	（１日につき）**10点**

労災保険においては，傷病労働者が緊急に収容され病衣を有していない場合または傷病の感染予防上の必要から患者に病衣を貸与した際には，１日につき10点を算定できます。

4　特定入院料

(1)　労災特例

入院室料加算（１日につき）	個室	甲地11,000円，乙地9,900円を限度
	２人部屋	甲地 5,500円，乙地4,950円を限度
	３人部屋	甲地 5,500円，乙地4,950円を限度
	４人部屋	甲地 4,400円，乙地3,960円を限度

入院室料加算の対象となる甲地とは，図表40に示した地域となります。これ以外の地域の医療機関については，乙地の扱いとなります。

健康保険点数で特定入院料として定められている点数（救命救急入院料，特定集中治療室管理料等），重症者等療養環境特別加算，療養環境加算，療養病棟療養環境加算，療養病棟療養環境改善加算，診療所療養病床療養環境加算，診療所療養病床療養環境改善加算との重複算定はできません。なお，入院室料加算の請求に当たっては，一律に限度額で算定するものではなく，医療機関が表示している金額と入院室料加算の限度額を比べ，いずれか低い額により請求することになっています。

①　入院室料加算の算定要件

①　保険外併用療養費の対象となる特別の療養環境の提供に当たる基準を満たした病室で，傷病労働者の容体が常時監視できるような設備または構造上の配慮＊がなされている個室，２人部屋，３人部屋および４人部屋に収容した場合。

②　傷病労働者が次の各号のいずれかに該当するものであること。

　ア　症状が重篤であって，絶対安静を必要とし，医師または看護師が常時監視し，随時適切な措置を講ずる必要があると認められるもの。

　イ　症状は必ずしも重篤ではないが，手術のため比較的長期にわたり医師または看護師が常時監視を要し，随時適切な措置を講ずる必要があると認められるもの。

> ＊　傷病労働者の容体が常時監視できるような設備または構造上の配慮
> 　　収容した病室に傷病労働者を常時監視する固定式の監視装置（テレビ・モニターなど）が設置されているか，または移動式の監視装置（心電図モニターなど）が配置できる設備が整っていること

図表40　入院室料加算の対象地域（甲地）

都道府県	地域区分	都道府県	地域区分
宮城県	多賀城市	愛知県	刈谷市，豊田市，名古屋市，豊明市，大府市，西尾市，知多市，みよし市，東海市，日進市，東郷市
茨城県	取手市，つくば市，守谷市，牛久市，水戸市，日立市，土浦市，龍ケ崎市，阿見町，稲敷市，つくばみらい市	三重県	鈴鹿市，四日市市
埼玉県	和光市，さいたま市，志木市，東松山市，朝霞市，坂戸市	滋賀県	大津市，草津市，栗東市
		京都府	京田辺市，京都市，八幡市
千葉県	袖ヶ浦市，印西市，千葉市，成田市，船橋市，浦安市，習志野市，市川市，松戸市，佐倉市，市原市，富津市，八千代市，四街道市	大阪府	大阪市，守口市，池田市，高槻市，大東市，門真市，豊中市，吹田市，寝屋川市，箕面市，羽曳野市，堺市，枚方市，茨木市，八尾市，柏原市，東大阪市，交野市，島本町，摂津市，四条畷市
東京都	特別区，武蔵野市，調布市，町田市，小平市，日野市，国分寺市，狛江市，清瀬市，多摩市，八王子市，青梅市，府中市，東村山市，国立市，福生市，稲城市，西東京市，東久留米市，立川市，昭島市，三鷹市，あきる野市，小金井市，羽村市，日の出町，檜原村，東大和市	兵庫県	西宮市，芦屋市，宝塚市，神戸市，尼崎市，伊丹市，三田市，川西市，猪名川町
		奈良県	天理市，奈良市，大和郡山市，川西町，生駒市，平群市
神奈川県	横浜市，川崎市，厚木市，鎌倉市，相模原市，藤沢市，愛川町，清川村，横須賀市，平塚市，小田原市，茅ヶ崎市，大和市，座間市，綾瀬市，寒川町，伊勢原市，秦野市，海老名市	広島県	広島市，安芸郡府中市
		福岡県	福岡市，春日市，福津市

（2024年4月1日現在）

　ウ　医師が，医学上他の患者から隔離しなければ適切な診療ができないと認めたもの（たとえば，MRSA感染・重度の熱傷等で頻繁に処置を要する必要がある場合，一時的な情緒不安定な場合など）。

　エ　傷病労働者が赴いた病院または診療所の普通室が満床で，かつ，緊急に入院療養を必要とするもの（ただしこの場合，初回入院日から7日が限度となります）。

②　入院室料加算のレセプト記載方法

【レセプト記載例】

	診療内容	金　額	摘　　　要
⑪	初診	円	219号室
⑧その他	入院室料加算 7／21〜7／25 個室 11,000円	55,000円	②－エ 11,000×5日
	小計	⑳55,000円	

　請求の際は，レセプトの「⑧その他」欄に入院室料加算を算定した日，加算額，個室・2人部屋・3人部屋・4人部屋の別を，また，「摘要」欄には病室番号および収容する必要のあった理由を前述の算定要件②の記号で明記してください。

　入院室料加算が査定されることがありますので，入院治療の必要性を「摘要」欄にコメントすることもよい対策でしょう。

　例1）頭部外傷による意識障害のため個室による入院治療を必要とした。

　例2）MRSA感染のため個室に隔離する必要があった。

5　入院時食事療養費

(1)　基本金額とルール

　労災保険においては，健康保険の定める金額を**1.2倍**（10円未満は四捨五入）して請求します。なお，

入院時生活療養費の適用はありません（以下の入院時食事療養費の金額で算定します）。

また，選択メニューについては，基本メニューと選択メニューを区分してあらかじめ患者に提示している場合で，患者が選択メニューを選択した場合に限り，1食17円を標準として1日3食を限度に患者から徴収することができます。

---

(1)　**入院時食事療養費（Ⅰ）〔(2)以外の食事療養を行う場合〕1食につき800円**（1日3食を限度）

(2)　**入院時食事療養費（Ⅰ）（流動食のみを提供する場合）　1食につき730円**（1日3食を限度）

入院時食事療養費（Ⅰ）については，別に厚生労働大臣が定める基準に適合し，地方厚生（支）局長に届出をしている場合に算定できます。また，(2)については流動食（市販されているものに限る）のみを経管栄養法により提供した場合に算定します。

---

(1)　**入院時食事療養費（Ⅱ）〔(2)以外の食事療養を行う場合〕1食につき640円**（1日3食を限度）

(2)　**入院時食事療養費（Ⅱ）（流動食のみを提供する場合）　1食につき590円**（1日3食を限度）

入院時食事療養費（Ⅰ）を算定する保険医療機関以外の保険医療機関に入院している患者について，食事療養を行った場合に算定します。また，(2)については流動食（市販されているものに限る）のみを経管栄養法により提供した場合に算定します。

(2)　加算とルール

特別食加算　　　　　　　　　　　　　　　　　　　　　　　**1食につき90円**（1日3食を限度）

糖尿病などの持病（私病）がある患者さんが，労災事故で入院した場合の「特別食加算」は労災保険で支給されませんので注意してください。加算分のみ健康保険の対象となります。つまり労災保険の特別食加算は1食につき90円（3食の場合は270円）ですが，健康保険の扱いになるので76円（3食の場合は228円）になります。

この76円（3食の場合は228円）を健保に請求するわけですが，健保には食事療養標準負担額490円があります。そのため患者さんからは490円（3食の場合は1,470円）ではなく，加算分のみの76円（3食の場合は228円）を徴収して，健康保険によるレセプト請求はしないことになります。請求の手順をまとめると以下のようになります。

① 　特別食加算を除く入院時食事療養費は労災保険へ請求（患者負担なし）。

② 　健保の対象となる特別食加算76円（3食の場合は228円）は，健保へレセプト請求しない（患者から徴収）。

食堂加算　　　　　　　　　　　　　　　　　　　　　　　　　　　　　**60円**（1日につき）

食堂加算は，食堂における食事療養を行った場合に加算できます。

(3)　特別メニュー

入院患者の希望で特別な食事を提供した場合に，特別料金の支払いが受けられますが，労災保険では給付対象にはなりません。特別食とは異なりますので注意してください。

4. 特掲診療料の算定

1 指導管理料等（医学管理等）

(1) 労災特例

再診時療養指導管理料	（1回につき）920円

　労災の特例項目です。外来の被災労働者に対して再診時に療養上の指導（食事・日常生活動作・機能回復訓練等およびメンタルヘルスに関する指導）を行った場合に920円が算定できます。

　ただし，同一暦月において，石綿疾患療養管理料を算定した場合，健保点数表にある特定疾患療養管理料と重複算定ができない指導（皮膚科特定疾患指導管理料，在宅における指導管理料等）を行った場合については，どちらか一方のみの算定となります。また，同時に2つ以上の診療科で指導を行った場合であっても（医科と歯科および医科と歯科口腔外科の場合は除く），再診時療養指導管理料は1回として算定します。

職場復帰支援・療養指導料（月1回）	
1. 精神疾患を主たる傷病とする場合	初回900点／2回目560点／3回目450点／4回目330点
2. その他の疾患の場合	初回680点／2回目420点／3回目330点／4回目250点

　入院治療後，通院しながら就労が可能と医師が認める傷病労働者，または入院治療を伴わず通院療養を2カ月以上継続しており就労が可能と医師が認めた傷病労働者に対して，①主治医またはその指示を受けた看護職員等が就労に当たっての必要な指導事項を記載した「**指導管理箋**」（図表41・42・43）を発行し，職場復帰のために必要な説明や指導を行った場合，②主治医が傷病労働者の同意を得て，労働者の属する事業所の産業医に対して「指導管理箋」などの文書をもって情報提供した場合，③主治医またはその指示を受けた看護職員等が，傷病労働者の同意を得て，当該医療機関等に赴いた当該労働者の属する事業所の事業主と面談のうえで，職場復帰のために必要な説明および指導を行い，診療録に指導内容の要点を記載した場合――に，同一傷病労働者について算定できます。

　2022年改定により，「またはその指示を受けた看護職員等」の職種に，従来の看護職員，理学療法士，作業療法士，ソーシャルワーカーのほか，公認心理士が追加されました。精神疾患を主たる傷病とする場合，その他の疾患の場合によって，指導管理箋が異なりますので注意が必要です。

　職場復帰支援・療養指導料の算定は，精神疾患を主たる傷病とする場合でもその他の疾患の場合でも同一傷病労働者につき4回が限度とされていますが，頭頸部外傷症候群，頸肩腕症候群等の慢性的な疾病を主病し現に就労している傷病労働者に関しては，医師が必要と認める期間，算定が可能となり回数の制限はありません。この場合4回目以降の算定は4回目の点数に準じて行います。

　また，同指導料のなかに療養・就労両立支援加算（1回につき600点）があります。これは主治医またはその指示を受けた看護職員等が傷病労働者の勤務する事業所の事業主等または産業医から，文書または口頭で療養と就労の両方を継続するために治療上望ましい配慮等について助言を得て，医師が治療計画の再評価を実施し，必要に応じて治療計画の変更を行うとともに，傷病労働者に対して治

図表42　指導管理箋〔精神疾患を主たる傷病とするもの〕（患者用）

労働者災害補償保険		指導管理箋＜第　　回目＞		
氏　名		生年月日	年　　月　　日	男・女
負傷又は発病年月日	年　　月　　日	傷病名		
休業前の職種	（深夜勤　有・無）	復帰を希望する職種		原職・事務職・その他（　　　）

就労に当たって必要な指導事項

1　職務内容変更の必要性
　　①あり（理由：　　　　　　　　　　）　②なし
2　作業制限の必要性（職務内容変更ありの場合、作業制限の有無）
　　①軽作業可　②一般事務可　③内勤休労働のみ可　④普通勤務可　⑤その他（　　　）
　　（①〜③の場合その期間（推定）
　　　　　　　年　　　　月頃まで）
3　勤務時間調整の必要性
　　①あり（1日　　時間まで、週　　時間まで）　②なし
　＊②なしの場合、時間外勤務調整の必要性
　　①あり（1日　　時間まで、週　　時間まで）　②なし　　③深夜勤不可
4　遠隔地出張（宿泊を伴うもの、海外出張など）の制限の必要性
　　①あり（制限：　　　　　　　　）・禁止）　②なし
5　自動車運転・危険を伴う機械操作等、作業内容制限の必要性
　　①あり（制限　　　　　　　　　　）　②なし
6　対人業務の制限の必要性
　　①あり　　　　　　　　　　　　②なし
7　その他就労に当たって配慮しなければならない事項等について
　　（例：職場の大きさ、労働密度、職場での人間関係）
　　（　　　　　　　　　　　　　　　　　　　）

就労に当たって必要とされる療養に関する指導事項

1　就労に当たって必要とされる療養に関する指導事項
2　今後の療養の予定
　　月に　　回程度の診療予定

上記内容を確認しました。
　　　　年　　月　　日　　　　　本人署名

上記のとおり診断し、職場復帰（就労継続）に関する意見を提出します。
　　　　年　　月　　日
　　　　　　　　　　病院又は　　所在地
　　　　　　　　　　診療所の　　名称
　　　　　　　　　　　　　　　　医師名　　　　　　　㊞

（注）①この指導管理箋は、入院治療後通院療養を継続している者又は就労が可能と医師が認める者に対し、就労に当たっての療養に必要な指導事項及び就労の方法を記載するものです。
②被災労働者の方は、医師から受けた指導事項を説明する際にこの指導管理箋をお使いください。
③事業場の方は、この指導管理箋をプライバシーに十分配慮して管理してください。

図表41　指導管理箋〔精神疾患を主たる傷病としないもの〕（患者用）

労働者災害補償保険		指導管理箋＜第　　回目＞		
氏　名		生年月日	年　　月　　日	男・女
負傷又は発病年月日	年　　月　　日	傷病名		
休業前の職種	（深夜勤　有・無）	復帰を希望する職種		原職・事務職・その他（　　　）

就労に当たって必要な指導事項

1　職務内容変更の必要性
　　①あり（理由：　　　　　　　　　　）　②なし
2　作業制限の必要性（職務内容変更ありの場合、作業制限の有無）
　　①軽作業可　②一般事務可　③内勤休労働のみ可　④普通勤務可　⑤その他（　　　）
　　（①〜③の場合その期間（推定）
　　　　　　　年　　　　月頃まで）
3　勤務時間調整の必要性
　　①あり（1日　　時間まで、週　　時間まで）　②なし
　＊②なしの場合、時間外勤務調整の必要性
　　①あり（1日　　時間まで、週　　時間まで）　②なし　　③深夜勤不可
4　遠隔地出張（宿泊を伴うもの、海外出張など）の制限の必要性
　　①あり（制限：　　　　　　　　）・禁止）　②なし
5　自動車運転・危険を伴う機械操作等、作業内容制限の必要性
　　①あり（制限　　　　　　　　　　）　②なし
6　その他就労に当たって配慮しなければならない事項等について
　　（　　　　　　　　　　　　　　　　　　　）

就労に当たって必要とされる療養に関する指導事項

1　就労に当たって必要とされる療養に関する指導事項
2　今後の療養の予定
　　月に　　回程度の診療予定

上記内容を確認しました。
　　　　年　　月　　日　　　　　本人署名

上記のとおり診断し、職場復帰（就労継続）に関する意見を提出します。
　　　　年　　月　　日
　　　　　　　　　　病院又は　　所在地
　　　　　　　　　　診療所の　　名称
　　　　　　　　　　　　　　　　医師名　　　　　　　㊞

（注）①この指導管理箋は、入院治療後通院療養を2ヵ月以上継続している者で就労が可能と医師が認める者に対し、就労に当たっての療養に必要な指導事項及び就労の方法を記載するものです。
②被災労働者の方は、医師から受けた指導事項を説明する際にこの指導管理箋をお使いください。
③事業場の方は、この指導管理箋をプライバシーに十分配慮して管理してください。

療計画変更の必要性の有無や具体的な変更内容等について説明を行った場合に算定できます。

　なお，同一傷病について，健保の療養・就労両立支援指導料を重複して算定することは原則できません が，指導内容等が異なる場合はそれぞれ算定できます。

【レセプト記載例】

| ㊹ | ＊職場復帰支援・療養指導料（その他の疾患の場合）（1回目） | 680×1 |

社会復帰支援指導料（1回限り）　　　　　　　　　　　　　　　　　　　130点

　3カ月以上の療養を行う傷病労働者に，治ゆの時期や日常生活の指導を行った場合に算定します。 このとき，診療費請求内訳書の摘要欄に，指導年月日と治癒が見込まれる時期の記載が必要となりま す。同一傷病労働者につき1回限り算定できますが，転医している場合は医療機関につき1回に限り 算定可能です。

石綿疾患療養管理料　　　　　　　　　　　　　　　　　　　　　（月2回）225点

　石綿関連疾患（肺がん，中皮腫，良性石綿胸水，びまん性胸膜肥厚）について，診療計画に基づく 受診，検査の指示または服薬，運動，栄養，疼痛等の療養上の管理を行った場合に，**月2回に限り算 定**できます（入院中の者においても算定できる）。

　また，初診料を算定する日・月でも算定できますが，再診時療養指導管理料・特定疾患療養管理料 等とは同月に重複算定することはできません。

石綿疾患労災請求指導料　　　　　　　　　　　　　　　　　　　（1回に限る）450点

　石綿関連疾患の診断を行ったうえで問診を行い，業務による石綿ばく露が疑われる場合に労災請求 の勧奨を行い，現に労災請求に至り，当該個別事案が業務上と判断された場合に450点が算定できま す。対象疾患は肺がん，中皮腫，良性石綿胸水，びまん性胸膜肥厚に限られており，カルテ上に①石 綿関連疾患の診断を行ったこと，②問診内容（概要），③業務による石綿ばく露が疑われた理由，④ 労災請求の勧奨を行ったこと——などを明記しておく必要があります。

　また，同指導料と療養の給付請求書取扱料との併算定は可能です。

【レセプト記載例】

| ㊹ | ＊石綿疾患労災請求指導料 | 450×1 |

職業復帰訪問指導料（1日につき）
　精神疾患を主たる傷病とする場合　　　　　　　　　　　　　　　　　　770点
　その他の疾患の場合　　　　　　　　　　　　　　　　　　　　　　　　580点

　入院期間が1月を超えると見込まれる傷病労働者，または入院治療を伴わずに通院療養を2月以上 継続していて，就労が可能と医師が認める傷病労働者が職業復帰を予定している事業場に対し，医師 等〔医師または医師の指示を受けた看護職員（看護師・准看護師），理学療法士もしくは作業療法士 および公認心理士〕または医師の指示を受けたソーシャルワーカー（社会福祉士および精神保健福祉 士）〕が傷病労働者の職場を訪問し，当該職場の事業主等（事業主に代わって監督または管理の地位 にある者を含む）に対して，職業復帰のために必要な指導を行い，診療録に当該指導内容の要点を記 載した場合に，**当該入院中および退院後の通院中に合わせて3回**（入院期間が6月を超えると見込ま

れる傷病労働者にあっては，当該入院中および退院後の通院中に合わせて6回）**に限り算定**できます。このとき，精神疾患を主たる傷病とする場合にあっては，医師等には精神保健福祉士を含めなければなりません。

　また，医師等のうち異なる職種の者2人以上が共同して，または医師等がソーシャルワーカー（社会福祉士または精神保健福祉士）と一緒に訪問指導を行った場合は，**380点を所定点数に加算**できます。

　2016年改定により，**職場復帰訪問訓練加算**が新設されました。訪問指導を実施した日と同一日または訪問指導を行ったあと1月以内に，医師等が入院期間が1月を超えると見込まれる入院中の傷病労働者に対し，本人の同意を得て，職場復帰を予定している事業者において特殊な器具，設備を用いた作業を行う職種への復帰のための作業訓練または事業場を目的とする通勤のための移動手段の獲得訓練を行い，診療録に訪問指導日，訓練日，訓練実施時間および訓練内容の要点を記載した場合に，**訪問指導1回につき2回を限度として所定点数に400点（1日につき）を算定**できます。

【レセプト記載例】

| ⑧ | ＊職業復帰訪問指導料（その他の疾患）（2回目） | 580×1 |

リハビリテーション情報提供加算　　200点

　転院後においても，職場復帰に向けたリハビリが早期にかつ計画的に行われることを促進するため，医師または医師の指示を受けた理学療法士もしくは作業療法士が作成した「労災リハビリテーション実施計画書」（実施結果を含む）を転院の際に添付した場合に，200点が算定できます。この場合，傷病労働者の同意を得ることが必要です。

　労災リハビリテーション実施計画書は労災診療費算定基準の別紙様式5（図表43）またはこれに準じた文書により作成する必要がありますが，健康保険の「リハビリテーション総合実施計画書」の様

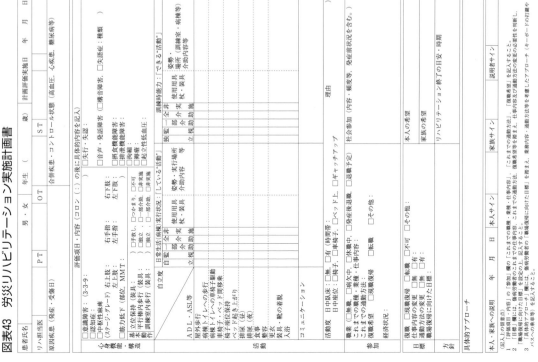

図表43　労災リハビリテーション実施計画書

式を用いることもできます。この場合，①傷病労働者のこれまでの仕事内容，通勤方法，復職希望等を踏まえた「職場復帰に向けた目標」，②職場復帰に向けた目標を踏まえた業務内容・通勤方法等を考慮した内容（キーボードの打鍵やバスへの乗車等）——などを盛り込む必要があります。

　2022年改定により，労災リハビリテーション実施計画書における本人および家族の署名欄について，傷病労働者が自ら署名することが困難であり，かつ，家族の署名も困難である場合において，健康保険の取扱いに準じて，家族に情報通信機器を用いて計画書の内容等を説明したうえで，説明内容に同意が得られた旨をカルテに記載することにより，傷病労働者本人またはその家族の署名を求めなくても差し支えないことになりました。

【レセプト記載例】

| ⑬ | ＊リハビリテーション情報提供加算 | 200×1 |

2　検査料

　検査は，基本的に健康保険に準じて算定しますが，「**振動障害検査**」は労災独自の検査です。これらの検査は健康保険の点数表には記載されていません。したがって，請求もれが起きやすいので注意しましょう。また，診療側にも傷病労働者に限っては，図表44の検査が請求できることを伝える必要があります。

　なお，この検査の対象は，おもに道路工事など振動を受ける作業に従事している労働者です。

3　画像診断料

(1)　基本点数とルール

　画像診断料の費用は，エックス線診断料・核医学診断料・コンピューター断層撮影診断料・薬剤料・フィルム料・特定保険医療材料料から構成されています。

①　コンピューター断層撮影診断料

　2012年の健保改定以降，コンピューター断層撮影（CT撮影）は，(1)64列以上のマルチスライス型の機器による場合，(2)16列以上64列未満のマルチスライス型の機器による場合，(3)4列以上16列未満のマルチスライス型の機器による場合，(4)(1)〜(3)以外の場合，磁気共鳴コンピューター断層撮影（MRI撮影）は，(1)3テスラ以上の機器による場合，(2)1.5テスラ以上3テスラ未満の機器による場合，(3)(1)，(2)以外の場合の区分により算定します。CT撮影の(1)〜(3)およびMRI撮影の(1)，(2)については，その施設基準を満たし地方厚生（支）局長へ届出を行った医療機関で算定ができます。2016年の健保改定では，「64列以上のマルチスライス型CT」と「3テスラ以上のMRI」について，10%以上の共同利用がある場合を評価する点数区分が新設されました。

　また，労災保険ではコンピューター断層撮影が同一月に2回以上行われた場合は2回目以降の点数は特例的扱いとなり，健保点数表における100分の80に相当する点数により算定するという規定は適用されず，1回目と同様の点数が算定できます。

　以下に算定例を挙げます。特例的扱いであることをわかりやすくするために，健康保険の場合と労災保険の場合それぞれの計算式を16列以上64列未満のマルチスライス型CTおよび1.5テスラ以上3テスラ未満のMRIとして示します。

例1）頭部CT→頭部MRI
　健康保険の場合　　900点＋1,064点＝1,964点
　労災保険の場合　　900点＋1,330点＝2,230点

例2）頭部CT→頭部MRI→頭部CT
　健康保険の場合　　900点＋1,064点＋720点＝2,684点
　労災保険の場合　　900点＋1,330点＋900点＝3,130点

| コンピューター断層診断の特例（月1回） | 225点 |

他の医療機関で撮影した画像を再診時に診断した場合に，算定できます。

図表44　振動障害検査点数表

検　査　項　目	点　　　数	
握力（最大握力・瞬発握力），維持握力（5回法）を併せて行う検査	片手・両手にかかわらず	60点
維持握力（60％法）検査，つまみ力検査，タッピング検査	片手・両手にかかわらず	60点
常温下での手指の皮膚温検査	1指につき	7点
冷却負荷による手指の皮膚温検査	1指1回につき	7点
常温下での爪圧迫検査	1指につき	7点
冷却負荷による爪圧迫検査	1指1回につき	7点
常温下での手指の痛覚検査	1指につき	9点
冷却負荷による手指の痛覚検査	1指1回につき	9点
指先の振動覚（常温下での両手）検査	1指につき	40点
指先の振動覚（冷却負荷での両手）検査	1指1回につき	40点
手背等の温覚検査	1手につき	9点
手背等の冷覚検査	1手につき	9点

　2022年改定により，昨今の事情を反映し，自院で画像撮影を行うことが困難な医療機関が他院へ撮影を依頼するケースが増加していることが考慮されました。初診時に他の医療機関が撮影した画像を診断して「コンピューター断層診断」を算定した場合であっても，同一月の再診時に「コンピューター断層診断の特例」を算定できます。

（例）初診時に他院Aでコンピューター断層撮影を実施した画像を診断した傷病労働者に対し，再診時にさらに他院Bへ依頼し撮影した画像を診断した場合。

　　　初診時：他院Aで撮影した画像のコンピューター断層診断として　　　　　　　　450点
　　　再診時：他院Bへ依頼し撮影した画像のコンピューター断層診断の特例として　　225点
　　　　　　　　　　　　　　　　　　　　　　　　　　　　　　　　　　　→計675点

4　投薬料

⑴　基本点数とルール

　投薬料は，調剤料・処方料・薬剤料・特定保険医療材料料・処方箋料・調剤技術基本料の6項目から構成されています。労災特例はなく，健保点数に準じます。

①　貼付薬の投薬

　2020年の健保改定により，入院中の患者以外の患者に対して，1処方で63枚を超えて貼付薬を投薬した場合は，調剤料等が原則算定できなくなりました。複数種類の貼付薬を投与したときも，その枚数の合計が63枚を超えた場合はこれに該当します。例えば，1処方で「温湿布50枚＋冷湿布50枚」の場合でも合計は100枚となるため，調剤料等の算定はできません。外傷症例が多い労災診療においては，注意が必要なケースといえます。

5　注射料

　注射の手技には大きく分けて，皮下，筋肉内注射・静脈内注射・点滴注射・中心静脈注射・動脈注射などがあります。ただし，皮下，筋肉内注射・静脈内注射については入院の場合は手技料は算定できず，薬剤料のみを算定します。

　注射料は，基本的に「手技料＋薬剤料＋特定保険医療材料料」となります。

> **生物学的製剤注射加算** 15点

　生物学的製剤注射（通知で示された各種ワクチン・抗毒素・トキソイド）を行った場合に加算します。労災では，けがによる破傷風トキソイドなどが該当します。

6 リハビリテーション料等

(1) 基本点数・加算とルール

　健保点数表における所定点数にかかわらず，労災独自の点数で算定します。

　また，健保点数表で定められている「早期リハビリテーション加算」，「初期加算」，「急性期リハビリテーション加算」の対象となる傷病労働者に対しリハビリテーションを提供した場合，健保点数表に準じてそれぞれ所定点数を算定することができます。

① 四肢加算（四肢の傷病に係る加算）

　四肢（鎖骨，肩甲骨および股関節を含む）の傷病に対し，疾患別リハビリテーションを行った場合，**1.5倍で算定**します。

② 標準的算定日数に係る取扱い

　リハビリテーションの必要性および効果が認められるものについては，健保点数表における疾患別リハビリテーションの各規定の「注1」のただし書きにかかわらず，標準的算定日数を超えて算定可能です。健保点数表における疾患別リハビリテーション料の各規定の「注5」「注6」および「注7」（「注6」「注7」は脳血管疾患等リハビリテーション料，廃用症候群リハビリテーション料，運動器リハビリテーション料に限る）は適用しません。

　なお，標準的算定日数を超え，さらに1カ月13単位を超えてリハビリテーションを行う場合，レセプトの摘要欄に医学的所見等の記入または労災リハビリテーション評価計画書（図表45）の添付が必要となります。

③ ADL加算

　入院中に訓練室以外の病棟等で疾患別リハビリテーション料（Ⅰ）（運動器リハビリテーションの場合は（Ⅱ）も含む）を算定するリハビリテーションを行った場合，または入院中に医療機関外において疾患別リハビリテーション料（Ⅰ）を算定すべき訓練に関するリハビリテーションを行った場合に算定可能です。

	点数	×1.5
心大血管疾患リハビリテーション料（Ⅰ） （1単位）	250点	375点
イ 理学療法士による場合，ロ 作業療法士による場合，ハ 医師による場合，ニ 看護師による場合，ホ 集団療法による場合		
心大血管疾患リハビリテーション料（Ⅱ） （1単位）	125点	188点
イ 理学療法士による場合，ロ 作業療法士による場合，ハ 医師による場合，ニ 看護師による場合，ホ 集団療法による場合		
脳血管疾患等リハビリテーション料（Ⅰ） （1単位）	250点	375点
イ 理学療法士による場合，ロ 作業療法士による場合，ハ 言語聴覚士による場合，ニ 医師による場合		
脳血管疾患等リハビリテーション料（Ⅱ） （1単位）	200点	300点
イ 理学療法士による場合，ロ 作業療法士による場合，ハ 言語聴覚士による場合，ニ 医師による場合		
脳血管疾患等リハビリテーション料（Ⅲ） （1単位）	100点	150点
イ 理学療法士による場合，ロ 作業療法士による場合，ハ 言語聴覚士による場合，ニ 医師による場合，ホ イからニまで以外の場合		
廃用症候群リハビリテーション料（Ⅰ） （1単位）	250点	375点
イ 理学療法士による場合，ロ 作業療法士による場合，ハ 言語聴覚士による場合，ニ 医師による場合		

廃用症候群リハビリテーション料（Ⅱ）	（1単位）200点　300点

イ　理学療法士による場合，ロ　作業療法士による場合，ハ　言語聴覚士による場合，ニ　医師による場合

廃用症候群リハビリテーション料（Ⅲ）	（1単位）100点　150点

イ　理学療法士による場合，ロ　作業療法士による場合，ハ　言語聴覚士による場合，ニ　医師による場合，ホ　イからニまで以外の場合

運動器リハビリテーション料（Ⅰ）	（1単位）190点　285点

イ　理学療法士による場合，ロ　作業療法士による場合，ハ　医師による場合

運動器リハビリテーション料（Ⅱ）	（1単位）180点　270点

イ　理学療法士による場合，ロ　作業療法士による場合，ハ　医師による場合

運動器リハビリテーション料（Ⅲ）	（1単位）85点　128点

イ　理学療法士による場合，ロ　作業療法士による場合，ハ　医師による場合，ニ　イからハまで以外の場合

呼吸器リハビリテーション料（Ⅰ）	（1単位）180点　270点

イ　理学療法士による場合，ロ　作業療法士による場合，ハ　言語聴覚士による場合，ニ　医師による場合

呼吸器リハビリテーション料（Ⅱ）	（1単位）85点　128点

イ　理学療法士による場合，ロ　作業療法士による場合，ハ　言語聴覚士による場合，ニ　医師による場合

リハビリテーション総合計画評価料	（月1回）300点

図表46にリハビリテーションの点数をまとめます。

(2) 労災特例

精神科職場復帰支援加算	（週1回）200点

　精神科を受診中の傷病労働者に，精神科ショート・ケア，精神科デイ・ケア，精神科ナイト・ケア，精神科デイ・ナイト・ケア，精神科作業療法，通院集団精神療法を実施した場合であって，当該患者

図表45　労災リハビリテーション評価計画書

患者氏名：		男・女	生年月日（西暦）　　　年　　　月　　　日	
原因疾患				
［　心大血管疾患　・　脳血管疾患等　・　運動器　・　呼吸器　（該当するものに○をしてください）］ リハビリテーション起算日（発症日，手術日，急性増悪の日，治療開始日） 　　　　　　　　　　　　　　　年　　　月　　　日				
現在の評価及び前回評価計画書作成日（　　　年　　　月　　　日）からの改善・変化等				
治療目標等 （1）標準的算定日数を超えて行うべき医学的所見（必要性・医学的効果等） （2）目標到達予想時期：　　　　　年　　　月頃 （3）その他特記事項				
評価計画書作成日：　　　年　　　月　　　日				
医療機関名			医師	㊞

注　前回評価計画書作成日からの改善・変化等の記載については，初回評価計画書作成日においては不要であること。

図表46　疾患別リハビリテーションの対象疾患・点数一覧

	心大血管疾患リハビリテーション	脳血管疾患等リハビリテーション	廃用症候群リハビリテーション	運動器リハビリテーション	呼吸器リハビリテーション
対象疾患	急性心筋梗塞狭心症心大血管疾患等	脳梗塞脳外傷脊髄損傷高次脳機能障害等	廃用症候群	上・下肢の複合損傷上・下肢の外傷・骨折関節の変性疾患等	肺炎，無気肺胸部外傷肺腫瘍の手術後等
保険点数（Ⅰ）	250点	250点	250点	190点	180点
ADL 加算	30点				
保険点数（Ⅱ）	125点	200点	200点	180点	85点
ADL 加算				30点	
保険点数（Ⅲ）		100点	100点	85点	
標準的算定日数	治療開始日から150日	発症，手術もしくは急性増悪または最初に診断された日から180日	診断または急性増悪から120日	発症，手術もしくは急性増悪または最初に診断された日から150日	治療開始日から90日

のプログラムに**職場復帰支援のプログラム**が含まれている場合に，週に1回算定できます。「職場復帰支援のプログラム」とは，オフィス機器または工具を使用した作業，擬似オフィスによる作業または復職に向けてのミーティング，感想文等の作成等の集団で行われる職場復帰に有効な項目であって，医師，看護職員，作業療法士，ソーシャルワーカー等の医療チームによって行われるものをいいます。

　請求の際は，当該プログラムの実施日・要点を診療費請求内訳書の摘要欄に記載するか，実施したプログラムの写しを診療費請求内訳書に添付することになっています。

7　処置料

（1）基本点数とルール

　労災診療費のなかで，もっとも健康保険と算定の仕方が異なっている項目が処置料です。まず初めに労災独自の処置点数について説明します。

　2008年の健保改定により，「消炎鎮痛等処置（湿布処置）のその他のもの（狭い範囲のもの）」「100cm²未満の皮膚科軟膏処置」および「100cm²未満の熱傷処置（第1度熱傷）」を基本診療料に含め評価（包括）されたことに伴い，労災保険における取扱いについても，健保点数表の取扱いに準ずるものとされました。したがって，これら基本診療料に包括される処置を実施した場合には，四肢の傷病に係る特例の取扱いについても適用されません。

① 処置全体に係るルール

　入院中以外の患者で，緊急に処置を行った場合に処置点数が150点以上の場合は，時間外（40/100）・深夜（80/100）・休日（80/100）を加算します。また，処置点数が1000点以上で，施設基準を届け出た場合は，それぞれ80/100・160/100・160/100を加算します。

② 四肢・手・指の傷病についての特例取扱い

　労働災害では手・指・足の傷病がもっとも多く，医療機関に対しても高度な医療技術が要求されることから，特例点数が設けられています。

　四肢・手指の処置を行った場合には，それぞれの所定点数を**1.5倍または2倍**した**加算点数**を請求できます（図表47）。四肢加算後の特例点数が150点以上になる緊急処置の場合は，健保点数表の処置料「通則5」の時間外等加算が算定できます。

　四肢には鎖骨，肩甲骨，股関節が含まれます。創傷処置，湿布処置（消炎鎮痛等処置），皮膚科軟

One point　腰痛症の労災請求

　労災でいう業務上の腰痛とは，業務と腰痛との間の因果関係が認められるものではなく，業務と腰痛との間にいわゆる相当因果関係がある場合に，初めて業務上の疾病として扱われます（最高裁昭和51年11月12日第2小法廷判決）。災害性の原因による腰痛の場合は，次の2点にともに該当する必要があります。

① 腰部の負傷または腰部の負傷の原因となった急激な力の作用が業務遂行中の突発的な出来事によって生じたと明らかに認められる。

② 腰部に作用した力が腰痛を発生させ，または腰痛の既往症もしくは基礎疾患を著しく増悪させたと医学的に認められる。

　労働に際して何らかの原因で腰部に通常の運動とは異なる内的な力が作用して，ぎっくり腰等の腰痛が発症する場合もあるので，単に業務遂行中ということだけでなく，災害性の原因が必要とされています。請求手続きは通常の労災と同じですが，「腰痛等災害発生状況報告書」の添付が必要です。

腰痛等災害発生状況報告書（例）

```
1　被災労働者について
　氏名＿＿＿＿＿＿＿＿＿＿＿＿＿＿＿年齢＿＿＿歳　身長＿＿＿cm　体重＿＿＿kg
　職種（作業内容）＿＿＿＿＿＿＿＿＿＿＿＿＿経験年数＿＿＿年＿＿ヶ月
　腰にかんする既往症　無
　　　　　　　　　　　有（病名，治療期間，症状等）＿＿＿＿＿＿＿＿＿
2　災害発生状況について（分かりにくい場合は図示又は写真を添付し，書けない場合は別紙に記入して
　ください）
　(1)　発　生　日　時　令和＿＿年＿＿月＿＿日＿＿時＿＿＿分頃
　(2)　作　業　の　場　所　＿＿＿＿＿＿＿＿＿＿＿
　(3)　共　同　作　業　者　＿＿＿＿＿＿＿＿＿＿＿
　(4)　作　業　の　目　的　＿＿＿＿＿＿＿＿＿＿＿
　(5)　作業中の動作，体位等
　　　・姿　　　　　　　勢　＿＿＿＿＿＿＿＿＿＿＿
　　　・取扱物の持ち方　　＿＿＿＿＿＿＿＿＿＿＿
　　　・体の動かし方　　　＿＿＿＿＿＿＿＿＿＿＿
　　　・作業面の状態　　　＿＿＿＿＿＿＿＿＿＿＿
　(6)　作業時間，回数　　＿＿＿＿＿＿＿＿＿＿＿
　(7)　取扱物（名称，大きさ，重さ，形状等）
　　　＿＿＿＿＿＿＿＿＿＿＿
　(8)　腰痛発症の原因は何だと思いますか
　　　＿＿＿＿＿＿＿＿＿＿＿
　(9)　通常の作業内容　　＿＿＿＿＿＿＿＿＿＿＿
3　傷病名，治療内容について
　(1)　傷　病　名　　　　＿＿＿＿＿＿＿＿＿＿＿
　(2)　治　療　内　容　　注射　けん引　電気　投薬　（　　　　　　　　　）
　(3)　治療期間（見込み）＿＿＿＿＿＿＿＿＿＿＿
　(4)　休業期間（見込み）＿＿＿＿＿＿＿＿＿＿＿
　(5)　現　在　の　状　況　令和＿＿年＿＿月＿＿日より　　就労　　休業
　(6)　診療機関名（初診時）＿＿＿＿＿＿＿＿＿＿＿
　(7)　診療機関名（現　在）＿＿＿＿＿＿＿＿＿＿＿
4　その他参考事項
　＿＿＿＿＿＿＿＿＿＿＿
　＿＿＿＿＿＿＿＿＿＿＿

　　　　労働基準監督署長　殿
令和　　年　　月　　日
　上記のとおり相違ありません。
　　　被災労働者　住　所＿＿＿＿＿＿＿＿＿＿＿
　　　　　　　　　氏　名＿＿＿＿＿＿＿＿＿＿＿㊞
　　　事　業　主　住　所＿＿＿＿＿＿＿＿＿＿＿
　　　　　　　　　氏　名＿＿＿＿＿＿＿＿＿＿＿㊞
```

図表47　四肢傷病に対する特例扱い算定早見表

手　術	処　置		リハビリテーション
＊創傷処理 ＊皮膚切開術 ＊デブリードマン ＊筋骨格系・四肢・体幹手術および神経・血管の手術	＊創傷処置 ＊下肢創傷処置 ＊爪甲除去（麻酔を要しないもの） ＊穿刺排膿後薬液注入 ＊熱傷処置 ＊重度褥瘡処置 ＊ドレーン法 ＊皮膚科軟膏処置 ＊消炎鎮痛等処置のうち「湿布処置」 ＊関節穿刺 ＊粘（滑）液嚢穿刺注入 ＊ガングリオン穿刺術 ＊ガングリオン圧砕法	＊絆創膏固定術 ＊鎖骨又は肋骨骨折固定術 ＊皮膚科光線療法 ＊鋼線等による直達牽引（2日目以降） ＊消炎鎮痛等処置のうち「マッサージ等の手技による療法」および「器具等による療法」 ＊矯正固定 ＊変形機械矯正術 ＊低出力レーザー照射 ＊介達牽引	＊四肢加算は1単位ごとに算定する
手および手の指　2倍	手および手の指　1.5倍		
四肢（手および手の指を除く）　1.5倍			

注）四肢の部位以外における処置，手術，リハビリテーションは健保の所定点数で算定する。

膏処置は四肢加算の倍率が異なる部位に行った場合，それぞれの倍率ごとに処置面積を合算して算定できます。

例1）創傷処置（右手指と右下腿）

　　　　　右下腿　60点×1.5倍（労災四肢加算）＝90点（100㎠以上500㎠未満）

　　　　　右手指　52点×2.0倍（労災四肢加算）＝104点（100㎠未満）

例2）湿布処置（頸部と左前腕と右手指）

　　　　　頸　部　35点

　　　　　左前腕　35点×1.5倍（労災四肢加算）＝53点

　　　　　右手指　35点×2.0倍（労災四肢加算）＝70点

注1）足の指は四肢加算（1.5倍）として算定する。

注2）薬剤料，特定保険医療材料料，輸血料は，健保点数で算定する。

注3）部位並びに手術項目を確認する。手術項目の形成（全層，分層植皮術等），処置項目のギプス料は，健保点数で算定する（四肢加算は算定不可）。

注4）四肢加算後の1点未満の端数は切り上げる。

注5）手の指に係る創傷処理（筋肉に達するものを除く），手の指に係る骨折非観血的整復術，指（手，足）に係る手術等を各々異なる指に対して併せて行った場合，同一手術野とみなさず各々所定点数を合算した点数で算定できる。

③　100㎠未満の創傷処置の特例

　2018年診療報酬改定により，100㎠未満の創傷処置については52点に引き上げられましたが，労災保険で52点の処置点数を算定すると，労災特例である「外来管理加算の併算定」ができなくなり，結果的に従前と比較して減額になってしまいます。これを防ぐため，四肢以外の部位に創傷処置を行った場合は52点ではなく，**従前の45点を算定**し，外来管理加算との併算定をできるようにする措置がとられています。

（例）四肢以外の部位での創傷処置（100㎠未満）

　　　　　創傷処置（100㎠未満）45点＋外来管理加算52点

　　　　四肢での創傷処置（100㎠未満）

　　　　　創傷処置（100㎠未満）四肢加算（1.5倍）78点

④　消炎鎮痛等処置の特例

　①　消炎鎮痛等処置等〔消炎鎮痛等処置（「湿布処置」を除く），腰部又は胸部固定帯固定，低出力レーザー照射〕に係る点数は，1日に3部位（3局所）まで算定できます（介達牽引，矯正固定

および変形機械矯正術の取扱いも同様）。

　　疾病にあっては3局所（上肢の左右，下肢の左右，躯幹をそれぞれ1局所とする）を限度として算定できます。

②　消炎鎮痛等処置等と疾患別リハビリテーションを同時に行った場合は，疾患別リハビリテーションの点数と消炎鎮痛等処置等の1部位（局所）に係る点数をそれぞれ算定できます（図表48）。

　　ここでいう疾患別リハビリテーション料とは，心大血管疾患リハビリテーション料，脳血管疾患等リハビリテーション料，廃用症候群リハビリテーション料，運動器リハビリテーション料，呼吸器リハビリテーション料のことです。

⑤　消炎鎮痛等処置のうち「湿布処置」の特例

湿布処置と消炎鎮痛等処置等を同一日にそれぞれ異なる部位に行った場合の取扱いは以下のとおりです。

①　湿布処置＋消炎鎮痛等処置等（2部位または2局所）を算定できる。この組み合わせでの算定は，湿布処置における四肢加算の倍率が異なる複数部位に行った場合，同一倍率の各部位ごとに面積を合算した点数で算定できます。

②　湿布処置（1部位）＋疾患別リハビリテーション料は算定できます。この組み合わせでの算定は，湿布処置における四肢加算の倍率が異なる複数部位に行った場合であっても，いずれか1部位に係るものを算定します。

③　湿布処置＋消炎鎮痛等処置等＋疾患別リハビリテーション料は合計3項目まで算定できます。この組み合わせでの算定は，湿布処置における四肢加算の倍率が異なる複数部位に行った場合であっても，いずれか1部位に係るものを算定します。

固定用伸縮性包帯　　　　　　　　　　　　　　　　　　　　　　　　　　　購入価格／10

健康保険では，固定用伸縮性包帯は手技料に含まれていますが，労災保険では，処置，手術において頭部・頸部・躯幹および四肢に使用した場合に算定することができます。実際に医療機関が購入し

図表48　消炎鎮痛等処置および疾患別リハビリテーションの併施の取扱い一覧表

	消炎鎮痛等処置 「マッサージ等の手技による療法」または「器具等による療法」	湿布処置[4]	疾患別リハビリテーション
消炎鎮痛等処置「マッサージ等の手技による療法」または「器具等による療法」	3部位（局所）まで算定可	湿布処置の所定点数の他に消炎鎮痛等処置のうちいずれか2部位（局所）まで算定可[1,2]	疾患別リハビリテーションの所定点数の他に消炎鎮痛等処置のいずれか1部位（局所）まで算定可
湿布処置[4]		1日につき所定点数 [2]	湿布処置1部位及び疾患別リハビリテーションの所定点数[1] 消炎鎮痛等処置を併施している場合は，併せて3項目まで算定できる[1,3]
疾患別リハビリテーション			1日につき所定点数

＊1　湿布処置と他の処置等との併施は，異なる部位（局所）に行った場合のみ算定できる。

＊2　湿布処置と四肢加算の倍率が異なる複数の部位に行った場合は，特例扱いの倍率ごとに面積を合算する。

＊3　湿布処置及び疾患別リハビリテーションに加え消炎鎮痛等処置を併施する場合は，合計3項目まで算定できる（湿布処置1部位＋疾患別リハビリテーションの所定点数＋消炎鎮痛等処置のうちいずれか1部位の算定が可能）。

＊4　湿布処置は，診療所において，入院中の患者以外についてのみ算定する。

労災診療費の請求と算定

請求
診療単価
基本診療
特掲診療

た価格を10円で除した点数を算定します。

【レセプト記載例（購入価格が1000円の場合）】

㊵	＊伸縮性包帯（購入価格1000円）	100×1

皮膚瘻等に係る滅菌ガーゼ　　　　　　　　　　　　　　　購入価格／10

　労災保険では，通院療養中の傷病労働者に，皮膚瘻等に係る自宅療養用の滅菌ガーゼ（絆創膏を含む）を支給した場合に実費相当額（購入価格を10円で除して得た点数）を算定することができます。①せき髄損傷等による重度の障害者のうち，尿路変更による皮膚瘻を形成しているもの，尿路へカテーテルを留置しているもの，またはこれらに類する創部を有するもの（褥瘡については，ごく小さな範囲のものに限る），②自宅等で頻繁にガーゼの交換を必要とするため，診療担当医が投与の必要を認めたものが対象となります。

頸椎固定用シーネ，鎖骨固定帯及び膝・足関節の創部固定帯　　　　購入価格／10

　2012年改定では，医師の診察に基づき，頸椎固定用シーネ（いわゆるポリネック），鎖骨固定帯（いわゆるクラビクルバンド）および膝・足関節の創部固定帯が必要と判断された場合は，実際に医療機関が購入した価格を10円で除した点数で算定できるようになりました。この場合，それぞれの使用が必要と判断した旨を診療録に記載する必要があります。

　腰部，胸部又は頸部固定帯加算については，170点を超える腰部，胸部又は頸部固定帯を使用した場合は，実費相当額（購入価格を10円で除した点数）を，実費相当額が170点未満の場合は，170点を算定できます。なお頸椎固定用シーネの費用と健保点数表「J200　腰部，胸部又は頸部固定帯加算」の重複算定はできません。

【レセプト記載例（購入価格が4,000円の場合）】

㊵	＊頸椎固定用シーネ（購入価格4,000円）	400×1

8　手術料

(1)　労災特例

　労災特例加算として**四肢（鎖骨，肩甲骨，股関節を含む）**の傷病に対して手術を行った場合は，健保点数（手術料「通則12」の時間外等加算を含む）の**1.5倍で請求**できます。

　また，**手（手関節以下）**および**手の指**に対して皮膚切開術，創傷処理，デブリードマン，筋骨格系・四肢・体幹手術，神経・血管の手術を施行した場合には健保点数の**2倍で請求**できます。

　ただし，植皮術，皮膚移植術等の形成手術および薬剤料，特定保険医療材料料，輸血料，ギプス料などは特例扱い（1.5倍または2倍）の対象とはなりません。

①　創傷処理の取扱い

　手の指に係る創傷処理（筋肉，臓器に達しないもの，長径5cm未満）については，次のように請求できます。ただし，さらに四肢加算を算定することはできません。

創傷処理

    指1本　1,060点　（530点×2）…………健康保険点数の2倍
    指2本　1,590点　（1,060点＋530点）…指1本の場合の点数に健康保険点数を加算した点数
    指3本　2,120点　（1,590点＋530点）…指2本の場合の点数に健康保険点数を加算した点数
    指4本　2,650点　（2,120点＋530点）…指3本の場合の点数に健康保険点数を加算した点数
    指5本　2,650点　（530点×5）…………健康保険点数の5倍

　創傷の治療に伴って創面のブラッシングを行った場合などに加算できる初診時ブラッシング料については，初診料の項（p.78）を参照してください。

② 骨折非観血的整復術の取扱い

　手の指に係る骨折非観血的整復術については，手の指に係る創傷処理（筋肉，臓器に達しないもの，長径5cm未満）についての取扱いと同様です。ただし，さらに四肢加算を算定することはできません。

骨折非観血的整復術

    指1本　2,880点　（1,440点×2）…………健康保険点数の2倍
    指2本　4,320点　（2,880点＋1,440点）…指1本の場合の点数に健康保険点数を加算した点数
    指3本　5,760点　（4,320点＋1,440点）…指2本の場合の点数に健康保険点数を加算した点数
    指4本　7,200点　（5,760点＋1,440点）…指3本の場合の点数に健康保険点数を加算した点数
    指5本　7,200点　（1,440点×5）…………健康保険点数の5倍

手指の創傷に係る機能回復指導加算　　　　　　　　　　　　　　　　　190点

　この加算は，皮膚切開術，創傷処理，デブリードマン，筋骨格系・四肢・体幹の手術を手（手関節を含む）および手の指に行った場合に，初期治療における機能回復指導加算として1回に限り190点を加算できます。

　ただし，左右の手指を手術しても当該加算は1回のみとなります。また，時間外加算および四肢加算は算定できません。

【レセプト記載例】

| 50 | ＊創傷処理（筋肉，臓器に達しないもの　長径5cm未満）（右手関節部）（530×2） | 1,060×1 |
| | 機能回復指導加算 | 190×1 |

術中透視装置使用加算　　　　　　　　　　　　　　　　　　　　　　　220点

　術中透視装置を使用して小切開での手術を行うと傷病労働者の身体負担が軽減され，早期離床，早期リハビリテーションが可能となることで，早期の職場復帰が可能になります。

　術中透視装置使用加算は，大腿骨，下腿骨，上腕骨，前腕骨，手根骨，中手骨，手の種子骨，指骨，足根骨，膝蓋骨，中足骨および鎖骨の骨折観血的手術，骨折経皮的鋼線刺入固定術，骨折非観血的整

復術, 関節脱臼非観血的整復術または関節内骨折観血的手術において, 術中透視装置を使用した場合に算定できます。「手根骨, 中手骨, 手の種子骨および指骨」または「足根骨および足趾骨」について, 複数の手術を同時に行い, 術中透視装置を使用した場合は併せて1回の算定となりますが,「右手と左手」または「右足と左足」にそれぞれ手術を行い, 術中透視装置をそれぞれの手または足に使用した場合は, それぞれ1回まで算定が可能です。

また, 脊椎の経皮的椎体形成術または脊椎固定術, 椎弓切除術, 椎弓形成術において, 術中透視装置を使用した場合にも算定できます。さらに骨盤の骨盤骨折非観血的整復術, 腸骨翼骨折観血的手術, 寛骨臼骨折観血的手術または骨盤骨折観血的手術（腸骨翼骨折観血的手術および寛骨臼骨折観血的手術を除く）において, 術中透視装置を使用した場合にも算定できます。

算定に当たっては, 術中透視装置を使用したことについて, 診療録に記載し明確にしておく必要があります。また, この加算は四肢加算の対象にはなりません。

【レセプト記載例】

㊿	＊骨折観血的手術1	32,445×1
	（上腕骨）（21,630×1.5）	
	（手術日：令6年7月19日）	
	＊術中透視装置使用加算	220×1

下記については, 請求（算定）前に誤りがないか必ず確認してください。

【手術料算定の注意事項】

① 同一手術野に係るもの

　指, 四肢に関する複数手術を施行した場合は, 同一皮切による範囲の手術かどうかの確認をしてください。

② 骨内異物除去術

　鋼線, 銀線などで簡単に除去できる場合は, 創傷処置または創傷処理で算定することから, 除去した材料を確認するとともにレセプトに記載するなど対応をしてください。

③ 腱縫合術

　切創などの創傷によって生じた固有指の伸筋腱の断裂の単なる縫合は, 創傷処理「2」に準じて算定することになりますので注意してください。

④ その他

　創外固定器加算のない術式で創外固定ピンが請求されている場合

　鋼線, 銀線のみまたは内固定材料の請求がない骨折観血的手術の請求

　真皮欠損用グラフト使用での植皮術の請求

第 3 章

労災診療費の算定事例

1. 誤りやすい請求

　今までは労災診療費について，概要を述べてきました。この章では，誤りやすい症例などをあげて労災診療費の独特の加算などを紹介します。

1 入院の事例

事例1 入院室料加算

診　療　内　容		点数(点)	診療内容	金　額	摘　　　要
⑪初診　時間外・休日・深夜			⑪初診	円	
〜〜〜〜〜〜〜〜〜〜〜〜〜〜〜〜			⑧⑩その他　入院室料加算（2人部屋）	12,000円	201号室　4/29〜4/30（1日6,000円）理由②－エ
⑭在宅					
⑳投	㉑内服　　　　　　単位 ㉒屯服　　　　　　単位 ㉓外用　　　　　　単位 ㉔調剤　　　　　　日 ㉖麻毒　　　　　　日		小　計	㋺　円	

【解説】

　入院室料加算は，患者が特定の状況・状態にある場合に，特別の療養環境の提供に関する基準を満たした病室（いわゆる差額ベッド）に入院した場合に算定できるものです。この入院室料加算は病室のベッド数によって金額が決められており，医療機関が届け出ている室料を算定することはできません。入院事例1の場合，2人部屋なので1日につき5,500円または4,950円（所在地域による）を算定することになります。

　ただし，届け出ている室料より高い金額を請求することはできません。4,000円の2人部屋に労災患者が入院したからといって，5,500円（または4,950円）を請求することはできないのです。また，入院事例1のように室料が上限を超えるからといって，患者から不足分を徴収することもできません。

【解答】

診　療　内　容		点数(点)	診療内容	金　額	摘　　　要
⑪初診　時間外・休日・深夜			⑪初診	円	
〜〜〜〜〜〜〜〜〜〜〜〜〜〜〜〜			⑧⑩その他　入院室料加算（2人部屋）　　　　　　または	12,000円 11,000 9,900	201号室　4/29〜4/30（1日6,000円）理由②－エ
⑭在宅					
⑳投	㉑内服　　　　　　単位 ㉒屯服　　　　　　単位 ㉓外用　　　　　　単位 ㉔調剤　　　　　　日 ㉖麻毒　　　　　　日		小　計	㋺　円	

事例2　特別食加算

診　療　内　容		点数(点)	診療内容	金　額	摘　　要
⑪初診	時間外・休日・深夜		⑪初診	円	
⑭在宅			⑧その他	円	
⑳投薬	㉑内服　　　　　単位 ㉒屯服　　　　　単位 ㉓外用　　　　　単位 ㉔調剤　　　　　日 ㉖麻毒　　　　　日 ㉗調基		小　計	㋺　　円	
			⑰ 食　事		備　　考
㉚注射	㉛皮下筋肉内　　回 ㉜静脈内　　　　回 ㉝その他　　　　回		基準 Ⅰ	800円× 3 回 90円× 3 回 円×　日	糖尿病食
㊵処置	薬剤　　　　　　回		食事療養	3 回	㋩　　2,670円

【解説】

　労災傷病に起因すると認められない疾病（いわゆる私病）に対して治療が行われた場合，その診療報酬は健康保険等に請求することになります。入院事例2のように私病に対して糖尿病食が提供された場合，食事療養費800円は労災保険に請求しますが，特別食加算は健康保険等に請求することとなります。しかし健康保険の場合，入院時食事療養費の標準負担額として1食490円を患者に請求しますので，特別食加算も1回490円を上限として患者から徴収し，健康保険には何も請求しないことになります。

　私病に対する特別食加算を患者に請求する場合，労災の特別料金ではなく，健康保険において定められている1食76円で請求することになります。

【解答】

診　療　内　容		点数(点)	診療内容	金　額	摘　　要
⑪初診	時間外・休日・深夜		⑪初診	円	
⑭在宅			⑧その他	円	
⑳投薬	㉑内服　　　　　単位 ㉒屯服　　　　　単位 ㉓外用　　　　　単位 ㉔調剤　　　　　日 ㉖麻毒　　　　　日 ㉗調基		小　計	㋺　　円	
			⑰ 食　事		備　　考
㉚注射	㉛皮下筋肉内　　回 ㉜静脈内　　　　回 ㉝その他　　　　回		基準 Ⅰ	800円× 3 回 90円× ~~3 回~~ 円×　日	糖尿病食
㊵処置	薬剤　　　　　　回		食事療養	3 回	㋩ 2,400 ~~2,580~~円

2 外来の事例

事例1 外来管理加算の特例と複数箇所の処置

労働者の氏名				（　歳）		傷病の部位及び傷病名		顔面挫傷・右前腕打撲		
事業の名称						傷病の経過				
事業場の所在地		都府道県		郡区市						

診療内容				点数(点)	診療内容		金額	摘要	
⑪初診	時間外・休日・深夜				⑪初診		円		
⑫再診	外来管理加算 時間外 休日 深夜	×　回 ×　回 ×　回 ×　回			⑫再診	1回	1,420円		
⑬指導					⑬指導	回	円		
⑭在宅	往診 夜間 緊急・深夜 在宅患者訪問診療 その他 薬剤		回 回 回 回		⑧その他		円		
					小　計		㋺ 1,420円		
⑳投薬	㉑内服　薬剤 　　　　調剤 ㉒屯服　薬剤 ㉓外用　薬剤 　　　　調剤 ㉕処方 ㉖麻毒 ㉗調基	単位 ×　回 単位 単位 ×　回 ×　回 回					摘　要		
㉚注射	㉛皮下筋肉内 ㉜静脈内 ㉝その他	回 回 回			40	＊創傷処置「1」(顔面)　　　　　　　52×1 ＊消炎鎮痛等処置(右前腕)　　(35×1.5)×1			
㊵処置	薬剤		2回	105					
㊿手術麻酔	薬剤		回						
⑥検査病理	薬剤		回						
⑦画像診断	薬剤		回						
⑧その他	処方せん 薬剤		回						
小　計		105点		㋑ 1,260円					

【解説】

　健保では，処置やリハビリテーション等を行うと外来管理加算は算定できませんが，労災保険では，外来管理加算の特例として以下のルールが適用されます。

① 四肢加算後の点数が52点に満たない処置等を行ったときは，その処置の点数＋外来管理加算52点を算定する。

② 四肢加算後の点数が52点に満たない処置等が複数ある場合，最も低い処置の点数＋外来管理加算52点を算定し，その他の52点に満たない処置は，52点に置き換えて算定する。

　2018年の健保改定で，創傷処置「1」（100cm² 未満）の点数が45点から52点に引き上げられましたが，52点では外来管理加算の特例が算定できなくなり，労災レセプトとしてはマイナスとなってしまいます。そこで労災保険では，四肢以外に行った創傷処置「1」に限り45点として取り扱ってよいというただし書きをつけ，今までどおり，外来管理加算の特例を算定できるようにしています。

【解答】

診　療　内　容	点数(点)	診療内容	金　額	摘　　要
⑪初診　時間外・休日・深夜		⑪初診	円	㊙52×1
⑫再診　外来管理加算　52×1回 時間外　×　回 休日　×　回 深夜　×　回	52	⑫再診　1回	1,420円	
⑬指導		⑬指導　回	円	
⑭在宅　往診　回 夜間　回 緊急・深夜　回 在宅患者訪問診療　回 その他 薬剤		⑧⓪その他	円	
		小　計	1,420円（ロ）	

摘　　　要
⑳注射　㉛皮下筋肉内　回 ㉜静脈内　回 ㉜その他　回	40　＊創傷処置「1」（顔面）　52×1　45×1 ＊消炎鎮痛等処置（右前腕）　（35×1.5）×1
⑳処置　2回　105　98 薬剤	

（右欄余白：労災診療費の算定事例　誤請求　レセプト）

事例2 医学管理料と疾患別リハビリテーション料

労働者の氏名		（　歳）	傷病の部位及び傷病名		
事業の名称			傷病の経過		
事業場の所在地	都府 道県	郡区 市			

診　療　内　容		点数(点)	診療内容	金　額	摘　　要
⑪初診 時間外・休日・深夜			⑪初診	円	
⑫ 再 診	外来管理加算　　　　　× 回 時間外　　　　　　　　× 回 休日　　　　　　　　　× 回 深夜　　　　　　　　　× 回		⑫再診　　1回	1,420円	再診時療養指導管理料　　1回
			⑬指導　　1回	920円	
⑬指導		250	⑧ その 他	円	
⑭ 在 宅	往診　　　　　　　　　　　回 夜間　　　　　　　　　　　回 緊急・深夜　　　　　　　　回 在宅患者訪問診療　　　　　回 その他 薬剤		小　　計	⑩ 2,340円	
⑳ 投 薬	㉑内服　薬剤　　　　　　単位 　　　　調剤　　　　× 回 ㉒屯服　薬剤　　　　　　単位 ㉓外用　薬剤　　　　　　単位 　　　　調剤　　　　× 回 ㉕処方　　　　　　　× 回 ㉖麻毒　　　　　　　　　回 ㉗調基		摘　　要		
			13	＊てんかん指導料	250×1
			80	＊脳血管疾患等リハビリテーション料（Ⅰ）	245×1
㉚ 注 射	㉛皮下筋肉内　　　　　　　回 ㉜静脈内　　　　　　　　　回 ㉝その他　　　　　　　　　回				
㊵ 処 置	回 薬剤				
㊿ 手麻 術酔	回 薬剤				
㌀ 検病 査理	回 薬剤				
㉘ 画診 像断	回 薬剤				
⑧ その 他	処方せん　　　　　　　1回 薬剤		245		
小計	495点	⑦	5,940円		

【解説】

　再診時療養指導管理料は，てんかん指導料，皮膚科特定疾患指導管理料などと同月に算定することができません。

　疾患別リハビリテーション料は労災特掲料金となり，健保における点数とは異なります。外来事例2の脳血管疾患等リハビリテーション（I）は，健保点数では245点ですが，労災では250点を算定することができます。健康保険における標準的算定日数を超えた場合の月内単位制限（13単位），要介護者減算，目標設定未実施減算は労災保険においては適用されません。

【解答】

診　療　内　容		点数(点)	診療内容	金　額	摘　　　要
⑪初診	時間外・休日・深夜		⑪初診	円	
⑫ 再 診	× 回 外来管理加算　　　× 回 時間外　　　　　　× 回 休日　　　　　　　× 回 深夜　　　　　　　× 回		⑫再診　　1回	1,420円	~~再診時療養指導管理料　1回~~
			⑬指導　　~~1回~~	~~920円~~	
⑬指導		250	⑧その他	円	
⑭ 在 宅	往診　　　　　　　　　回 夜間　　　　　　　　　回 緊急・深夜　　　　　　回 在宅患者訪問診療　　　回 その他 薬剤		小　計	㋺ 1,420円 ~~2,320~~	
⑳ 投 薬	㉑内服　薬剤　　　　　単位 　　　　調剤　　　× 回 ㉒屯服　薬剤　　　　　単位 ㉓外用　薬剤　　　　　単位 　　　　調剤　　　× 回 ㉕処方　　　　　× 回 ㉖麻毒 ㉗調基				摘　　　要
			13		＊てんかん指導料　　　　　　　　　250×1
			80		＊脳血管疾患等リハビリテーション料（I）　245×1 　　　　　　　　　　　　　　　　　　250
≈≈≈≈≈≈≈≈≈≈					
⑤⓪ 手麻 術酔	回 薬剤				
⑥⓪ 検病 査理	回 薬剤				
⑦⓪ 画診 像断	回 薬剤				
⑧⓪ その 他	処方せん　　　　　1回 薬剤	245 250			
小計	~~500~~ 495点	㋑ ~~6,000~~ 5,940円			

労災診療費の算定事例

誤請求

レセプト

One point 在宅勤務でも労災が適応

　働き方改革の推進などにより「在宅勤務」「テレワーク」といった形態での業務も増えてきている昨今において，事業場で勤務していなくても労災が適応されるケースが増えてきています。この場合「業務遂行性」「業務起因性」の有無が焦点となりますが，働き方が変われば労災の認定基準も変化してきます。

2．レセプト作成

■ 入院の事例

事例1 左膝関節内骨折

以下の条件で労災診療費を明細書に記載してください。
○施設の概要等

　2級地の一般病院（400床）：〔届出等〕急性期一般入院料1，診療録管理体制加算3，麻酔管理料（I），運動器リハビリテーション料（I），リハビリテーション科常勤医，入院時食事療養（I），常勤薬剤師勤務

診　療　録

患者氏名：○村○正（男） 生年月日：平成5年9月26日	傷病名：左膝関節内骨折 診療開始日：令和6年7月25日
既往・原因・主症状・経過等	処方・手術・処置等
7／25 作業中に転倒。診療所で固定処置を行い，そのまま当院受診 明日手術とする 今後の治療計画について文書を交付 夕より常食 麻酔医術前訪問	7／25 左膝関節X－P　2方向　電子保存 持参薬：ロキソニン1T内服 術前検査 　胸部単純X－P　1方向　電子保存 　尿一般，末血一般，像（自動機械法），ABO, Rh, 　HBs抗原，　HCV抗体定性・定量， 　STS定性，梅毒トレポネーマ抗体定性 　T-Bil, TP, BUN, クレアチニン，尿酸，糖， 　ナトリウム，　クロール，　カリウム，T-cho, 　AST, ALT, γ-GT, CK 　出血時間，プロトロンビン時間，CRP 　ECG12誘導 　肺気量分画測定，フローボリュームカーブ
7／26 朝より禁食 手術 13：10：入室 　全身麻酔＋硬膜外麻酔（腰部） 13：20：執刀開始 　膝関節内骨折観血的手術 　骨移植（腸骨より採骨） 　術中透視装置使用 16：00：閉創 　硬膜外麻酔カーテル留置 　ドレーン留置 　ギプスシーネ固定（大腿～下腿） 16：25：麻酔覚醒 帰室	7／26 手術薬剤（使用薬剤は省略） 酸素（液酸CE）400L 携帯型ディスポーザブル注入ポンプ ・PCA型　1個 吸引留置カテ（能動創部硬質）　1個 帰室後 　ヴィーンF注500mL　2B 　セファメジンα点滴用キット1g生食100mL付 　　2キット 処方 　ロキソニン錠60mg　3錠／7日分 　ボルタレンサポ50mg　2個 左膝関節X－P　2方向　電子保存

7／27 朝より常食 麻酔医診察　術後良好 痛み自制内。気分不快なし 術後医学管理 麻酔医術後訪問	7／27 硬膜外カテーテル抜去 ドレーン留置中，持続吸引 末血一般 TP，クレアチニン，尿酸，ALP，AST，ALT， ナトリウム，クロール，カリウム セファメジンα点滴用キット1g生食100mL付 2キット
7／28 術後創部OK 術後医学管理	7／28 ドレーン抜去 創部包交：イソジン液10mL セファメジンα点滴用キット1g生食100mL付 2キット
7／29 術後創部OK 術後医学管理 明日からリハビリ開始	7／29 創部包交：イソジン液10mL 装具採型 セファメジンα点滴用キット1g生食100mL付 2キット
7／30 リハビリ開始。可動域拡大を	7／30 理学療法室にてリハビリ 病棟内早期歩行訓練
7／31 経過良好	7／31 理学療法室にてリハビリ 病棟内早期歩行訓練

【解説】

［7／25］

●初診料3,850円

●緊急に治療が必要であった場合，救急医療管理加算（入院6,900円）が7日間算定できます。これは転医始診であっても初診料が算定できれば算定可能です。

●転医により様式第6号を提出した場合，療養の給付請求書取扱料は算定できません。

●**術前検査**➡生化学的検査（Ⅰ）で10項目以上行っているので，初回加算20点が算定できます。

●入院時食事療養（Ⅰ）は，労災の場合1食800円を請求できます。

［7／26］

●**膝関節内骨折観血的手術，骨移植（腸骨より採骨）**➡四肢に対する手術なので四肢加算が算定できます。ここでは腸骨(体幹)から採取した骨を膝関節に移植していますが，採骨した場所が体幹であっても実際に移植した傷病部位が四肢であれば，骨移植術も四肢加算を算定できます。

●**術中透視装置使用加算**➡2022年4月の改定から，関節内骨折観血的手術についても術中透視装置使用加算220点が算定できます。ただし，四肢加算の対象にはなりません。

●**全身麻酔＋硬膜外麻酔（腰部）**➡事例の麻酔は13時10分から16時25分までの3時間15分。閉鎖循環式全身麻酔「5」その他の場合「ロ」6,000点に麻酔管理時間加算（1時間15分なので600点×3）を加え，7,800点となります。また，硬膜外麻酔（腰部）を併用しているので，硬膜外麻酔加算として400点（2時間)＋200点×3（1時間15分)＝1,000点を加算します。

●**酸素**➡補正率1.3倍を加えます。

●大腿から下腿にかけてギプスシーネ固定を行っているので四肢ギプス包帯「5」1,200点を算定します。ただし，各種ギプスは四肢加算の対象にはなりません。

●麻酔科医が術前・術後訪問を行い，説明や状態観察をしているので，麻酔管理料（Ⅰ）「2」マス

ク又は気管内挿管による閉鎖循環式全身麻酔を行った場合の1,050点が算定できます。麻酔管理料は時間外加算や四肢加算の対象にはなりません。

●手術と同日に行った点滴の手技料は算定できないので，薬剤料のみの算定となります。

●26日は1度も食事をしていないので，入院時食事療養費は算定できません。

［7／27］

●**硬膜外カテーテル抜去**➡手術の翌日からカテーテルを抜いた日まで，硬膜外麻酔後における局所麻酔剤の持続的注入80点を算定できます。ただし，硬膜外麻酔を行った日は算定できません。また，精密持続注入を行った場合はさらに80点が加算できますが，手術材料として携帯型ディスポーザブル注入ポンプ・PCA型を算定した場合，この加算は算定できません。

●**ドレーン留置**➡手術の翌日からチューブを抜いた日まで，ドレーン法「1」50点を算定できます（四肢加算の対象）。

●手術後，計画的な医学管理を行った場合，手術後医学管理料「1」1,188点を手術の翌日から3日間算定できます。ただし，同管理料を算定した場合，3日間に行った検査等が一部算定できなくなります。また，同月内に行った尿・血・生（I）判断料も算定できません。

［7／28〜31］

●創傷処置は術後14日以内であれば，100cm^{2}未満でも52点を算定できます（四肢加算の対象）。

●健保の運動器リハビリテーション（I）は185点ですが，労災の場合は特掲料金の190点で算定します。傷病部位が膝なので，四肢加算の対象となります。

●訓練施設以外でADLの改善等を行った場合，労災独自の点数として，ADL加算（30点）を算定することができます。また，健保における初期加算（45点），早期リハビリテーション加算（25点）も要件を満たせば同時に算定できます。なお，これらの加算は四肢加算の対象にはなりません。

●**装具採型**➡装具の型取りを行っているので，治療装具採型法「2」四肢装具700点を算定します。ただし四肢加算は算定できません。

●入院料は2週間以内は1.3倍，2週間を超えたら1.01倍で計算します。この病院の入院基本料は急性期一般入院料1なので，1,688×1.3＝2,194点。さらに初期加算（14日以内）の450点を加え，2,644点×7日間＝18,508点を算定します。

●地域加算，診療録管理体制加算，労災治療計画加算は1.3倍にはできません。

One point 新型コロナウイルス感染症と労災

　2024年改定により，「職場復帰支援・療養指導料」における「3　新興感染症（新型コロナウイルス感染症）罹患後症状の場合」の点数が削除されるなど，2023年5月に新型コロナウイルス感染症が感染症法上の5類感染症に位置付けられたことにより，対応が変わっています。

　一方で，労働者が業務に起因して新型コロナウイルスに感染した場合には，労災保険給付の対象となります。特に患者の診療もしくは看護業務または介護業務に従事する医師，看護師，介護従事者等が新型コロナウイルスに感染した場合には，業務外で感染したことが明らかである場合を除き，原則として労災保険給付の対象になることに変更はありません。

【事例1の解答】

労働者の氏名	○村　○正　　　　　　　（30歳）				傷病の部位及び傷病名	左膝関節内骨折	

事業の名称					傷病の経過 上記にて手術施行。骨の損傷著しく，骨片を移植した。		

事業場の所在地	都府　　　　郡区　　道県　　　　市						

診　療　内　容			点数(点)	診療内容	金　額	摘　　要
⑪初診	時間外・休日・深夜			⑪初診	3,850円	
⑬指導			3,564	⑧⑩その他	48,300円	救急医療管理加算　　7回
⑭在宅						
⑳投薬	㉑内服	7 単位	21	小　計	52,150円 ロ	
	㉒屯服	単位				
	㉓外用	1 単位	6	⑨⑦食事		備　　考
	㉔調剤	7 日	49	基準	800円×16回	
	㉖麻毒	日		Ⅰ	円×　回	
	㉗調基		42		円×　日	
㉚注射	㉛皮下筋肉内	回				
	㉜静脈内	3 回	462			
	㉝その他	1 回	193	食事療養	16回 ハ	12,800円
㊵処置		6 回	2,206		摘　　要	
	薬剤		4	13	*手術後医学管理料　　　　　　　　　　1,188×3	
㊿手術麻酔		5 回	66,315	21	*ロキソニン錠　60mg　3錠　　　　　　　　3×7	
	薬剤		843	23	*ボルタレンサポ50mg　2個　　　　　　　　6×1	
㋐検査病理		17 回	1,123	32	*セファメジンα点滴用キット1g（生食100mL）2キット　　　　　　154×3	
	薬剤			33	*点滴（手術当日）ヴィーンF注500mL　2瓶　セファメジンα点滴用キット1g（生食100mL）2キット　　　　　193×1	
㋑画像診断		3 回	658			
	薬剤			40	*治療装具採型法「2」（四肢装具）　700×1 *四肢ギプス包帯（下肢）　　　　1,200×1 *創傷処置（100cm²未満）（術後14日以内）（52×1.5）×2 *イソジン液　10mL　　　　　　2×2 *ドレーン法（持続的吸引）（50×1.5）×2	
㋘その他		2 回	770			
	薬剤					
㋛入院	入院年月日	6 年 7 月 25 日		50	*26日 関節内骨折観血的手術（膝）（20,760×1.5）×1 *26日 骨移植術（自家骨移植）（16,830×1.5）×1 *麻酔管理料（Ⅰ）（閉鎖循環式全身麻酔）1,050×1 *硬膜外麻酔後における局所麻酔剤の持続的注入　80×1	
	病　診　衣	⑨⑩入院基本料・加算 2,644×7 日間 ×　日間 ×　日間 ×　日間 ×　日間	18,508 135			
	急一般1 録管2				*閉鎖循環式全身麻酔5（その他）3時間15分 硬膜外麻酔（腰部）併用加算　3時間15分　　　　8,800×1 （薬剤料は省略）	
		⑨⑫特定入院料・その他				
小　　計		94,899点 イ	1,138,788円			

（続紙）

指定病院等の番号		病院等の名称		労働者の氏名(年令)	○村○正　　　（30歳）

労働保険番号	府県	所掌	管轄	基幹番号	枝番号	年金証書の番号	管轄局	種別	西暦年	番号

摘　　　　要	（続）

50	＊酸素（液酸 CE）400 L（1 L0.19円）		
	（0.19×400 L×1.3)／10＝10点　10×1		
	＊携帯型ディスポーザブル注入ポンプ		
	・PCA 型　1個		
	吸引留置カテ（創部用Ⅱ）　1個　　　　833×1		
60	＊U－一般　　　　　　　　　　　　　　26×1		
	＊生化学検査（Ⅰ）初回加算　　　　　　20×1		
	＊B－T-Bil, TP, BUN, クレアチニン, 尿酸, 糖, ナ		
	トリウム, クロール, カリウム, T-cho, AST,		
	ALT, γ-GT, CK　　　　　　　　　103×1		
	＊B－出血時間　　　　　　　　　　　　15×1		
	＊B－プロトロンビン時間　　　　　　　18×1		
	＊B－末梢血液一般検査　　　　　　　　21×1		
	＊B－像（自動機械法）　　　　　　　　15×1		
	＊STS 定性　　　　　　　　　　　　　15×1		
	＊CRP　　　　　　　　　　　　　　　16×1		
	＊ABO 血液型　　　　　　　　　　　　24×1		
	＊Rh（D）血液型　　　　　　　　　　24×1		
	＊梅毒トレポネーマ抗体定性　　　　　　32×1		
	＊HBs 抗原，HCV 抗体定性・定量　　　190×1		
	＊心電図（四肢単極12誘導）　　　　　130×1		
	＊肺気量分画測定，フローボリュームカーブ　190×1		
	＊呼吸機能検査等判断料　　　　　　　140×1		
	＊免疫学的検査判断料　　　　　　　　144×1		
70	＊胸部単純X－P（デジタル）　1回　　153×1		
	＊電子画像管理加算（単純）　　　　　　57×1		
	＊左膝関節単純X－P（デジタル）2回　167×2		
	＊電子画像管理加算（単純）　　　　　　57×2		
80	＊運動器リハビリテーション料（Ⅰ）　(190×1.5)×2		
	＊早期リハビリテーション加算　　　　　25×2		
	＊初期加算　　　　　　　　　　　　　　45×2		
	＊ADL 加算　　　　　　　　　　　　　30×2		
	＊実施日数 2 日		
	＊発症日 6 年 7 月25日		
	＊手術日 6 年 7 月26日		
90	＊急性期一般入院料 1		
	入院期間加算（14日以内）　　　　2,644×7		
	＊地域加算（2 級地）　　　　　　　　　15×7		
	＊診療録管理体制加算3　　　　　　　　30×1		

One point　プロ野球選手は「労働者」なのか？

　試合中にデッドボールを受けて負傷するなど，プロ野球選手にとってけがはつきものです。選手は試合に出て成績を残してナンボの世界であるため，欠場が続くと当然，翌年の年俸にも大きな影響が出ます。球団サイドが「公傷」と認めれば，大幅な減俸は免れることにはなるそうですが，そうでなければ生活を脅かすくらいの減俸に……。最悪は来シーズンの契約を結ばないということにもなります。

　少々話が脱線しましたが，プロ野球選手がデッドボール等でけがをして医療機関に受診した場合，労災保険の取扱いはどうなるのでしょうか。一般的に考えれば，業務中（試合中）のけがであるので，業務遂行性により労災扱いになるものと思われます。

　しかし，プロ野球選手は，労働基準法第9条の「労働者」とは異なるようです。労働基準法第9条では「職業の種類を問わず，事業又は事務所に使用される者で，賃金を支払われる者」と規定されています。プロ野球選手も球団に雇用され，球団から賃金を得ているわけですが，そもそも球団サイドの労働者かといえば，球団の労働者ではありません。ただし，日本プロ野球選手会の労働者ではあります。

　通常，我々の給与は雇用主が定めた賃金を毎月，労働の対価として得ています。一方，プロ野球選手の給与は，その年の活躍に左右されます。球団と選手本人に希望金額の開きがあれば，代理人を立て裁判ということもあります。つまり，選手自身は，労働者ではなく事業主になるわけです。通常，仕事で使う物品は会社で支給されますが，選手が使うバットやグローブなどは選手本人が調達しています。労働基準法上，個人事業主は「労働者」に該当しません。そのため，試合中のけがを労災扱いにすることはできないのです。

事例2　右第5指欠損・右手背挫滅創

以下の条件で労災診療費を明細書に記載してください。

○施設の概要等

　1級地の一般病院（150床）：〔届出等〕急性期一般入院料6，入院時食事療養（Ⅰ），救急指定病院

診　療　録

患者氏名：○林○郎（男） 生年月日：昭和49年6月3日	傷病名：右第5指欠損・右手背挫滅創 診療開始日：令和6年7月31日
既往・原因・主症状・経過等	処方・手術・処置等
7／31　19：10 ローラーに右手をはさまれ受傷 右小指中節骨中ほどより欠損。骨端突出 右手背尺骨側，5cm×2cmほど皮膚剥離。一部欠損 X−P上，他の手指に骨折なし 直ちに生食で十分に洗浄し，手術施行 小指：骨端を削り，断端形成術を施行 手背：真皮に達する挫滅で，一部欠損。皮弁形成し縫合（植皮の予定はない） 今後の治療計画についての文書交付	7／31 右手X−P　2方向　電子保存 腕神経叢ブロック 　カルボカインアンプル注1％10mL　1A 手術（使用薬剤は省略） 　右小指：断端形成　右手背：皮弁形成 点滴 　セファメジンα点滴用キット1g（生食100mL付き）　1キット 　ヴィーンF注500mL　1瓶

【解説】

●初診料3,850円，療養の給付請求書取扱料2,000円，救急医療管理加算6,900円

●救急指定病院なので，時間外特例加算230点を算定します。

●手術は近接する2部位に対して行われています。通常なら主たる手術のみの点数を算定しますが，健康保険の手術「通則14」により，皮弁作成術と同時に行った手術は，主たる手術の他に，従たる手術の50／100の点数を算定することができます。

　（主）断端形成術（骨形成）（指）→7,410点×1.4（時間外加算2）×2.0（手指加算）＝20,748点

　（従）皮弁作成術（25cm²未満）→5,180点×50／100×1.4（時間外加算2）＝3,626点

　なお，皮弁作成術など，形成に関する手術は四肢加算の対象にはなりません。

●手指に対する初回の手術のため，手指の創傷に係る機能回復指導加算190点が算定できます。

●洗浄を行っているので，初診時ブラッシング料91点が算定できます。また，同時に行った処置，手術が150点を超えているので，時間外加算2を加え，91点×1.4＝127.4点→127点を算定します。四肢加算は算定できません。

●**腕神経叢ブロック**➡上・下肢伝達麻酔を算定します。170点×1.4（時間外加算2）＝238点

●**右手X−P　2方向　電子保存**➡写真診断「1」単純撮影「ロ」43点＋（43点×0.5）＝64.5点→65点。撮影「1」単純撮影「ロ」68点＋（68点×0.5）＝102点。電子画像管理加算（単純）57点。時間外緊急院内画像診断加算110点も算定します。

●急性期一般入院料6なので1,404点×1.3＝1,825点。初期加算450点を加え2,275点

【事例2の解答】

労働者の氏名	○ 林 ○ 郎　(50歳)
事業の名称	
事業場の所在地	東京 都府道県　葛飾 郡区市

傷病の部位及び傷病名	右第5指欠損，右手背挫滅創
傷病の経過	右小指中節骨の骨端を削り，周囲の皮膚を用いて断端を形成した。手背は真皮に達する挫滅であり，皮弁作成し縫合した。

診療内容		点数(点)
⑪初診	時間外・休日・深夜	230
⑬指導		
⑭在宅		
⑳投薬	㉑内服 単位 ㉒屯服 単位 ㉓外用 単位 ㉔調剤 日 ㉖麻毒 日 ㉗調基	
㉚注射	㉛皮下筋肉内 回 ㉜静脈内 回 ㉝その他 1回	96
㊵処置	1回 薬剤	127
(50)手術麻酔	4回 薬剤	24,802 10
(60)検査病理	回 薬剤	
(70)画像診断	2回 薬剤	334
(80)その他	薬剤	
(90)入院	入院年月日　6年7月31日	
	病 診 衣　急一般6	
	(90)入院基本料・加算 2,275× 1日間 × 日間 × 日間 × 日間 × 日間	2,275 18
	(92)特定入院料・その他	
小計	27,892点	㋑ 334,704円

診療内容	金額	摘要
⑪初診	3,850円	
(80)その他	6,900円 2,000円	救急医療管理加算 1回 療養の給付請求書取扱料 1回
小計	㋺ 12,750円	

(97) 食事		備考
基準 I	円× 回 円× 回 円× 日	
食事療養	回	㋩ 円

摘要

11	＊時間外特例加算	230×1
33	＊点滴（手術当日） ヴィーンＦ注500mL　1瓶 セファメジンα点滴用キット１g （生食100mL）　1キット	96×1
40	＊初診時ブラッシング料　（時間外）	127×1
50	＊31日 断端形成術（骨形成を要す）（指）（時間外）	(10,374×2.0)×1
	＊31日 皮弁作成術（25cm²未満）（併施）（時間外）	3,626×1
	＊上・下肢伝達麻酔（時間外）	238×1
	＊カルボカインアンプル注１%10mL　1Ａ	10×1
	＊手術薬剤 （薬剤料は省略）	
	＊手指の機能回復指導加算	190×1
70	＊右手単純Ｘ－Ｐ　2回	167×1
	＊電子画像管理加算	57×1
	＊時間外緊急院内画像診断加算 （7／31　19:10）	110×1
90	＊急性期一般入院料６ 入院期間加算（14日以内）	2,275×1
	＊地域加算（１級地）	18×1

事例3　脳挫傷

以下の条件で労災診療費を明細書（2024年6月分）に記載してください。
○施設の概要等

１級地の一般病院（200床）：〔届出等〕障害者施設等入院基本料10対１，特殊疾患入院施設管理加算，脳血管疾患等リハビリテーション料（Ⅱ），病衣貸与

診　療　録

患者氏名：○戸○男（男）　　　　　　傷病名：脳挫傷
生年月日：昭和40年11月29日　　　　入院日：令和6年3月25日
手　術　日：令和6年2月8日

既往・原因・主症状・経過等	処方・手術・処置等
令和6年3月25日，A病院より転院（気管切開，胃ろう造設後）入院時意識レベル→JCS：Ⅱ-30 （中略） 6／1 意識レベル→JCS：Ⅱ-30 痰がらみで，SAT低下あり。頻回に吸引を要する O₂継続 左手指，左肘の屈曲が強く，その他の四肢関節も拘縮が認められる 仙骨部発赤（要観察）。チューブトラブルなし （中略） 6／29 清拭時，気管切開カニューレがずれたとのこと 閉塞等問題なし。念のため，カニューレ交換をする 本日，PT不在のため，リハビリ実施できず （後略）	 ネブライザー（ビソルボン2mL，生食20mL） 3回／日 O₂：2L／分 喀痰吸引適宜 ベッドサイドリハ（四肢関節）　30分 経管栄養食（朝／昼／夕） （中略） 気管切開カニューレ交換 気管切開後留置用チューブ（一般型・カフ付き・吸引機能あり・一重管）使用 （後略） ※処置は6月1日と同様のことを毎日行っている （ただしリハビリのみ日曜，祝日は行っていない）

【解説】
●酸素吸入，喀痰吸引，ネブライザー，鼻腔栄養などの算定方法は健康保険と同様です。
〔6／29〕
●気管切開部の処置は，手術後14日間であれば創傷処置で算定できますが，今回は材料料のみ算定。
〔6／1～30〕
●**病衣貸与**➡入院患者に病衣を貸与した場合，１日つき10点が算定できます。
●胃瘻からの流動食点滴注入は，鼻腔栄養に準じて算定します。また，薬価収載されている経管栄養食を使用した場合は，入院時食事療養費ではなく，薬剤料として算定します。
●**脳血管疾患等リハビリテーション料**➡日曜，祝日以外に実施しているので，1日，3～8日，10～15日，17～22日，24～29日の計25日（25単位）に算定します。脳血管疾患等リハビリテーション料（Ⅱ）は，健保，労災ともに1単位200点ですが，労災の場合，健保における標準的算定日数，標準的算定日数を超えた場合の単位数上限，要介護者減算等は適用されません。
●主病部は頭部ですが，その疾患に付随して起きた四肢の疾病に対してリハビリテーションを行った場合は，四肢加算が算定できます。
●入院基本料は2週間以降，健保点数の1.01倍で算定します。ただし，入院基本料等加算については健保点数を算定します。
●入院時のJCS：Ⅱ-30.4／1もJCS：Ⅱ-30であるため，重度の意識障害者に該当しますから，特殊疾患入院施設管理加算が算定できます。

【事例3の解答】

労働者 の氏名	○ 戸 ○ 男 (58歳)			傷病の部位 及び 傷病名	脳挫傷		
事業の 名 称				傷病の経過			
事業場の 所在地	都府 道県 郡区 市			上記にて手術後，意識障害遷延し気管切開，胃ろう造設の 状態である。			

診 療 内 容		点数(点)	診療内容	金 額	摘 要
⑪初診	時間外・休日・深夜		⑪初診		
⑬指導			⑧⑩ その 他		
⑭在宅					
⑳ 投 薬	㉑内服 単位 ㉒屯服 単位 ㉓外用 単位 ㉔調剤 日 ㉖麻毒 日 ㉗調基		小 計 ㋺ 円		
㉚ 注 射	㉛皮下筋肉内 回 ㉜静脈内 回 ㉝その他 回		⑨⑦ 食 事	基 準 I 800円×90回 円× 回 円× 日	備 考
㊵ 処 置	90回 薬剤	5,190 4,152	食事療養 90回 ㈦ 72,000円		
㊿ 手麻 術酔	回 薬剤		摘 要		
⑥⓪ 検病 査査	30回 薬剤	1,050	40 *酸素吸入 65×30 酸素（LGC）2,880L（0.31×2,880L×1.3÷10） 116×30 *喀痰吸引 48×30		
⑦⓪ 画診 像断	回 薬剤		*ネブライザー ビソルボン吸入液0.2% 6mL 生理食塩液500mL 0.1瓶 9×30 *胃瘻より流動食点滴注入 60×30 *処置 気管切開・吸引あり・一重管 1本 402×1		
⑧⓪ その 他	25回 薬剤	7,500	60 *経皮的動脈血酸素飽和度測定 35×30		

⑨⓪ 入 院	入院年月日	6年3月25日			
	病	診	衣	⑨⓪入院基本料・加算	
	障10 特疾			1,389×30日間 × 日間 × 日間 × 日間 × 日間	41,670 11,340
				⑨㉒特定入院料・その他	
小計		70,902点	㋑	850,824円	

80 *脳血管疾患等リハビリテーション料（Ⅱ） 1単位
 （両上下肢） (200×1.5)×25
 （リハビリテーション実施日数：25日）
 （対象疾患：脳挫傷）
 （手術日：6年2月8日）

90 *障害者施設等入院基本料10対1
 (1,375×1.01)×30
 *地域加算（1級地） 18×30
 *病衣貸与料 10×30
 *特殊疾患入院施設管理加算 350×30

2 外来の事例

事例1 頭部打撲・結膜異物

以下の条件で労災診療費を明細書に記載してください。
〇施設の概要等
　一般病院（380床）：救急指定病院，16列以上64列未満のマルチスライスCT届出

<table>
<tr><td colspan="2" align="center">診　療　録</td></tr>
<tr><td>患者氏名：〇井〇代（女）
生年月日：昭和51年3月10日</td><td>傷病名：頭部打撲・結膜異物
診療開始日：令和6年6月4日</td></tr>
<tr><td align="center">既往・原因・主症状・経過等</td><td align="center">処方・手術・処置等</td></tr>
<tr><td>6／4　18：45　救急外来
頭上より鎖が落下してきて受傷。
顔面にわずかな擦過傷のみ。出血なし。

頭部CT →異常なし
右結膜に異物あり除去する

翌日の眼科受診を指示し帰宅

6／5　眼科
角結膜に異常なし

6／5　耳鼻科
聴覚に違和感ありとのことで受診

異常なし。耳鳴り，めまい等出現したら受診するよう指示</td><td>6／4

頭部CT・CR 半切1枚　電子保存
結膜異物除去
タリビッド眼軟膏0.3%　1g

6／5
細隙燈顕微鏡検査（前眼部）
屈折検査

標準純音聴力検査
平衡機能検査（標準検査）
平衡機能検査（頭位及び頭位変換眼振検査）</td></tr>
</table>

【解説】
［6／4］
●初診料3,850円，救急医療管理加算（外来）1,250円，療養の給付請求書取扱料2,000円。救急指定病院なので時間外特例加算230点を算定します。
●CT撮影「ロ」16列以上64未満のマルチスライス型の機器による場合900点。また，画像の電子保存を行っているので電子画像管理加算120点を加算。この事例では同時にフィルムも使用していますが，電子画像管理加算を算定した場合，フィルムの費用は別に算定できません。
●コンピューター断層診断450点。さらに時間外に画像撮影を行っているので時間外緊急院内画像診断加算110点も算定します。
●結膜異物除去100点。タリビッド眼軟膏は処方ではなく，処置として算定します。処方料や調剤料は算定できません。
［6／5］
●同日に複数の診療科を再診として受診した場合，2つ目の診療科は再診料710円または外来診療料38点を算定できます。この事例では同日に眼科と耳鼻科を受診していますので，眼科で外来診療料76点を算定し，耳鼻科では同日2科目の外来診療料38点を算定します。なお，同時に複数の診療科で指導を行っていても，再診時療養指導管理料は1回しか算定できません。
●診療科が異なっても同一の傷病なので，眼科，耳鼻科と合わせて1枚のレセプトで請求します。

【事例1の解答】

労働者 の氏名	○ 井 ○ 代 (48歳)		傷病の部位 及び 傷病名	頭部打撲 結膜異物	
事業の 名 称			傷病の経過 上記受傷にて救急来院。翌日聴覚に違和感あり再度来院。		
事業場の 所在地	都 府 道 県 郡 区 市				

診 療 内 容			点数(点)	診療内容	金 額	摘 要
⑪初診	時間外・休日・深夜		230	⑪初診	3,850円	
⑫ 再 診	外来診療料	×2回	114	⑫再診 回	円	
	外来管理加算	× 回		⑬指導 1回	920円	再診時療養指導管理料 1回
	時間外	× 回		⑧ その 他	2,000円 1,250円	療養の給付請求書取扱料 1回 救急医療管理加算 1回
	休日	× 回				
	深夜	× 回				
⑬指導				小 計	㋺ 8,020円	

⑭ 在 宅	往診 夜間 緊急・深夜 在宅患者訪問診療 その他 薬剤	回 回 回 回		摘 要

| ⑳
投

薬 | ㉑内服 薬剤
調剤
㉒屯服 薬剤
㉓外用 薬剤
調剤
㉕処方
㉖麻毒
㉗調基 | 単位
× 回
単位
単位
× 回
× 回
回 | |

| ㉚
注
射 | ㉛皮下筋肉内
㉜静脈内
㉝その他 | 回
回
回 | |

| ㊵
処
置 | | 1 回 | 100 |
| | 薬剤 | 1 回 | 11 |

| ㊿
手麻
術酔 | | 回 | |
| | 薬剤 | | |

| ⑩
検病
査理 | | 5 回 | 627 |
| | 薬剤 | | |

| ⑦
画診
像断 | | 3 回 | 1,580 |
| | 薬剤 | | |

| ⑧
その
他 | 処方せん | 回 | |
| | 薬剤 | | |

| 小 計 | 2,662点 | ㋑ | 31,944円 |

摘 要

11	*時間外特例加算	230×1
12	*外来診療料	76×1
	*外来診療料(同日複数科再診,耳鼻科)	38×1
40	*結膜異物除去	100×1
	*タリビッド眼軟膏0.3% 1g	11×1
60	*細隙燈顕微鏡検査(前眼部)	48×1
	*屈折検査	69×1
	*標準純音聴力検査	350×1
	*平衡機能検査 標準	20×1
	*平衡機能検査 頭位及び頭位変換眼振検査 (その他)	140×1
70	*頭部CT(16列以上64列未満のマルチスライス) 電子画像管理加算	1,020×1
	*コンピューター断層診断	450×1
	*時間外緊急院内画像診断加算 (6/4 18:45)	110×1

事例2　頭部打撲

以下の条件で労災診療費を明細書に記載してください。
○施設の概要等
　一般病院（120床）：マルチスライスCT（16列以上64列未満）届出，オンライン（電子媒体）請求

診 療 録

患者氏名：○川○夫（男）	傷病名：頭部打撲
生年月日：昭和41年3月10日	診療開始日：令和6年6月10日

既往・原因・主症状・経過等	処方・手術・処置等
6／10 作業中転倒し頭部打撲 独歩にて来院。意識障害なし 頭部X-P　頭部CT　→　異常なし	6／10 頭部X-P　3方向　電子保存 頭部CT　電子保存
6／10　23：15 夕食後ふらつき，嘔気あり心配になったので来院 頭部CT再検　→　異常なし 四肢麻痺なし　瞳孔左右差なし 点滴後軽快 本日の入浴は控え，安静にするよう指示 頭痛，吐き気などが継続する場合は来院するよう指示し，帰宅	6／10 頭部CT　電子保存 点滴 　ソリタT3　200mL　1袋 　プリンペラン注　0.5％2mL　1A

【解説】
［6／10］（1回目）

●**オンライン（電子媒体）請求**➡労災電子化加算**5点**。診療費請求内訳書1件につき算定できる。

●初診料**3,850円**，療養の給付請求書取扱料**2,000円**，救急医療管理加算（外来）**1,250円**

●**頭部X-P　3方向　電子保存**➡写真診断「1」単純撮影「イ」85点＋（85点×0.5）＋（85点×0.5）＝**170点**。撮影「1」単純撮影「ロ」デジタル撮影68点＋（68点×0.5）＋（68点×0.5）＝**136点**。電子媒体に保存し管理しているので，電子画像管理加算**57点**が算定できます。

●この病院は16列以上64列未満のマルチスライスCTの届出をしているので，コンピューター断層撮影「1」CT撮影「ロ」**900点**。電子媒体で保存管理しているので，電子画像管理加算**120点**を算定します。

［6／10］（2回目）

●同一日に再診を行った場合でも，再診料等は算定できます。その際，療養上の指導を行っていれば，再診時療養指導管理料**920円**も算定できます。

●再診時にも頭部CTを行っていますが，労災の場合，2回目以降のコンピューター断層撮影（CT，MRI）についても減算はされません。所定点数の**900点**を算定できます。

●5／10の2回目の受診時間が23時15分なので，再診料の深夜加算（**420点**）および時間外緊急院内画像診断加算（**110点**）が算定できます。

●注射量が500mL未満なので，点滴手技料は点滴注射「3」**53点**を算定します。

労災診療費の算定事例　誤請求　レセプト

【事例２の解答】

労働者の氏名	○川○夫　（58歳）	傷病の部位及び傷病名	頭部打撲
事業の名称		傷病の経過	転倒し上記受傷。同日深夜嘔気を自覚し再来院。
事業場の所在地	都道府県　郡区市		

診療内容		点数(点)
⑪初診	時間外・休日・深夜	5
⑫再診	×　回 外来管理加算　52×1回 時間外　×　回 休日　×　回 深夜　420×1回	52 420
⑬指導		
⑭在宅	往診　回 夜間　回 緊急・深夜　回 在宅患者訪問診療　回 その他 薬剤	
⑳投薬	㉑内服　薬剤　単位 調剤　×　回 ㉒屯服　薬剤　単位 ㉓外用　薬剤　単位 調剤　×　回 ㉕処方　×　回 ㉖麻毒　回 ㉗調基	
㉚注射	㉛皮下筋肉内　回 ㉜静脈内　回 ㉝その他　1回	76
㊵処置	回 薬剤	
(50)手術麻酔	回 薬剤	
(60)検査病理	回 薬剤	
(70)画像診断	5回 薬剤	2,963
(80)その他	処方せん　回 薬剤	
小計	3,516点	㋑　42,192円

診療内容	金額	摘要
⑪初診	3,850円	再診時療養指導管理料　1回 療養の給付請求書取扱料　1回 救急医療管理加算　1回
⑫再診　1回	1,420円	
⑬指導　1回	920円	
(80)その他	2,000円 1,250円	
小計	㋺　9,440円	

摘要		
11	＊労災電子化加算	5×1
12	＊同日再診　1回	
33	＊点滴 ソリタＴ３　200mL　1袋 プリンペラン注　0.5％２mL　1Ａ	53×1 23×1
70	＊頭部Ｘ－Ｐ単純　3回 電子画像管理加算 ＊頭部CT（マルチスライス・16列以上64列未満） 電子画像管理加算 ＊コンピューター断層診断 ＊時間外緊急院内画像診断加算 (6/10 23:15)	 363×1 1,020×2 450×1 110×1

事例3　左下腿挫創

以下の条件で労災診療費を明細書に記載してください。

○施設の概要等

　診療所（15床）：常勤薬剤師勤務，明細書発行体制等加算・画像診断管理加算1届出

診　療　録

患者氏名：○田○男（男） 生年月日：昭和56年11月20日	傷病名：左下腿挫創 診療開始日：令和6年7月2日
既往・原因・主症状・経過等	処方・手術・処置等
7／2 配達中バイクで転倒。救急車にて来院 左下腿4cmの筋肉に達する挫創 X－P上骨折（－）　→　読影・診断し，担当医に文書で報告 7／4 創部クリア 入浴時創部を濡らさないよう注意	7／2 左下腿X－P　2方向　電子保存 洗浄，デブリードマン後，3－0ナイロンにて8針縫合（使用薬剤は省略） 院内処方（薬剤情報交付） 　バナン100mg3錠，トランサミンカプセル250 　　mg3カプセル／4日分 7／4 消毒 　ネオヨジン外用液10mL

【解説】

［7／2］

●初診料3,850円，療養の給付請求書取扱料2,000円，救急医療管理加算（外来）1,250円

●左下腿X－P　2方向　電子保存➡写真診断「1」単純撮影「ロ」43点＋（43点×0.5）＝64.5点→65点
　撮影「1」単純撮影「ロ」デジタル撮影68点＋（68点×0.5）＝102点。電子画像管理加算（単純）＝57点。

●読影・診断し，担当医に文書で報告➡画像診断管理加算1の届出をしているので，70点が算定できます。

●左下腿4cmの筋肉に達する挫創➡創傷処理「1」筋肉，臓器に達するもの（長径5cm未満）1,400点。四肢に対する創傷処理なので，所定点数の1.5倍（2,100点）を算定できます。また，汚染された挫創に対し洗浄，デブリードマンを行っているので，100点×1.5＝150点を加算します。

●局所麻酔なので麻酔料は算定せず，使用した薬剤のみを合算します。ネオヨジン外用液は外皮用殺菌剤なので，手術に際して使用しても算定できません。

●投薬料の他に，調剤料「1」11点，処方料「3」42点を算定。また，常勤の薬剤師がいるため調剤技術基本料「2」14点が算定できます。処方に際し，薬剤の効能や副作用などの情報を文書で交付した場合に，薬剤情報提供料4点が算定できます。

［7／4］

●再診料1,420円，明細書発行体制等加算1点。指導内容が記載されているので，再診時療養指導管理料920円を算定できます。

●四肢に対する処置なので，創傷処置「1」100cm²未満52点×1.5＝78点を算定します。なお，処置に際して使用した薬剤の合計金額が15円以下の場合，薬剤料の算定はできません。ネオヨジン外用液10mLは15円に満たないので，算定できないことになります。

労災診療費の算定事例　誤請求　レセプト

【事例3の解答】

労働者 の氏名	○ 田 ○ 男　　　　　　　　　(42歳)		傷病の部位 及び 傷病名	左下腿挫創	

事業の名称

事業場の所在地　都府道県　郡区市

傷病の経過
上記傷病に対して縫合を行い，外来にて経過観察中。

診　療　内　容		点数(点)
⑪初診	時間外・休日・深夜	
⑫ 再 診	1 × 1 回 外来管理加算　　　× 回 時間外　　　× 回 休日　　　× 回 深夜　　　× 回	1
⑬指導		4
⑭ 在 宅	往診　　　回 夜間　　　回 緊急・深夜　　　回 在宅患者訪問診療　　　回 その他 薬剤	
⑳ 投 薬	㉑内服　薬剤　　4 単位 　　　調剤　11 × 1 回 ㉒屯服　薬剤　　単位 ㉓外用　薬剤　　単位 　　　調剤　　× 回 ㉕処方　42 × 1 回 ㉖麻毒　　回 ㉗調基	68 11 42 14
㉚ 注 射	㉛皮下筋肉内　　回 ㉜静脈内　　回 ㉝その他　　回	
㊵ 処 置	1 回 薬剤	78
㊿ 手麻 術酔	1 回 薬剤	2,250
⑯ 検病 査理	回 薬剤	
⑰ 画診 像断	2 回 薬剤	294
⑱ その 他	処方せん　　回 薬剤	
小計	2,762点　㋑	33,144円

診療内容	金 額	摘　要
⑪初診	3,850円	
⑫再診　1 回	1,420円	
⑬指導　1 回	920円	再診時療養指導管理料　1回
⑱ その他	2,000円 1,250円	診療の給付請求書取扱料　1回 救急医療管理加算　1回
小 計	㋺ 9,440円	

	摘　要	
12	＊明細書発行体制等加算	1×1
13	＊薬剤情報提供料	4×1
21	＊バナン錠　100mg　3錠 　トランサミンカプセル250mg　3 cp	17×4
40	＊創傷処置1	(52×1.5)×1
50	＊2日 創傷処理（5 cm未満・筋肉臓器に達する） (1,400×1.5)×1 ＊デブリードマン加算　(100×1.5)×1 ＊手術薬剤 （薬剤料は省略）	
70	＊左下腿X－P単純　2回 ＊電子画像管理加算 ＊2日 画像診断管理加算1	167×1 57×1 70×1

事例4　左拇指切創・左上腕熱傷，左手熱傷

以下の条件で労災診療費を明細書に記載してください。
○施設の概要等
　　一般病院（150床）

<table>
<tr><td colspan="2" align="center">診　療　録</td></tr>
<tr>
<td>患者氏名：○山○子（女）
生年月日：昭和52年4月15日</td>
<td>傷病名：　　　　　　　診療開始日：
　左拇指切創　　　　　令和6年6月18日
　左前腕熱傷，左手熱傷　令和6年6月21日</td>
</tr>
<tr>
<td align="center">既往・原因・主症状・経過等</td>
<td align="center">処方・手術・処置等</td>
</tr>
<tr>
<td>6／18　整形外科
　調理中誤って左手第1指を包丁で切った
　約3cmの切創。すでに圧迫止血されている
　1週間後に再診を指示
6／21　皮膚科
　調理中，油がかかった
　左上腕に20㎠，左手に10㎠の第2度熱傷
　創部が汚れないよう注意
6／25　皮膚科
　左上腕・手部に発赤　創痛あり
　創部が汚れないよう注意
6／25　整形外科
　左拇指　創部クリア
6／28　皮膚科
　左上腕・手部　水疱形成
　水疱を無理に破らないように注意</td>
<td>6／18
消毒
　イソジン10mL
　ステリーテープにて固定
6／21
消毒：左上腕　クロマイ-P軟膏3g
　　　左手部　クロマイ-P軟膏2g

6／25
処置：左上腕　クロマイ-P軟膏3g
　　　左手部　クロマイ-P軟膏2g
6／25
ステリー除去，ガーゼ交換，イソジン10mL
6／28
処置
　　　左上腕，手部　ガーゼ交換</td>
</tr>
</table>

【解説】
　労災傷病にて通院中，別の労災傷病が発生したケースです。この場合，別々の労災事故として扱い，レセプトも2枚になります。
　［6／18］整形外科
●初診料3,850円，療養の給付請求書取扱料2,000円，救急医療管理加算（外来）1,250円
●手指に対する処置なので，創傷処置「1」100cm² 未満52点×2.0（手指加算）＝104点を算定します。
　［6／21］皮膚科
●労災傷病で通院中に別の労災傷病が発生した場合，初診料を再度算定できます。また，第2の傷病について様式5号または16号の3を取り扱った場合，療養の給付請求書取扱料が算定できます。
●上腕と手部なので，上腕に対し熱傷処置「1」100㎠未満135×1.5（四肢加算）＝202.5点→203点を，手部に対し熱傷処置「1」100㎠未満135×2.0（四肢加算）＝270点をそれぞれ算定します。
　［6／25］皮膚科
●再診料，再診時療養指導管理料を算定。
●処置料は6／21と同様，203点＋270点を算定します。
　［6／25］整形外科
●同日他科の再診は2科目のみ710円を算定できます。1科目の皮膚科で再診料1,420円を算定していますので，整形外科では710円を算定します。
●左拇指の処置は，皮膚科の処置とは異なる部位ですので，通常どおり算定できます。手指加算も算定可能ですので，6／18と同様104点を算定します。
　［6／28］皮膚科
●6／25の皮膚科と同じ内容になります。

【事例4の解答①】整形外科

労働者の氏名	○ 山 ○ 子	(47歳)		傷病の部位及び傷病名	左拇指切創

事業の名称	

事業場の所在地	都　府　　　　　郡　区 　　　道　県　　　　　市

傷病の経過
上記にて処置を行った。

診　療　内　容		点数(点)
⑪初診	時間外・休日・深夜	
⑫再診	外来管理加算　　　×　回 時間外　　　　　　×　回 休日　　　　　　　×　回 深夜　　　　　　　×　回	
⑬指導		
⑩処置	2 回 薬剤	208 4
⑧その他	処方せん　　　　　回 薬剤	
小　計	212点　⑦	2,544円

診療内容	金　額	摘　　要
⑪初診	3,850円	
⑫再診　　1 回	710円	
⑬指導　　　回	円	
⑧その他	2,000円 1,250円	療養の給付請求書取扱料　　1 回 救急医療管理加算　　　　1 回
小　計	(ロ) 7,810円	

摘　　　　要
40　*創傷処置（100cm² 未満）　　　　　　　(52×2.0)×2 　　*イソジン液10%　10mL　　　　　　　　　　　2×2

【事例4の解答②】皮膚科

労働者の氏名	○ 山 ○ 子	(47歳)		傷病の部位及び傷病名	左前腕熱傷2度 左手熱傷　2度

事業の名称	

事業場の所在地	都　府　　　　　郡　区 　　　道　県　　　　　市

傷病の経過
上記にて処置を行った。

診　療　内　容		点数(点)
⑪初診	時間外・休日・深夜	
⑫再診	外来管理加算　　　×　回 時間外　　　　　　×　回 休日　　　　　　　×　回 深夜　　　　　　　×　回	
⑬指導		
⑩処置	3 回 薬剤	1,149 24
⑧その他	処方せん　　　　　回 薬剤	
小計	1,173点　⑦	14,076円

診療内容	金　額	摘　　要
⑪初診	3,850円	
⑫再診　　2 回	2,840円	
⑬指導　　2 回	1,840円	再診時療養指導管理料　　2 回
⑧その他	2,000円 1,250円	療養の給付請求書取扱料　　1 回 救急医療管理加算　　　　1 回
小　計	(ロ) 11,780円	

摘　　　　要
*他労災傷病にて受診中 40　*熱傷処置（100cm² 未満）　　　　　　　(135×1.5)×2 　　（左上腕） 　　*クロマイ－P軟膏　3 g　　　　　　　　　　　7×2 　　*熱傷処置（100cm² 未満）　　　　　　　(135×2.0)×1 　　（左手部） 　　*クロマイ－P軟膏　2 g　　　　　　　　　　　5×2 　　*熱傷処置（100cm² 未満）　　　　　　　(135×1.5)×1 　　*熱傷処置（100cm² 未満）　　　　　　　(135×2.0)×1

| 事例5 | 腰椎捻挫 |

以下の条件で労災診療費を明細書（2024年6月分）に記載してください。

○施設の概要等

　一般病院（150床）：運動器リハビリテーション（Ⅰ）届出

診 療 録

| 患者氏名：○澤○三（男） | 傷病名：腰椎捻挫 |
| 生年月日：昭和38年8月8日 | 診療開始日：令和6年5月9日 |

既往・原因・主症状・経過等	処方・手術・処置等
5／9～5／30入院 6／11 両下肢しびれ徐々に改善。歩行訓練継続 安静指示，過負荷注意 6／14 両下肢しびれ徐々に改善。歩行訓練継続 安静指示，過負荷注意 6／19 両下肢しびれ徐々に改善。歩行訓練継続 安静指示，過負荷注意 6／21 しびれほとんどなし。歩行訓練継続 過負荷注意 6／25 しびれなし。起立時わずかに疼痛 そろそろ仕事再開したいとの申し出 腰に負担をかけないように 6／29 著変なし。歩行訓練継続 腰に負担をかけないように	6／11 運動器リハビリテーション（30分） ホットパック（腰部） 6／14 運動器リハビリテーション（30分） ホットパック（腰部） 6／19 運動器リハビリテーション（30分） ホットパック（腰部） 6／21 運動器リハビリテーション（30分） ホットパック（腰部） 6／25 運動器リハビリテーション（30分） 職場復帰指導管理箋交付（初回） 休業証明交付（5／9～6／25） 6／29 運動器リハビリテーション（30分）

【解説】

［6／11，14，19，21］

●再診料1,420円，再診時療養指導管理料920円

●労災特例により，疾患別リハビリテーション料と消炎鎮痛等処置を同日に行った場合，どちらも算定することができます。

●疾患別リハビリテーション料は労災特掲料金として，健康保険と異なる点数を算定します。運動器リハビリテーション料（Ⅰ）は，健康保険では185点ですが，労災では**190点**となります。

●腰部に対する消炎鎮痛等処置は**35点**。労災特例により，52点未満の処置を行った場合は，別に外来管理加算の所定点数を算定できます。

［6／25］

●再診料1,420円，再診時療養指導管理料920円

●退院後，通院しながら就労が可能と認める患者に対し，就労上，療養上の指導事項を記載した「指導管理箋」を交付した場合，職場復帰支援・療養指導料（その他）が算定できます。今回は初めての交付であるため，**680点**を算定できます。

●**休業補償給付請求書の交付➡2,000円**を算定します。レセプトには休業証明期間を記載します。

●運動器リハビリテーションを行っており，52点に満たない処置を行っていないので，外来管理加算は算定できません。

［6／29］

●再診料1,420円，再診時療養指導管理料920円

●運動器リハビリテーション料（Ⅰ）190点

【事例5の解答】

労働者 の氏名	○ 澤 ○ 三	(60歳)		傷病の部位 及び 傷病名		腰椎捻挫		
事業の 名　称				傷病の経過 上記にて入院。退院後も両下肢にしびれ残存しリハビリ テーション継続。				
事業場の 所在地	都 府 道 県	郡 区 市						

診　療　内　容		点数（点）	診療内容		金　額	摘　　要	
⑪初診	時間外・休日・深夜		⑪初診		円		
⑫ 再 診	× 回 外来管理加算　52× 4 回 時間外　　　　　　× 回 休日　　　　　　　× 回 深夜　　　　　　　× 回	208	⑫再診	6 回	8,520円		
			⑬指導	6 回	5,520円	再診時療養指導管理料　6回	
			⑧⑩ その他		2,000円	休業補償給付請求書　1回 （5／9～6／25）	
⑬指導		680					
			小　計	㋺ 16,040円			

診　療　内　容		点数（点）
⑭ 在 宅	往診　　　　　　　　回 夜間　　　　　　　　回 緊急・深夜　　　　　回 在宅患者訪問診療　　回 その他 薬剤	
⑳ 投 薬	㉑内服　薬剤　　　　単位 　　　　調剤　　× 回 ㉒屯服　薬剤　　　　単位 ㉓外用　薬剤　　　　単位 　　　　調剤　　× 回 ㉕処方　　　　× 回 ㉖麻毒　　　　　　　回 ㉗調基	
㉚ 注 射	㉛皮下筋肉内　　　　回 ㉜静脈内　　　　　　回 ㉝その他　　　　　　回	
㊵ 処 置	4 回 薬剤	140
㊿ 手麻 術酔	回 薬剤	
㉒⓪ 検病 査理	回 薬剤	
㉓⓪ 画診 像断	回 薬剤	
⑧⓪ その 他	処方せん　　　　6 回 薬剤	1,140
小　計	2,168点	㋑ 26,016円

	摘　　　　　　　要	
12	＊外来管理加算　　　　　　　　　　　㊕52× 4	
13	＊職場復帰支援・療養指導料　　　　　680×1 　（その他の疾患）（初回）	
40	＊消炎鎮痛等処置　　　　　　　　　　35× 4 　（腰部）	
80	＊運動器リハビリテーション料（I）　190× 6 　疾患名：腰椎捻挫 　発症日：令和6年5月9日	

| 事例6 | 右鎖骨骨折・右上腕骨折疑い |

以下の条件で労災診療費を明細書に記載してください。

○施設の概要等

一般病院（400床）

診　療　録

患者氏名：○野○之（男） 生年月日：昭和38年10月8日	傷病名：右鎖骨骨折・右上腕骨折疑い 診療開始日：令和6年7月16日
既往・原因・主症状・経過等	処方・手術・処置等
7／16 作業所内で鉄柱に激突し受傷 X－P　右鎖骨　→　骨折（＋） 　　　　右上腕　→　骨折なし 鎖骨固定 今後は自宅近所で通院	7／16 右上腕単純X－P　CR半切　2枚2方向 右鎖骨単純X－P　CR半切　2枚2方向 クラビクルバンド（購入価：3,500円）装着 院外処方 　ロキソニン錠60mg　3錠　×3 紹介状1通　A整形外科 　鎖骨フィルム貸し出し

【解説】

［7／16］

● 初診料3,850円，救急医療管理加算1,250円，療養の給付請求書取扱料2,000円

● **鎖骨固定**➡固定帯を用いて鎖骨の固定を行っているので，鎖骨又は肋骨骨折固定術500点を算定します。鎖骨は体幹部に属しますが，労災の場合，四肢加算の対象となりますので，500×1.5＝750点を算定します。

● 鎖骨固定帯の使用が必要と医師が判断した場合，購入価で請求できます。医療機関が実際に購入した金額を10円で除し，点数にして「摘要」欄に記載します。

● **右上腕単純X－P　CR半切　2枚2方向**➡写真診断「1」単純撮影「ロ」43点＋（43点×0.5）→64.5点→65点。撮影「1」単純撮影「ロ」デジタル撮影68点＋（68点×0.5）＝102点。画像記録用フィルム半切226円×2枚＝452円→45点。

● **右鎖骨単純X－P　CR半切　2枚2方向**➡写真診断「1」単純撮影「イ」85点＋（85点×0.5）＝127.5点→128点。撮影「1」単純撮影「ロ」デジタル撮影68点＋（68点×0.5）＝102点。画像記録用フィルム半切226円×2枚＝452円→45点。

● **院外処方**➡処方箋料を算定します。薬剤は1剤のみですので，「3」1及び2以外の場合の60点。

● 他医への紹介状を発行しているので，診療情報提供料（I）250点を算定します。フィルムの貸し出しを行っていますが，算定できる加算等は特にありません。

【事例6の解答】

労働者の氏名	○野 ○之 （60歳）	傷病の部位及び傷病名	右鎖骨骨折　右上腕骨折疑い
事業の名称		傷病の経過	
事業場の所在地	都府　　　郡区 道県　　　市	上記にて鎖骨固定を行った。今後は近医にてフォロー。	

診　療　内　容		点数(点)	診療内容	金　額	摘　　　　要
⑪初診	時間外・休日・深夜		⑪初診	3,850円	
⑫再診	× 回		⑫再診　　回	円	
	外来管理加算　　　× 回		⑬指導　　回	円	
	時間外　　　　　　× 回		⑧⑩その他	2,000円	療養の給付請求書取扱料　　1回
	休日　　　　　　　× 回			1,250円	救急医療管理加算　　　　　1回
	深夜　　　　　　　× 回				
⑬指導		250	小　計 　㋺ 7,100円		
⑭在宅	往診　　　　　　　　回 夜間　　　　　　　　回 緊急・深夜　　　　　回 在宅患者訪問診療　　回 その他 薬剤				摘　　　　要
⑳投薬	㉑内服　薬剤　　　　単位 　　　　調剤　　× 回 ㉒屯服　薬剤　　　　単位 ㉓外用　薬剤　　　　単位 　　　　調剤　　× 回 ㉕処方　　　　　× 回 ㉖麻毒 ㉗調基		13		*診療情報提供料（Ⅰ）　　　　　250×1 　（A整形外科）
			40		*鎖骨骨折固定術　　　　　(500×1.5)×1 *クラビクルバンド（3,500円）　350×1
			70		*右上腕骨X-P（デジタル）　　167×1 *画像記録用フィルム（半切）2枚　45×1 *右鎖骨X-P（デジタル）　　230×1 *画像記録用フィルム（半切）2枚　45×1
㉚注射	㉛皮下筋肉内　　　　回 ㉜静　脈　内　　　　回 ㉝そ　の　他　　　　回		80		*処方箋料（6種類以下）　　　60×1
㊵処置		1回	1,100		
	薬剤				
㊿手術麻酔		回			
	薬剤				
⑳検査病理		回			
	薬剤				
⑦画像診断		2回	487		
	薬剤				
⑧その他	処方せん	1回	68		
	薬剤				
小　計	点 ㋑ 1,897		円 22,764		

事例7　左第5指末節骨骨折，左手挫創

以下の条件で労災診療費を明細書に記載してください。
○施設の概要等
　一般病院（200床），常勤薬剤師勤務

診　療　録

患者氏名：○本○郎（男） 生年月日：昭和48年11月9日	傷病名：左第5指末節骨骨折，左手挫創 発症日：令和6年6月13日
既往・原因・主症状・経過等	処方・手術・処置等
6／13 プレス機に左手を挟まれた。独歩で来院 左手の甲から4，5指に至る挫創。出血少量 挫創面洗浄し，消毒 左手X－P　→　左第5指末節骨骨折 そのまま透視室にて整復。アルミシーネ固定 1週間後の受診を指示 薬剤師より投薬に関する説明（説明文書交付） その後，来院せず（会社より5号様式郵送）	左手処置 左手単純X－P　2方向　電子保存 徒手整復。アルミシーネ（副木：F10－b－1）使用 セフゾンカプセル100mg　3C　毎食後／7日分 ボルタレン錠25mg　10錠　疼痛時

【解説】

●初診料3,850円，救急医療管理加算（外来）1,250円，療養の給付請求書取扱料2,000円

●**挫創面洗浄し，消毒**➡左手の洗浄消毒を行っているので，手指加算（2.0倍）と初診時ブラッシング料91点も算定できます。

●**左手処置**➡処置料（創傷処置「1」52点×2.0＝104点）は52点より高いので，外来管理加算の特例は算定できません。

●**左手単純X－P　2方向　電子保存**➡写真診断「1」単純撮影「ロ」その他43点＋（43点×0.5）＝64.5点→65点。撮影「1」単純撮影「ロ」デジタル撮影68点＋（68点×0.5）＝102点。電子媒体で保存管理しているので，電子画像管理加算（単純）57点を算定します。

●**透視室にて整復**➡手指の非観血的整復術の点数は1指ごとに決められていますので，さらに手指加算を乗じることはできません。透視下で手術を行っていますので，術中透視装置使用加算の対象となります。また，手または手指に対する手術なので，手指の創傷に係る機能回復指導加算190点を算定できます。

●**薬剤師より投薬に関する説明（説明文書交付）**➡処方した薬剤の効果，用法，副作用等の情報を文書により提供した場合は，薬剤情報提供料4点が算定できます。

【事例7の解答】

労働者 の氏名	○ 本 ○ 郎	(50歳)	傷病の部位 及び 傷病名	左第5指末節骨骨折 左手挫創
事業の 名 称			傷病の経過	
事業場の 所在地	都府 郡区 道県 市		プレス機に挟まれ上記受傷。	

診 療 内 容		点数(点)	診療内容		金 額	摘 要	
⑪初診	時間外・休日・深夜		⑪初診		3,850円		
⑫ 再 診	外来管理加算 ×　回		⑫再診	回	円		
	外来管理加算 ×　回		⑬指導	回	円		
	時間外 ×　回		⑧⑩ その 他		2,000円	療養の給付請求書取扱料	1回
	休日 ×　回				1,250円	救急医療管理加算	1回
	深夜 ×　回						
⑬指導		4	小　計	(ロ) 7,100円			
⑭ 在 宅	往診 回						
	夜間 回				摘 要		
	緊急・深夜 回		13	*薬剤情報提供料		4×1	
	在宅患者訪問診療 回		21	*セフゾンカプセル100mg　3C		18×7	
	その他		22	*ボルタレン錠25mg　1錠		1×10	
	薬剤						
⑳ 投 薬	㉑内服 薬剤 7単位	126	40	*初診時ブラッシング料		91×1	
	調剤 11×1回	11		*創傷処置1（左手）		(52×2.0)×1	
	㉒屯服 薬剤 1単位	10	50	*骨折非観血的整復術（1指）(13日)		2,880×1	
	㉓外用 薬剤 単位			副木・F10−b−1　1個		12×1	
	調剤 ×　回			*術中透視装置使用加算		220×1	
	㉕処方 42×1回	42		*手指に係る機能回復指導加算		190×1	
	㉖麻毒 回		70	*左手X−P　単純（デジタル）　2回			
	㉗調基	14		電子画像管理加算		224×1	
㉚ 注 射	㉛皮下筋肉内 回						
	㉜静　脈　内 回						
	㉝そ　の　他 回						
㊵ 処 置	2回	195					
	薬剤						
㊿ 手術 麻酔	3回	3,290					
	薬剤	12					
⑥⑩ 検査 病理	回						
	薬剤						
⑦⑩ 画像 診断	1回	224					
	薬剤						
⑧⑩ その 他	処方せん 回						
	薬剤						
小　計	点 3,928	(イ) 円 47,136					

第 4 章

自動車保険のしくみと請求

1. 交通事故と自動車保険

① 近年の交通事故発生件数

　警察庁交通局による2023年度の交通事故発生件数は，30万7930件となり8年ぶりの増加となりました。2023年5月から，コロナが5類指定に移行して徐々に経済活動が元に戻るにしたがって，交通事故件数が増加したものと考えられます。一方，死亡者数は2009年以降5000人を下回り，2678人となりました。それでも，1日平均約7.3人の方が交通事故で命を落としている計算になります。

　全体的な特徴としては，「自動車乗車中」の事故が減少する一方，「二輪車乗車中」，「自転車乗用中」，「歩行中」の事故が増加していることです。歩行中の死者数は2年連続で増加（うち約7割が65歳以上）しています。また，自転車乗用中の死者の約半数が「頭部」の損傷（うち約9割は乗車用ヘルメット非着用）です。ヘルメット非着用時の致死率は着用時の約1.9倍となっています。ちなみに，2013年7月のヘルメット着用率は13.5％程度です。シートベルトもそうですが，ヘルメット着用がいかに命を守ってくれるのかがよくわかります。

　また，携帯電話等使用中の事故は，死亡・重傷事故が122件です。全死亡事故に占める割合は1.24％ですが，2022年以降，増加傾向にあります。この携帯電話使用による罰則は以下のとおりです。

○罰則等

(1) 携帯電話使用等（交通の危険）
　　罰則　　　　1年以下の懲役
　　　　　　　　または30万円以下の罰金
　　反則金　　　適用なし
　　基礎点数　　6点

(2) 携帯電話使用等（保持）
　　罰則　　　　6月以下の懲役
　　　　　　　　または10万円以下の罰金
　　反則金　　　大型車2万5000円，普通車1万8000円，
　　　　　　　　二輪車1万5000円，原付車1万2000円
　　基礎点数　　3点

　ある研究報告によると，スマホなどの画像を2秒以上見るとドライバーは危険を感じるそうです。例えば，時速40kmで走行する自動車は1秒間に約11m進み，2秒間では約22m進みます。たった2秒が大変な事故を引き起こす可能性のある「2秒」です。運転中にスマホ等を使用しなければならないときは，必ず安全な場所に停車してからにしましょう。

　次節以下で自動車保険の説明をしていきますが，**図表49**に交通事故とそれにより発生する損害とその補償の全体像を示しておきます。表中のアミのかかった部分が医療に関係してきます。

図表49　交通事故の損害賠償の概要

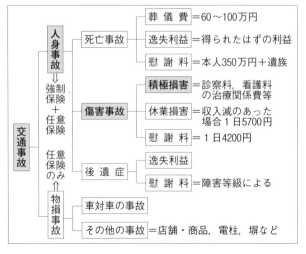

＜あおり運転に該当する妨害運転の種類＞

　あおり運転とは，前方の車との車間距離を詰めたり，周囲の車を威嚇，挑発したりする危険な運転のことです。ただし，明確な定義はありません。不必要に車間距離を詰めたり，前を走りながら蛇行運転をしたりするなどの行為があおり運転に該当します。あおり運転は以前からありましたが，2017年にあおり運転による死亡事故が社会問題化したことで，道路交通法が改正されました。

　2020年6月30日から施行された改正道路交通法では，あおり運転を含む危険な運転は「妨害運転」と位置づけられ，罰則も厳格化されています。妨害運転の対象となるのは，以下の10類型です。

一定の違反　妨害（あおり）運転の対象となる10類型の違反

通行区分違反

急ブレーキ禁止違反

車間距離不保持

進路変更禁止違反

追越し違反

減光等義務違反

警音器使用制限違反

安全運転義務違反

最低速度違反（高速自動車国道）

高速自動車国道等駐停車違反

＜妨害運転に対する罰則＞

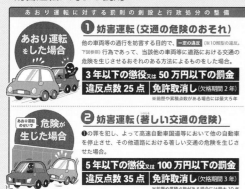

　ちなみに，道路交通法に似た規定に，「自動車の運転により人を死傷させる行為等の処罰に関する法律」があります。報道等ではよく「危険運転致死傷罪」と呼んでいます。この法律に定められている「危険運転致死傷罪の妨害運転致死傷」は，主として他の人や車両の通行を妨害する目的で，走行中の自動車の直前に進入し，その他通行中の人又は車に著しく接近し，他人を死傷させた場合に重罪として処罰されることを定めています。

　「青切符」の正式名称は，「交通反則告知書」と言います。適用される反則行為は，駐停車違反，30km/h未満の法定速度超過（高速道路などでは40km/h未満），信号無視，通行禁止違反，整備不良，無灯火，携帯電話などの使用，定員外乗車などで，多くの交通違反が対象になっています。青切符を切られるとその場で反則金の納付書も一緒に手渡されます。納付期限内に反則金を郵便局や銀行などの金融機関で納付すれば，刑事事件として刑罰が科せられることはありません。

　「赤切符」の正式名称は，「違反者に交付される告知票（道路交通違反事件迅速処理のための共用書式）」と言います。適用される違反行為は，無免許運転，酒酔い，酒気帯び，30km/h超の法定速度超過，悪質な交通違反をしたうえで交通事故を起こした場合などです。違反点数は6点以上である場合が多く，「赤切符を切られる＝前科がつく」こととなり，青切符より重い刑事処分を受けることになります。刑事上の責任は，裁判の結果によって罰金刑（場合によっては懲役刑）となります。

　そして「白切符」は，違反点数の加点はありますが，反則金はありません。白切符が適用される主な違反行為は，座席ベルト（シートベルト）装着義務違反，幼児用補助装置（チャイルドシート）使用義務違反，乗車用ヘルメット着用義務違反（二輪車のノーヘル），保管場所法違反（道路使用），保管場所法違反（長時間駐車）などです。点数はいずれも1点ですが，ゴールド免許取得者は取り消しになります。

　なお，「免許証不携帯」は白切符ではなく青切符です。違反点数はなく，反則金は3000円になります。

2. 自動車保険のしくみ

　自動車保険には，「**自賠責保険（強制保険）**」と「**自動車保険（任意保険）**」の2種類があります。

　自賠責保険は被害者の最低保障を確保するためのもので，任意保険は自賠責保険で足りない部分を補う保険です。ただし，任意保険でも補いきれない部分は加害者個人の負担となります。

1 自動車損害賠償責任保険とは

(1) 自動車損害賠償保障法と自賠責保険

　自動車の運行に伴って起きる人身事故（傷害・死亡）＝**人的損害**を補償するために，自動車損害賠償保障法（以下「法」）ではすべての自動車に対し強制的に保険に加入することを義務付けています。これが**自動車損害賠償責任保険**いわゆる「**自賠責保険**」です。

　交通事故の被害者は，加害者に損害賠償を請求するわけですが，加害者側に支払い能力がなければ支払ってもらえません。この保険は自動車事故の加害者が被害者に対して負う損害賠償責任のうち，最低限のものを保険会社が補填する保険です。

　また，自賠責保険は対人賠償に限られ，物損事故は保障されません。

> ① **死亡事故の場合**：合計3000万円まで（葬儀費，逸失利益，慰謝料）
> ② **傷害事故の場合**：合計120万円まで（治療費，休業損害，慰謝料等）
> ③ **後遺症が残る場合**：傷害事故の限度額の程度（1～14級）に応じて3000万円から75万円までとなり，神経系統・精神・胸腹部臓器に著しい障害を残して常時介護が必要な場合は4000万円（随時介護は3000万円）（逸失利益，慰謝料等）

(2) 任意保険と強制保険

　傷害事故では治療費を含め120万円が限度になるため，入院，手術となれば治療費だけで120万円を超えてしまうケースも珍しくありません。また死亡事故では自賠責は3000万円が限度ですが，被害者への補償額が億単位の金額になることもあります。

　さらに実際の自動車事故による損害は人的なものだけでなく，車両や積載物あるいは周囲のガードレール・電柱等の構築物などの物的な損害，いわゆる**物損事故**もあります。

　加害者にとって自賠責保険でまかないきれない場合，これら人損の自賠限度超過部分および物損部分の補償をカバーする目的で設けられているのが**任意保険**です（図表50）。いわば任意保険は自賠責の上乗せ保険といえるものです。

図表50　自賠責保険と任意保険の違い

	自賠責保険	任意保険
加入	法律によって車両の所有者に義務付けられている	任意に加入する
目的	最低限の補償を確保する被害者保護	自賠責保険の不足分を補うこと
保険料・補償内容	法令により定められている	自分で選択する
賠償範囲	対人賠償のみ	保険商品によって異なるが，対物賠償もある
示談交渉	自分でしなければならない	保険会社が代行するサービスがある

2 任意保険の種類

　任意保険は，契約した保険の内容によって次のような保障を受けることができます。

① **車両保険**：自分の車に破損が生じたときに支払われる
② **賠償保険**：対人賠償保険と対物賠償保険とがあり，対人保険は相手方に人身損害があったとき，自賠責保険の限度額を超える分に対して支払われる。対物保険は相手方の物損（車両破損など）の修理代に対して支払われる
③ **搭乗者傷害保険**：運転者または同乗者が事故によって死亡したり，後遺傷害やけがをした場合に支払われる
④ **その他の保険**：自損事故保険，無保険車傷害保険，人身傷害保険などがある

3 加害者請求と被害者請求

　保険金の請求は建前からいうと，加害者が被害者にいったん損害賠償金を支払った後，保険会社が契約者である加害者に損害填補として支払うというかたちが本来です。しかし自賠責では，その事故に関して加害者・被害者のどちらからでも保険金を請求することが可能です。

　加害者請求は，加害者が示談成立後被害者に賠償額を支払い，その額に応じた保険金額を保険会社に請求するものです。

　被害者請求（p.146）では，示談成立後に被害者が保険会社に請求する以外にも，示談成立前でも損害額が多大になることが明らかな場合，当面の費用として一部の保険金を保険会社から被害者が直接受け取ることができる**仮渡金制度**（p.143）が設けられています。

4 健康保険・労災保険との関係

　通常，医療機関では交通事故の治療費を自由診療扱いとして健保の1点10円よりも高く設定している関係もあって，自賠責保険による治療を優先させているのが一般的です。しかし，自動車事故による負傷者について，健康保険や労災保険で治療を行うことは可能です。法律上，交通事故患者を健保で扱ってはいけないという規定はありません。治療費が高額となる入院患者の場合，多くのケースで健保を使用しているようです。入院の場合は，治療費だけで自賠責保険の限度額（120万円）をオーバーすることが多いです。また，相手が任意保険に加入していない場合は，加害者，被害者の負担軽減を図るため，自賠責保険の限度額を超えた分について健康保険を使用することが多くなるようです。

　一方で，相手が任意保険の対人賠償保険に加入している場合，自賠責限度額を超える分については対人賠償保険から支払われることになり，健康保険を使わなくても加害者に負担が生じることはありません。また，患者本人に過失のある場合は，その過失割合に応じて負担が生じますが，これは，本人が人身傷害補償保険に加入していれば，過失相当分は補償されるので患者に負担が生じることは基本的にありません。

　なお，損害保険料率算出機構が2023年4月に示した，自家用乗用車の対人賠償保険普及率は，自動車共済と合わせると88.7％で，任意保険加入時に人身傷害補償保険にも加入しています。したがって，①相手が対人賠償保険に加入し，②患者が人身傷害補償保険に加入している場合は，入院治療費が高額な場合でも，相手，患者の双方に負担は生じないため，財政がきびしい健保を使用しないという選択肢もあります。

　また，通勤中，交通事故に遭った場合，自賠責と労災のどちらが優先されるのかという問題もあります。そもそも自賠責は国土交通省が管轄し，労災は厚生労働省が管轄しています。特に優先順位等はないと言われていますが，省庁間では「交通事故では労災保険より自賠責保険を優先する」といったことが定められているようです。そのため，労災保険を使おうと労働基準監督署に相談に行くと，自賠責保険を使うよう勧められることもあるようです。

　では，どのような場合に労災保険を使ったほうがいいのか事例を挙げてみます。

●**自分の過失割合が大きい場合**

　事故による自分の過失割合が大きい場合は労災保険を使ったほうがよいでしょう。なぜなら，自賠責保険では過失割合が7割を超えると，損害補償が減額されるという決まりがあるからです。し

自動車保険のしくみと請求　概要　しくみ　窓口対応　請求　治療費　交通事故　休業損害　後遺障害　慰謝料　レセプト

かし，労災保険にはこのような決まりがありません。そのため，このようなケースでは労災保険を優先して使ったほうがよいと判断できます。

●相手が無保険のとき，または自賠責保険にしか加入していないとき

　このような場合は，加害者に損害賠償請求をしても支払いが困難な場合が多く，治療費の単価，補償内容等を考えると労災保険を使用したほうがいい場合もあります。

　いずれにしても，複数の保険から**補償を重複して受けることはできません**。それぞれの法律では調整規定を設け，他保険から給付された部分については給付しないことを定めているためです。

| 豆情報 | 自動車対人賠償責任保険加入率のベスト5，ワースト5は以下のとおりです。 |

	加入率の高い都道府県		加入率の低い都道府県	
1位	大阪府	82.6%	沖縄県	54.8%
2位	愛知県	82.1%	島根県	59.5%
3位	神奈川県・京都府	80.3%	高知県	61.9%
4位	千葉県	79.4%	宮崎県	62.0%
5位	奈良県	79.2%	秋田県	62.7%

参考：損害保険料率算出機構「損害保険料率算出機構統計集. 2020年度版」

One point　歩行者優先と横断歩道

　日常的に自動車等を運転しているときに，横断歩道の手前で待っている人を見かけることがあると思います。運転手がそのまま横断歩道を通過した場合は，「横断歩行者等妨害等違反」になります。道路交通法では，歩行者優先の考え方から，横断歩道を横断していたり，これから横断しようとしたりする歩行者に対しては，車側が一時停止せねばならず，横断を妨げてはならないとされています。当然ですが，歩行者妨害は違反点数と反則金の罰則が規定されており，警察もきびしく取り締まっている交通ルール違反と言えます。

歩行者妨害の罰則・反則金・違反点数

	処分
罰則	3月以下の懲役又は5万円以下の罰金
反則金	大型車：1万2,000円 普通車：9,000円 二輪車：7,000円 原付車：6,000円
違反点数	2点

One point　自賠責保険による調査事務所

　自賠責保険では，数多くの請求に迅速かつ公正に対応するため，各保険会社で受け付けた請求について自賠責損害調査事務所が調査し，その結果に基づいて各保険会社が損害賠償額を決定します（調査事務所は，正式には「損害保険料率算出機構 自賠責損害調査センター」といいます）。

　同機構は，昭和23年法律第193号「損害保険料率算出団体に関する法律」に基づき設立された法人で，全国に地区本部，自賠責損害調査事務所を設置しています。

　調査事務所では，保険会社から送付された請求書類に基づき，自賠責保険の対象となる事故かどうかや，発生した損害の額などについて調査を行います。その後，調査結果を保険会社へ報告し，それを受けた保険会社は，その調査結果に基づいて支払額を決定，請求者に支払う——という流れになります。

　調査は，公平性・客観性を保つため，高度な専門的知識を要求されます。判断が困難な事案や異議申立事案などの「特定事案」については，「自賠責保険（共済）審査会」で審査が行われます。また，「特定事案」以外で判断が困難な事案については，調査事務所の上部機関である地区本部等で審査が行われます。

3．窓口での具体的対応方法

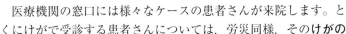

　医療機関の窓口には様々なケースの患者さんが来院します。とくにけがで受診する患者さんについては，労災同様，そのけがの**原因・理由を必ず確認する**ことが必要です。これを怠り健康保険扱いにした場合，あとから患者さんや保険会社等から「交通事故」との連絡を受ける場合があります。すでに保険請求をしてしまっているケースなどは，支払基金や国保連合会等にレセプト返戻理由書を記載して提出し，その後レセプトが戻ってきてから「自動車保険」に再請求することになります。また，保険を使った場合であっても，改めて患者さんに第三者行為について説明をするなどの手続きが発生します。さらに，窓口で徴収した負担金を返金するなど事務処理が非常に煩雑になります。そうならないようにするためには，はじめの窓口での傷病の確認が重要です。

　しかし，事務職員だけで確認をすべて行うには限界があります。そのため，医師・看護師等の診療スタッフに十分な協力をしてもらうことは必須です。診療中に交通事故あるいは労災によるけがで受診したことがわかった時点で，医事課に連絡がもらえる体制づくりが必要だと思います。

　では，実際にどのようなかたちで行うべきでしょうか。前述したように来院の受傷原因が交通事故とわかった場合，①**相手がいるのか**，②**警察に届出はしているのか**——最低この2点は確認しておきたいものです。

●相手がいない場合

　自損事故の場合，請求相手がいないため健康保険を使うことになります。ただし，健保組合等によっては事前に届出が必要な場合もあるため，あらかじめ患者さんに健保組合等へ連絡してもらいましょう。ひき逃げの場合も同様に請求相手がいないため健康保険を使うことになりますが，**政府保障事業制度***を使用することもできます。

　当該保障を受ける場合には，相手がいないためすべて自身で書類等をそろえなくてはなりません。申請書類はどこの保険会社でもよいことになっています。ただし，保障事業として認定されるまでひき逃げ事故が約4カ月，無保険事故は7カ月前後の時間を費やすといわれています。

*　**政府保障事業制度**
　　政府保障事業は，自動車損害賠償保障法に基づき，自賠責保険（共済）の対象とならない「ひき逃げ事故」や「無保険（共済）事故」に遭った被害者に対し，健康保険や労災保険等の社会保険の給付や本来の損害賠償責任者の支払いによっても，なお被害者に損害が残る場合に，最終的な救済措置として，法定限度額の範囲内で政府（国土交通省）がその損害をてん補する制度です。
　　なお，政府は，この損害のてん補をしたときは，その支払い金額を限度として，被害者が加害運転者等に対して有する損害賠償請求権を被害者から代位取得し，政府が被害者に代わって，本来の損害賠償責任者に対して求償します。

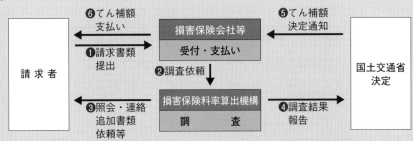

●警察への届出と事故証明

　自賠責保険を使用する場合，警察から発行される「**事故証明**」が必要となります。患者さんには必ず警察に届けるように伝えなければなりません。また，よくあることですが，事故当日は体に異常がないため医療機関に受診はせず，警察に物損事故としての届出を行い，数日後に具合が悪くなって医療機関に受診をした場合にも，必ず警察に受診した旨を連絡する必要があります。

　ここでは具体的にケーススタディで紹介します。

> **窓口対応例1　交通事故の典型的な応対**
>
>
>
> 患者「首が痛いので整形外科へ受診したいのですが」
> 職員「原因は交通事故とかお仕事中のものですか」
> 患者「仕事中ではないです。2日前に交通事故にあい，そのときはなんでも
> 　　　なかったのですが，今日になって痛み出しました」
> 職員「事故の際，警察には届け出られましたか」
> 患者「はい。病院にかかった場合は診断書を持ってくるように言われました」
> 職員「わかりました。診断書については受診していただいた後，担当医からお渡しします。交通
> 　　　事故で受診された場合の治療費についてご説明をさせていただきます。交通事故の場合，
> 　　　患者さんご本人が自費で支払われる場合，保険会社が一括して支払う場合，健康保険を使
> 　　　用してお支払いいただく場合——がございます」
> 患者「初めてのことなので，どの方法がいいのかわからないのですが」
> 職員「健康保険をご使用になられる場合には，患者さんから保険者に第三者行為による傷病届を
> 　　　提出する必要があります。また，担当の保険会社が明確な場合には，保険会社に一括して
> 　　　支払ってもらう方法が一般的です」
> 患者「保険会社は○○火災海上保険です」
> 職員「そちらの電話番号，担当者のお名前はわかりますか」
> 患者「電話番号はわかりますが，担当者まではわかりません」
> 職員「こちらから保険会社へ連絡をしても構いませんか」
> 患者「お願いします」
> 職員「それでは診察を先に受けてきてください。その間に連絡をしておきます」
> 　（患者さんは受診，職員が保険会社に連絡……）
> 職員「保険会社と連絡を取りましたところ，保険会社が一括して支払いをするとのことでした。
> 　　　正式な契約は後日文書で交わさせていただきます」
> 患者「ありがとうございました。それでは窓口で支払いをしなくてもよろしいのですね」
> 職員「はい。当院から1カ月ごとに保険会社へ直接請求させていただきます。その際，保険会社
> 　　　から同意書（患者様が記載したもの）をいただきます。確認後，診断書・明細書を保険会
> 　　　社へ送付させていただきますが，いかがでしょうか」
> 患者「結構です」
> 職員「わかりました。お大事に」

> **窓口対応例2　入院事例で，自賠責だけになる可能性がある場合の応対**
>
>
>
> 職員「○○さんですね。医事課入院係の者です。手術も無事終了し，ようや
> 　　　く落ち着かれたところで申しわけございませんが，お会計のことでご
> 　　　相談させてください」
> 患者「はい。私も心配していたところです。お願いします」
> 職員「交通事故での受傷とうかがっておりますが，それでよろしいでしょうか」

患者「そうです」

職員「事故後に救急車で病院に来院されたと思いますが，交通事故の手続きはされましたか」

患者「その際は痛みがひどかったので事故の大まかな説明と，相手の連絡先のメモをもらっただけです」

職員「相手の方に連絡は取りましたか。また，診断書など警察へ届けていますか」

患者「はい。診断書は昨日家族の者に渡し，警察に届けさせました。それと，相手方は自分の入っている保険会社がわからなかったということで，明日までにまた連絡をくれることになっています」

職員「そうですか。保険に入っているようでしたらあまり問題はないと思いますが，自賠責保険と任意保険のうち，自賠責保険だけの場合はあとで確認が必要な事項が出てくるかもしれません。もし，自賠責保険をご使用されると連絡が入った場合は，会計に連絡をいただけますでしょうか」

患者「なぜですか」

職員「はい，自賠責を使用した場合，支給限度額というものがあります。その金額は治療費や慰謝料，その他の費用を含めて総額120万円までと決められています。例えば，病院に入院して1日4万円程度かかるとすると，単純に30日間で支給限度額に達してしまいます。その後の費用はすべて相手の方が私費で負担するようになります。あるいは○○さんにその負担がかかってくるケースもあります。任意保険があればそのような限度額がないので問題ないのですが」

患者「冗談じゃない。私には過失がないんだよ」

職員「そうですね。ですからそのような場合に備えて，相手の方と十分に話し合いをしておかれたほうがいいと思います」

患者「わかりました。とりあえず相手とよく話をしてみます」

職員「ご不明な点がありましたらまたうかがいますので，ご連絡ください。お大事に」

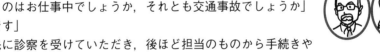

窓口対応例3　第三者行為による傷病届が必要となる場合の応対

患者「事故でけがをしたのですが，診察をお願いします」

職員「事故というのはお仕事中でしょうか，それとも交通事故でしょうか」

患者「交通事故です」

職員「それでは先に診察を受けていただき，後ほど担当のものから手続きや会計について説明させていただきます」

（患者さんは受診……）

患者「診察が終わりました。交通事故での手続きについておうかがいしたいのですが」

職員「わかりました。まず事故の際，警察に届出をしていますか」

患者「はい。手続きしています。このあと診断書を持っていくように言われています」

職員「相手の方とは病院での治療費についてお話をされていますか」

患者「事故の際，相手が逃げ去ってしまい，今のところ不明なんです」

職員「そうですか。それではまず費用の説明からさせていただきます。今日の費用は，診察料，レントゲン，薬，診断書を含めまして，全部で2万3500円になります」

患者「ずいぶん高いですね。保険は使えないのですか」

職員「交通事故は原則としては自由診療の扱いになります。交通事故の治療費は，自賠責保険や任意保険から支払われるからです」

患者「でもそれは相手がいる場合ではないのですか。保険診療と自由診療ではどのくらい違うのですか」

自動車保険のしくみと請求

概　要
しくみ
窓口対応
請　求
治療費
交通事故
休業損害
後遺障害
慰謝料
レセプト

職員「当院では，交通事故の金額を健康保険に定められている診療報酬点数の200％と決めております。でも，まったく保険が使えないわけではありません」

患者「相手方がいないし，自分の保険を使いたくもないし，できるだけ支払いが負担にならないようにしたいのですが」

職員「はい。健康保険に加入していらっしゃるので，保険者に第三者行為による傷病届を提出すると健康保険を使用することができます。そうしますと，今日の医療費は概ね3500円くらいになると思います」

患者「それは助かります。その書類はどこにありますか。手続きはここでできるのですか」

職員「いいえ。書類は各自の加入している保険者が用意していますので，お勤め先かあるいは区市町村の役所にあります」

患者「わかりました。会社に確認してその申請をしますので，それまでの間少し会計の手続きを待っていただけますか」

職員「はい，結構です。それでは後日会社の書類申請手続きが終わりましたら，必ずこちらの担当者に連絡をしてください＊。よろしくお願いします」

患者「ありがとうございます」

職員「お大事に」

　＊第三者行為による傷病届を保険者に提出した後，病院への受理連絡や患者さんへの証明書発行などがありません。保険者に提出後の確認を取ることが必要ですので注意してください。

One point　複数カ月診察がなかった場合の窓口対応

　交通事故で受傷して治療を行ったあと，医師からの治癒または症状固定等の診断をされないまま 2 カ月以上経過して，再度交通事故で受傷した部位に対する治療に来られた場合，受付としては，まず診療録を確認して，医師の指示がどのように記載されているか (例えば「次回診療日は 1 週間後」など)――を必ず確認して下さい。医師の指示があるにも関わらず受診をしていなかった場合は，患者さんから直接保険会社に連絡してもらうようにしましょう。診療費請求のトラブル防止に繋がります。

One point　事故の被害者である患者さんへの対応

　交通事故で負傷した患者さんが搬送されてきた場合，医事職員は，何を患者さんに説明しなければならないのかを理解しておかなければ，トラブルの原因になる場合もあります。例えば，患者さん自身の被害者意識が強いケースでは，治療費の話をしただけで激怒されてしまうこともあります。

　ここで注意をしなければならないのは，事情は理解しているけれど，治療は患者に対して行うものであるため，医療機関としてはその治療に対して費用を請求することになる旨をしっかりと説明しましょう。そうでないと，結果的に医療機関が患者さんと相手，または保険会社の間に入って調整をする役割を担うことになるおそれがあります。

　また，相手方がいた場合であっても，治療費の説明は患者さんに伝えることを原則とします。患者さん自身が相手に支払いを要求し，結果的に相手側が支払うことになったとしても，あくまでも医療機関側は，患者さんに請求することが原則です。

　なお，所持金等がなく全額治療費を支払ってもらえない場合，支払方法が決まるまで「一時預り金」というかたちで，一定の金額を預かる方法をとっている医療機関が多いようです。なかには，預かり金さえも拒否するケースがありますが，我々医事職員ができることは，①まず患者さん自身を落ち着かせること，②言い分は十分に聞くこと，③そして，落ち着いた段階で治療費等の説明をすること――です。

　一方，入院の場合は，入院当日もしくは翌日には，交通事故の当事者や保険会社等から連絡が入ることが多く，治療費等の説明は後日，支払いの件も含めて説明することが可能であると思います。

4．交通事故医療費の請求方法

1 自賠責保険の診療費算定基準

　1989年に**日本医師会**は**日本損害保険協会**および**自動車保険料率算定会**（現・損害保険料率算出機構）と協議を行い，**自賠責の算定基準**（通称「新基準」）を労災保険診療費の算定基準に準じるかたちで取り決めました。この基準は三者間の申し合わせです。その採用は各都道府県ごとの三者協議に委ねられています。また，都道府県で採用された場合でも，新基準を選択するかは医療機関が決めることになっています。

　新基準は自賠責保険の診療費を，労災保険の算定基準に準拠させ，薬剤など「モノ」についてはその**単価を12円**とし，その他の技術料はこれに**20％を加算した額**を上限とするというものです。

2 自賠責保険の請求手続き

　損害賠償の請求は，損害賠償の支出を保障するものであるため，加害者請求が原則となっています。

　しかし，加害者が不誠実であったり慰謝料等で折り合いがつかず示談が成立しない場合，または示談が成立しても加害者が被害者に損害賠償金を支払わない場合などもありえます。このようなときの救済処置として，被害者が事故によって困窮しないように保険金が支払われるまでの期間に対して**仮渡金，内払金**を支払う方法があります。

(1) 仮渡金の請求

　被害者が死亡またはけがなどによって11日間以上の治療が必要であって，加害者から損害賠償の支払いを受けていない場合，当座の医療費・生活費・葬儀費などに充てるため，被害者の請求で支払われる保険金です（法第17条）。治療期間が10日以内の場合は対象になりません。

　被害者1名について，1991年4月1日以降の事故の場合，**死亡290万円**，それ以外は傷害程度に応じて**40万円・20万円・5万円**の3段階に分けられています。

●仮渡金40万円が支払われる場合
　ア　脊柱の骨折で脊髄を損傷したと認められる症状を有するもの
　イ　上腕または前腕の骨折で合併症を有するもの
　ウ　大腿または下腿の骨折
　エ　内臓の破裂で腹膜炎を併発したもの
　オ　14日以上の入院が必要な傷害で医師の治療期間が30日以上要するもの

●仮渡金20万円が支払われる場合
　ア　脊柱の骨折
　イ　上腕または前腕の骨折
　ウ　内臓の破裂
　エ　入院が必要な傷害で医師の治療期間が30日以上を要するもの
　オ　14日以上の入院が必要な傷害

●仮渡金5万円が支払われる場合
　11日以上医師の治療を要する傷害（上記ア〜オに掲げる傷害を除く）を受けたものが対象です。
　仮渡金の請求時に必要な書類は，以下のとおりです。なお，①仮渡金支払請求書，③事故発生状況

自動車保険のしくみと請求

概　要
しくみ
窓口対応
請　求
治療費
交通事故
休業損害
後遺障害
慰謝料
レセプト

報告書，④医師の診断書，⑥委任状——などは，保険会社に所定の用紙が用意されています。

① 仮渡金支払請求書
② 交通事故証明書
③ 事故発生状況報告書
④ 医師の診断書または死体検案書（死亡診断書）
⑤ 保険金などの受領者が請求者本人であることを証明する印鑑証明
⑥ 委任状および委任者の印鑑証明（事故の内容によっては不要となる）
⑦ 戸籍謄本（死亡事故の場合のみ必要）

(2) 仮渡金についての具体的説明方法

仮渡金の請求を希望する患者に対するケーススタディを紹介します。

窓口対応例1　外　来

患者「治療費は診療のつど，お支払いするということですが，毎回の支払い が高額になってしまうと，経済的に厳しく支払いが滞ってしまうかも しれません。その場合，請求を保留にしていただけるのでしょうか？」

職員「病院としては，診療のつどお支払いをお願いしたいのですが」

患者「給料日までに当座をしのぐ方法はないでしょうか？」

職員「そうですね，保険会社に連絡を取り，治療費の一部を先に受け取る制度があります。患者 さんの治療費を請求する際には，段階に応じて仮渡金請求，内払金請求，本請求という3 つの請求方法があります。そのうち，仮渡金請求を利用することができれば，治療費の支 払いに充当できると思います」

患者「ローンのような制度でなければ，利用したいのですが」

職員「仮渡金請求は，当座の費用が必要な場合，まとまったお金を受け取ることができるもので す。しかし，請求は1回のみです。手続きは，医師に仮渡用の診断書を記載してもらい自賠 責支払請求書とともに提出すると，保険会社から1週間程度で被害の程度に応じた金額が 支払われます」

患者「私の場合，どの程度でしょうか？」

職員「治療に11日以上要する場合は5万円，入院を14日以上要する場合や入院を要し，治療に30 日以上要する場合が20万円となっているようです。その他にもありますが，最近はこの2 つに限定している保険会社も多くみられます。ただし，最終的にかかった治療費よりこの 金額が多い場合は，差額分を保険会社へ返金することになります。また，事故の状況から 加害者に過失がない（無責）と判断された場合は全額返金となりますので，注意が必要で す」

患者「20万円立て替えてくれるなら助かりますね」

職員「しかし医療機関によっては，この請求手続きを好まない場合もあります」

患者「なぜですか？」

職員「保険会社から仮渡金の金額を受領した後に，病院へ治療費の支払いをせず，行方をくらま してしまう悪質なケースがあるからです。その場合，病院側が本請求（治療費全額）をし た際に，保険会社は支払いをしてくれません。仮に患者さんが20万円受領していると，病 院の本請求が30万円の場合，差額の10万円が支払われて終了となります。制度を悪用され ると，病院側が制度の利用に対し消極的になるというわけです」

患者「なるほど，それは困りますね。ありがとうございました。担当の医師に治療期間について うかがってみます」

③ 任意保険の請求手続き

(1) 任意保険による「一括払い」

　通常の場合，医療機関で発生する医療費は，治療を受けた患者さんまたはその患者さんの加入している保険者に請求することになります。しかしながら交通事故の場合は，事故の加害者に直接，あるいは加害者の加入している自賠責保険もしくは任意保険の保険会社に対して請求となる場合もあります。

　現実に最も多いと思われるケースは，**任意保険の保険会社**が医療機関の治療費もその後の慰謝料などとまとめて支払う通称「**一括払い**」（任意一括，もしくは一括とも）といわれるスタイルです。強制保険と任意保険の会社が同じでも，あるいは異なった会社でも任意保険が自賠責保険を立て替えることにより一括で処理することが可能となります。

　この場合，保険会社から医療機関に対して「一括でお願いします」という連絡がきます。その場合，今後の治療費等については，任意保険とやりとりすることになります。保険会社によっては，治療費の減額要求や支払いの引き延ばし等をしてくる場合もあり，そのため事前に条件等を十分に話し合っておくことも必要とされています。

　また任意保険の会社では治療後の慰謝料等に割く金額をより多く確保するために，治療費部分を少しでも抑えようとします。医療機関では交通事故の場合１点単価を20円とか，場合によっては30円などで計算しますので，健康保険のほうが安くすみます。**健保で治療するかどうかは被保険者次第**ですので，保険会社は被害者に健康保険を使って治療してもらうよう勧めることもあります。

　被害者（患者）から健康保険を使用したいという申し出を受けた場合，医療機関では，被害者である被保険者自身が「**第三者行為による傷病届**」を加入している保険者に出す必要があることを説明しなければなりません。

④ 第三者行為による傷病届

　前項のような保険会社の勧めによる場合だけでなく，被害総額が非常に高額になりそうな場合や被害者側にも相応の過失がある場合，あるいは加害者が任意保険に入っていない場合など，治療費を健康保険でまかなったほうが後で被害者に有利になるケースもあります。

　保険事故の原因が患者さん本人の責任によるものでなく相手が原因で引き起こされた場合は，その相手は患者さんに対して損害を賠償する義務を負っています。

　保険者がそのような第三者の行為によって生じた傷病について被保険者である被害者に対して保険給付を行ったときは，その給付した額を限度に被害者の有する加害者に対する損害賠償請求権が保険者に移行することになります。

　そのために，第三者行為による傷病で保険給付を受けようとするとき，被保険者は「**第三者行為による傷病届**」を保険者に対して提出する必要があります。

　通常の支払方法との違いを図表52に示しておきます。

　また参考までに，交通事故・自動車保険関係の必要書類（例）を挙げます（図表53〜63）。

　医療機関ではこのような交通事故等の第三者の不当行為による傷病に対して保険診療を行った場合は，レセプトの「特記事項」欄に10番コードの「**第三**」を表示することになります。

　健康保険を使用した場合，**医療機関が自賠責様式の診断書や診療報酬明細書を発行する義務はありません**。患者が健康保険を使うと，医療機関は健康保険法の規定に従って診療報酬明細書を作成し，健康保険の保険者に診療費を請求します。したがって，診療報酬明細書と自賠責診療報酬明細を二重に発行することはできません。また，自賠責診断書についても，作成義務はありません。

　健康保険を使って治療を行うためには，健康保険組合に「第三者行為による傷病届」を提出し，健康保険を使用することについて了承を得る必要があります。これは，あとで健康保険組合から加害者

自動車保険のしくみと請求

概　要
しくみ
窓口対応
請　求
治療費
交通事故
休業損害
後遺障害
慰謝料
レセプト

（または加害者加入の保険会社）に治療費を請求するためです。この方法は，治療のつど，病院の窓口で治療費の自己負担分を支払わなければならず，経済的負担が生じます。

　自由診療であれば，治療費は相手方の任意保険会社が病院に直接支払う「**一括対応**」にできますが，健康保険診療の場合は，それができなくなってしまいます。なぜなら，健康保険法において，医療費の自己負担金（一部負担金）は患者が医療機関の窓口で支払うよう義務付けられているからです。この原則は，交通事故による怪我の治療に健康保険を使う場合にも適用されます。

　したがって，普段，病院にかかるときと同じように，**通院のたびに，窓口で自己負担分を支払わなければなりません。**

5 被害者請求と医療費の受任請求

　任意保険の一括とならない場合，たとえば加害者が自賠責保険にしか入っていない場合などは，先述の加害者請求や被害者請求の方法があります。多くは当座の治療費支払い，生活費の確保等の被害者保護の観点から，示談成立前でも可能な被害者による直接請求となります。

　医療機関側からすると，加害者や被害者の支払い能力に不安を抱くような場合もあります。健康保険と異なり個人が相手のため，請求書を出せば確実に入金するという保証がありません。そのような際，被害者請求であれば，被害者から賠償額の請求・受領の権利を医療機関が委任を受けることも可能です。患者である被害者から委任状をもらい，医療機関が保険会社に医療費を直接請求する方法で，**医療費の受任請求**といいます。

　ただし，自賠責保険の限度額は120万円のため，大半を治療費に充当してしまうと，後で被害者が慰謝料・賠償等を自賠責保険から受け取れなくなってしまうことも考えられます。よく患者さんと相談をし納得してもらったうえで委任を受ける必要があります。

One point 保険会社との対応例

　交通事故により発生した治療費は，一般の傷病と同様に患者さんから徴収することが原則です。ただし，加害者側の保険会社に治療費を請求することが多いと思われます。通常，事故当日もしくは翌日等に，保険会社から医療機関に治療費の請求の連絡を入れます。例えば，「○○日に発生した事故の△△さんの治療費を『一括』で□□保険に請求お願いします」のような感じです。

　その場合には，治療費の請求は患者さんから保険会社に移行することになります。ただし，①治療費を請求しても入金が遅いこと，②途中から治療費の減額を要求してくること，③健康保険扱いに変更してほしいと言ってくることに留意する必要があります。

　そのため，図表51のような確約書などを使う方法もあります。これは保険会社から電話があった時点で，FAXでこの確約書を送信し，保険会社の担当者と「治療費の単価・室料差額料金・入金日」などを明記し文書でやりとりすることにより，入金処理をスムーズにするとともに減額要求の防止を目的とするものです。

One point 自賠責保険と任意保険の過失相殺の違い

　自動車保険には，自賠責保険（強制保険）と任意保険がありますが，それぞれの保険で過失相殺の割合に違いがあります。

　強制保険である自賠責保険は，自動車を購入した時点で必ず加入しなければならない保険であるため，社会保障的要素が強い保険です。そのため，被害者側に相当の過失がなければ過失相殺されることはないようです。一方，任意保険は，万が一のために加入する保険であり，自賠責保険とは異なり非常に細かく過失割合を算出しています。そのため，僅かでも過失が被害者にあると判断された場合は，過失相殺が行われるようです。

図表51　保険会社向けFAX確約書

自賠診療費一括請求申し込み兼治療費確約書

　当院では，交通事故による治療費一括依頼を受ける場合に連絡ミス等をなくすためFAX通信による一括申し込みを行っています。貴社より治療費の一括依頼を受けた場合，当院から診療申し込み兼確約書をFAXさせていただきますので，趣旨をご理解いただいた場合には，必要事項を記入の上，下記の担当者までFAXいただきますようお願い申し上げます。

【当院での自賠取扱要領】

【記載方法】
　下記の太枠のみにご記入の上，FAXにて送信お願い致します。
【治療確約書】
診療単価⇒1点○○円
室料差額（1日につき）⇒

特別室	円	個室B	円	二人室A	円
個室A	円	個室C	円	二人室B	円

※病状または一般病室が満床の場合に使用する場合もあります。
【請求について】
　原則として診断書・明細書は毎月請求させていただきます。
　つきましては，請求後1カ月以内に入金処理して頂けますようにお願い致します。
【受領額がある場合】
　すでに一部でも治療を受領している場合は，特記事項に余額を記載しています。
　ご請求時には請求額から受領額を相殺して請求させていただきます。
【治療終了時】
　貴社に患者サイドから治療・中止等の連絡があった時点で，請求関係上，当院にご一報下さい。

── この太枠内にご記入ください ──

患者氏名		生年月日	MTSH
患者住所			

支払い者	会社名	
	住　所	〒
	担当者	☎　　　（　　　）

── 当院の記載事項（この枠内には記載しないでください）──

ID番号		診察	科目	科	科	科
一括開始日			受領	円	円	円
保証金	円	預かり日		被害者・加害者		

【特記事項】

図表52　治療費の請求・支払いの仕組み

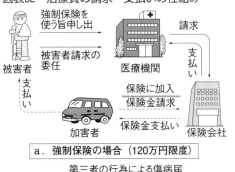

a．強制保険の場合（120万円限度）

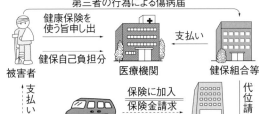

b．健康保険を利用する場合

図表53　第三者行為届の提出説明文

第三者行為による傷病届の提出について

　自動車事故，けんか等の第三者の不法行為により受傷し，健康保険証を使用した場合は，別添の「第三者の行為による傷病届」等をすみやかに提出いただくこととなっています。
　ついては，下記の事項にご留意のうえ提出してください。

記

1．捺印もれのないようご注意ください。（4か所）
2．自動車事故の場合は，人身事故の交通事故証明書（原本）を添付してください。
　　（自損事故，加害者不明等の場合を含みます）
3．「自動車損害賠償保険契約等の内容について」は，加害者から聞いて記入してください。
4．交通事故の場合は，「事故発生状況報告書」（様式11号）を正しく詳細に記入してください。
5．診断書については「治療を受けている医療機関で記入したものを提出してください。
6．「念書」（様式12号）は，よく読んで記入捺印してください。
7．「負傷原因届」も詳しく記入してください。
　なお，不明な点等については下記までご照会いただきますようお願い申し上げます。

自動車保険のしくみと請求

概　要
しくみ
窓口対応
請　求
治療費
交通事故
休業損害
後遺障害
慰謝料
レセプト

図表55　第三者行為による傷病届②

（様式第3号）
（その2）

加保 害険 者の	責任保険加入の 有　　無		あ る・な い	
加入状況 自動車	保険加入証明号 記号番号	第　　　　号		
	契約保険会社	名　称		
		所在地		TEL（　　）
示談状況	示 談 が 成 立	令和　　年　　月　　日	自　令和　　年　　月　　日 至　令和　　年　　月　　日	請求権を放棄した
	交　渉　中	令和　　年　　月　　日現在		
	成立していない	放棄し た理由		
	示談が成立し ていない理由			
損害賠償	自動車事故のとき保険会 社から賠償金の受領額	示談（請求者名　　　　　）・した（　　）・しない　　請求中		円 円
	加 害 者 に 対 す る 損 害 賠 償 の 請 求	していない・した　口頭・文書（　年　月　日）		円
	損害賠償の額	加害者直接賠償・保険会社からの賠償		
	賠償金の内訳	医　　療　　費 （入院費を含む）	自　令和　　年　　月　　日につき 至　令和　　年　　月　　日分　計	円
		休 業 補 償 費		円
		葬　　祭　　料		円
		慰　　藉　　金		円
		見　舞　費		円
		障 害 補 償 費		円
		そ　の　他		円
		合　　　計		円
第三者（加害者）からの損害賠償をうけたとき及び支払状況	額	令和　　　　第1回		円
	割	第2回		円
	受領方法 分（　　）回払	第3回		円
	および年月日	年　月　日受領 　年　月　日受領 　年　月　日受領		

図表54　第三者行為による傷病届①

○該当文字を○でかこみ、必要事項を記入してください。

健康保険　第三者の行為による傷病届

（その1）

本人・家族

被保険者	被 保 険 者 証 記 号 と 番 号	記号	第　　　号		印
被害者・加害者	被害者が勤務して いる事業所	名　称			
		所在地		TEL（　　）	
	被扶養者がうけた 事故であるとき	氏　名		被保険者 との続柄	
加 害 者	氏　名		生年月日　明大昭平 　　年　月　日		
	現住所		TEL（　　）		
関係	加害者の勤務先	名称又は 氏　名	所在地 又は現住所	TEL（　　）	
	加害者の住所氏名 が判らないときは	その理由			
事故	傷 病 名				
	発 生 の 場 所				
	発　生 年月日	令和　　年　　月　　日 午前・後　　時　　分頃			
	種　　別	自動車事故・バイク事故・自動車事故・殴打・刺傷・その他（　　）			
	事 故 結 果	即死・入院後の死亡（死亡　年　月　日）・治療 入院中の死亡			
	警察官の立合	あった・ない・ないが届出済・わからない			
	所　轄　署	警察署	派出所		
内容	過 失 の 度 合	自分がなんぶ 0,1,2,3,4,5,6,7,8,9,10	相手がなんぶ 0,1,2,3,4,5,6,7,8,9,10		

この届に添えて
　自の事故とき
　動車は

1	自動車事故証明書
2	事故発生状況報告書
3	診断書
4	死亡の場合は戸籍謄本 および死亡診断書
5	示談をしているとき は示談書の写

提出する書類

受付日付印

図表57　念書

(様式第12号)

念書

令和　年　月　日　（場所）　　　　　　において

（加害者氏名）　　　　　　の不法

行為により　　　（被害者氏名）　の被った傷病について、健康保険法による保険給付を受けた場合は、私が加害者に対して有する損害賠償請求権を健康保険法第57条の規定によって、○○○○が給付の価額の限度において取得行使し、かつ賠償金を受領することに異議のないことを、ここに書面をもって申立てます。

なお、あわせて、つぎの事項を遵守することを誓約します。

1. 加害者側と示談をおこなう場合は、必ず前もって貴職にその内容を申し出ること。

2. 加害者に白紙委任状を渡さないこと。

3. 加害者側から金品を受けたときは、受領月日、内容金額（評価額）をもれなく、かつ遅滞なく貴職に届出ること。

令和　年　月　日

　　住所

　　氏名　　　　　　　㊞

○○○○○○○○殿

図表56　第三者行為による傷病届③

この事故で医師の治療をうけましたか		うけた・うけない
治療をうけたときの状況	医療機関	名称
		所在地　　　　TEL（　　）
	支払方法	健康保険・加害者負担・自費・その他（　　）
	治療開始	令和　年　月　日
	転帰	（令和　年　月　日　現在）現在入院中・通院加療中・治癒・中止
	入院治療機関	入院　自　令和　年　月　日〜至　令和　年　月　日
		通院　自　令和　年　月　日〜至　令和　年　月　日
	後遺症	ある・ある見込・ない・ない見込
	治療見込	令和　年　月　日から約　月ぐらい

この欄は記入する必要ありません

種別	保険金額	給付内訳	支給年月日	備考
療養の給付	円	自　　　日間 至		
療養費	円	マッサージ、コルセット 柔道整復施術所、輸血		
傷病手当金	円	自　　　日間 至		
	円			
	円			
合計	円			

自動車保険のしくみと請求

概要
しくみ
窓口対応
請求
治療費
交通事故
休業損害
後遺障害
慰謝料
レセプト

図表59　第三者行為による傷病届について

第三者行為による傷病届について

故意または過失によって他人に損害を与えた場合、その損害を賠償する責任が生じます。これを第三者の不法行為といいます。

この損害を賠償する責任は、刑事責任（業務上過失傷害罪）・行政責任（免許取消し・停止）とは別に、民事上の損害賠償責任に当たります。（民法第709条）

この第三者の不法行為（交通事故）により負傷された方は、その治療費を加害者（不法行為者）から損害賠償として受けることと、国民健康保険の保険給付として受けることのいずれかを選択することができます。

本来、第三者の不法行為（交通事故）によって生じた負傷について加害者から受け負担すべきものですので、治療に要する費用を国民健康保険の保険給付として受けた場合は、国民健康保険法第64条に基づき、その給付の価額の限度において被害者（○○区）

保険者（被害者）が第三者に対して有する損害賠償の請求権を保険者（○○区）が代わりに取得し、加害者に損害賠償請求（求償）します。

ただし、保険者（○○区）は、国民健康保険法第60条等の規定により、故意の犯罪行為・闘争・泥酔・著しい不行跡などによる負傷等の給付制限に該当する場合には、保険給付を行わないこともあります。

・提出していただくもの

(1)第三者行為による傷病届	(2)事故発生状況報告書
(3)確認書（被害者用）	(4)交通事故証明書（原本・写し）
(5)損害保険関係書類（加害者加入）	(6)誓約書（加害者用）
(7)示談が成立している場合は示談書の写し	(8)その他、参考になるもの

・提出先

○○区役所国民健康保険課保険給付係　担当　○○
℡123-4567　○○区○○○○○1－1－1（ダイヤルイン）
TEL 0000－1234

図表58　健康保険負傷原因届

健康保険負傷原因届

健康保険証　記号　　　　番号

被保険者氏名　　　　　　㊞

被保険者住所

被保険者電話番号（　）　　日中の連絡先（　）

記入した方　被保険者本人　被扶養者（氏名）

負傷日時　令和　　年　　月　　日　午前・午後　　時ごろ

負傷場所　1.会社内 2.路上 3.駅構内 4.自宅 5.その他（　）
「2.路上」「5.その他」の場合　　市(都) 町(都)　番地

負傷したときの状況　1.出勤途中 2.業務中 3.勤務中の休息中 4.社用外出中 5.退勤途中（自宅直行・寄り道等あり）6.私用中 7.その他

負傷原因

事故　第三者の行為によるものですか？【はい・いいえ（自損行為）】
「はい」の場合、相手は？（相手判明・相手不明）
相手に治療費を請求しますか？（する・しない）
・追突される ・相手判明（相手不明）
・はねられる ・車同士の衝突 ・助手席に同乗
・その他 ・その他
2.自損行為

通勤経路（行きの場合→）
自宅 → □ → 会社
（←帰りの場合）
後　徒歩・自転車等

治療経過　令和 年 月 日～令和 年 月 日 1.治癒 2.治療中 3.中止

※下記欄は業務上および通勤災害の場合のみ事業主が記入してください。

労災　災害確認の有無　有・無　社員総数　　名　業務内容
（無いときはその理由）　有・無　理由

上記、本人の申し立てどおり、1.業務上 2.通勤災害に相違ないことを認めます。

事業所所在地

事業所名称

事業主氏名　　　　　　㊞

図表61　確認書

令和　年　月　日　　　　　　　　　　　　　　　　　において、

の不法行為により

確　認　書

被った保険事故について、国民健康保険の保険給付を受けた場合は、私が加害者に対して有する損害賠償請求権を国民健康保険法第64条第1項の規定により保険者が給付の価額の限度において取得、行使、かつ賠償金を受領することに異議のないことをここに申立てます。

令和　年　月　日

住所　〇〇区

氏名　　　　　　　　印

東京都〇〇区長殿

図表60　第三者行為による傷病届

第三者行為による傷病届

令和　年　月　日

（あて先）
　　　　　区長

住宅
世帯主
氏名　電話（　　）　　　　印

次のとおり関係書類を添えて届けます。

被保険者証 記号・番号		被保険者 （被害者） 氏名	大・昭・平　年　月　日生
事故発生 年月日	令和　年　月　日　午前 午後　時頃	世帯主 との続柄	職業
事故発生 場所			
事故の原因	交通事故・その他		

第三者 （事故の 相手）	氏名		職業	
	住所		電話（　　）	
	勤務先（事故が 業務中の場合） 事業所名		代表者名	
	所在地		電話（　　）	

損害 賠償	示談成立 の有無	有 無	令和　年　月　日成立 令和　年　月　日受領	現在まで でに受け 損した者の 賠償金	□加害者から直接受領 □加害者の自賠責保険から受領 □加害者の任意保険から受領 □受け取っていない 内訳	円

傷害 及び 傷病の 程度 （記入）	交診中の状況				

治療を 受けた 医療 機関の 名称	所在地		初診日	令和　年　月　日	
	名称	電話（　　）		療養 見込み 期間	□入院 □通院	日から使用 日間
	所在地			国民健康保険 使用の有無	□使っている □使っていない	日
	名称	電話（　　）		療養 見込み 期間	□入院 □通院	日 日間

第三者 の自賠 責保険 又は自 動車任 意保険	保険会社名			保険取扱店名		
	保険契約者名			担当者名・電話	電話	
	自動車ナンバー			保険会社名・電話		
	保険証明書番号			保険証番号		

注意：交通事故の場合、この届書と同時に次の書類を提出してください。　1　自動車安全運転センターで発行する事故証明書　3　念書
4　示談が成立しているときは示談書の写　5　損害賠償請求権が免除等の理由により消滅しているときはその書面

自動車保険の
しくみと請求

概　要
しくみ
窓口対応
請　求
治療費
交通事故
休業損害
後遺障害
慰謝料
レセプト

図表63　加入保険会社記載書

国民健康保険証記号番号　　－　・　　　　　けがをした人

相手の方の自動車保険及び賠償方法について

◎ 自賠責保険関係

加入保険会社

自賠責保険	保険証明書番号	
	契約保険会社	名称
		所在地　〒
	保険契約者	住所
		氏名
	車登録番号	種号

請求の有無（該当の番号を○で囲んでください。）

1 請求済　　2 未請求　　3 未請求－請求書類付

◎ 任意保険関係

加入保険会社

任意保険	保険証明書番号	
	契約保険会社	名称
		所在地　〒
	保険契約者	住所
		氏名
	求償先……	支店・SC　（担当者）
		（電話　（　　）　　）（事故番号）
	その他	

◎ 賠償方法について

A 自賠責保険しかないので、限度額を超えたら過失に応じて支払う。

B 任意保険のある場合の賠償方法（該当の番号を○で囲んでください。）

1 任意保険の一括払

2 自賠責保険限度額を超えた後に任意保険払

図表62　誓約書

誓約書

貴区の国民健康保険の下記被保険者が受けた保険給付は、私の不法行為（交通事故、傷害事故）に基づくものですので、次の事項を遵守することを書面をもって誓約します。

1. 保険給付確定時に損害賠償金（国民健康保険給付分）を貴殿に支払いすること。

2. 貴殿の書面承諾なしに示談したときは国民健康保険給付分に限り、何人に対しても示談の効力を主張しないこと。

令和　年　月　日

被害者（被保険者）
住所
氏名

誓約者（加害者）
住所
氏名　　　　　　　印

誓約者（加害者）
住所
氏名　　　　　　　印

○○区長殿

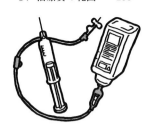

5．治療費の範囲

1 治療費として認められるもの

　通常，病気やけがなどで治療を受ける場合は，健康保険証を使用して治療を行い，患者さんは実際の治療費の原則3割分を窓口で自己負担分として支払い，残りの7割は健康保険組合等が本人に代わって負担してくれます。

　これに対して，保険のきかない自由診療では，はっきりとした基準がないため，医師が医学的に不必要な診療を行う過剰診療（疾患の程度に比べて，医学的に必要性・合理性などが認められない治療行為），疾患に対して必要以上に丁寧な診療を行う濃厚診療（疾病の程度に比べて必要以上に丁寧な治療行為）になることもあります。

　たとえば交通事故により治療費を保険会社に請求した場合，被害者の心的要因・体質的要因などによって，通常の治療期間よりも長い場合には，保険会社が支払う治療費を減額する判例もあります。また，入院中の個室などの差額ベッド料は，原則的に認められませんが，医師の指示や疾患の程度，空ベッドがなかったなど特別な理由がある場合には認められます。その場合には事前に保険会社等に連絡をしておくことが後のトラブル防止になると思われます。

2 医師の指示がない場合の治療費

　はり・きゅう，マッサージ費，治療用品，薬代，温泉治療費などについては，医学的に必要であるか否かを医師が判断して，当該疾病に有効であると判断した場合に認められます。ただし，いずれの治療を受ける場合も医師の指示を受けておく必要があります。

① マッサージ

　医師の指示がない場合でも，疾病の箇所，程度から一部の治療費の支払いを認めた事例はありますが，マッサージ治療を受ける前に保険会社の承認を受けておいたほうが無難だと思います。

② 温泉治療

　医師の指示に従って医療機関の付属診療所またはこれに準ずる施設で行った治療に限られているため，被害者が医師の指示を受けずに自分の勝手な判断で観光地などの温泉に行っても，治療とは認められません。

③ マッサージ器具，サウナ風呂，電気針など

　医師の指示ではない場合は，購入費用の請求を認めない場合もあります。

3 症状固定後の治療費

　医師がこれ以上は病状がよくならないと診断した後に，病状や治療経過などにより，保険会社から治療費の支払いが特別に認められることもあります。たとえば，植物状態の被害者に対して，今後の差額ベッド料として生存可能年数10年分を認めた判例，また，後遺障害の被害者に症状固定後の治療費や交通費を認めた判例などがあります。ただし通常の場合，因果関係を証明することがなかなかむずかしく，このような判例は，ごく特別な場合だと考えてください。

4 付添看護費は認められるか

　被害者が入院または通院する場合，被害者の傷害の部位・程度・年齢，または医師の指示による等，

付添看護の必要があるときは相当な限度で請求できます。

　付添看護費は，大きく2通りに分けられます。入・通院付添看護費（①病院や専門機関から派遣されるプロの付添人の場合，②近親者の付添人）と将来の付添看護費があります。専門機関等から派遣される付添人の費用は，実費全額が認められますが，近親者付添人については以下のようになります。

①　入院付添看護費

　ア　自動車損害賠償責任保険支払基準（自賠責基準）＊では，1日につき**4200円**（2020年4月1日以降に発生した事故の場合）とされています。ただし，立証資料などによりこの金額を超えることが明らかな場合は，被害者の年齢・傷害部位・程度・看護状況などから判断して社会通念上必要かつ妥当な実費が認められるとされています。

　イ　日弁連交通事故相談センター発行の『交通事故損害額算定基準』では，1日につき**6500円**とされています。この基準は相手方に請求する場合の目安であり，確定的な基準ではありません。

②　通院付添看護費

　ア　自賠責基準では，被害者が歩行困難な場合の者で，年齢・傷害部位・程度などにより通院の付添いが必要と認められる場合は，1日につき**2100円**（2020年4月1日以降に発生した事故の場合）とされています。ただし，立証資料などによりこの金額を超えることが明らかな場合は，入院と同様必要かつ妥当な実費が認められます。保険会社が呈示する金額は，おおむねこの基準によって決められています。

　イ　一般的に，付き添いの程度によります。見守りや助言で足りる場合は日額**3300円**程度，常時介護が必要となる場合は日額**6500円以上**が相場と言われています。

5　入院雑費とは

　被害者が入院した場合，治療費以外にも日用品を購入したり，テレビを賃借するなどいろいろな諸雑費がかかります。これらは定額化された分を入院雑費として請求できます。入院雑費とは以下のような費用をさします。

　①　日用品や雑貨の購入費（寝具・パジャマ・下着などの衣類・洗面具・食器などの購入費）

　②　栄養補給費（医師の指示により，入院中に必要とする牛乳・ヨーグルト・バターなどの購入費）

　③　通信費（入院中に家族・知人・友人・仕事先などに電話をかけたり，手紙を出したりするのに要した費用）

　④　文化費（入院中購読する雑誌や新聞代，ラジオやテレビの賃借料など）

　これらについては以下のように1日当たりの費用が定額化されており，それ以上要しても社会通念上必要かつ妥当な額を超えていると判断された場合には認められません。なお，1日入院雑費とは別に貸しおむつ代（1日2000円）が損害として認定された判例があります（神戸地裁2004年12月20日判決）。

●自賠責基準

　原則として1日につき**1100円**です。ただし，社会通念上必要かつ妥当であると認められた場合は，この限りではありません。保険会社が呈示する金額もおおむねこの基準によります。

●交通事故損害額算定基準

　入院雑費請求の目安として，1日につき**1500円**

＊　**自賠責基準**
　　正式には，「自動車損害賠償責任保険の保険金等及び自動車損害賠償責任共済の共済金等の支払基準」（平成13年12月21日・金融庁・国土交通省告示第1号，直近改正：平成22年3月8日・金融庁・国土交通省告示第1号）といいます。自賠責保険の支払いを迅速かつ公平にするため，国土交通大臣および内閣総理大臣が定めるものとされています（自賠法第16条の3）。2002年4月1日以降，この規定が，従来の各保険会社による損害査定要綱に代わる新基準となっています。

図表64　通院交通費明細書

通院交通費明細書

令和　　年　　月　　日

請求者氏名＿＿＿＿＿＿＿＿＿＿＿㊞
（被害者との関係　　本人　　加害者　　その他）

事故日　　　年　　月　　日　　被害者＿＿＿＿＿＿＿

（下記1または2に○印をつけ，必要な事項を記入してください。）

1．通院交通費を要しなかった。
　　理由　イ．徒歩・自転車で（　　日間）通院した。
　　　　　ロ．自家用車を（　　日間）使用した。（自宅から病院までの距離約　　km）
　　　　　ハ．その他（　　　　　　　　　　　　　　　　　　　　　　　　　　）

2．通院交通費として下記金額を支出しました。

通院月日	通院区間	利用者交通機関 （電車・バス等）	往復交通費	病院名
	―			
	―			
	―			
	―			
	―			
	―			
	―			
		合計　¥		

（注）1．電車，バスにより同一区間内を繰返し通院する場合は，適宜一覧にまとめて記入して
　　　　ください。この場合，「通院月日」欄は通院した日をすべて具体的に記入してください。
　　　2．タクシーを利用したときはそのタクシー会社の領収証を添付してください。

6 通院交通費

　被害者が入院，転・退院あるいは通院のため要する交通費の請求が認められます。この場合，交通費は社会通念上必要かつ妥当な実費とされており，原則は電車・バスの運賃とされ，タクシー代は使用することに相当性がないと認められません（電車・バスの運賃は実費として請求できます）。

　タクシーやハイヤーなどの費用については，被害者の傷害部位・程度・年齢，交通機関の便などにより相当性が認められる限度内で請求ができます。被害者の多くは，タクシーを利用する必然性がないのにもかかわらず，漫然と通院に利用している例が多く，これらの場合には，後で保険会社から請求を拒否され，結局は被害者の自己負担と判断されることもあります。

　また，タクシーなどの領収書は後日，保険会社の交渉の際に必要になりますので保管しておく必要があります。電車やバスなどを利用した場合には，通院日および実際に要した運賃を，ノートなどに記入して整理しておくことがよいと思われます。なお，自家用車を使用した場合はガソリン代（15円／km），高速道路代，駐車場料金などの実費相当分も請求できますので，領収書は保管しておきましょう。これらはまとめて通院交通費明細書（図表64）に記入します。

　被害者が病院へ行ってから通勤・通学するような場合は，自宅から直接通うよりも交通費がかかることがあります。このような場合も交通費を請求することができます。

　なお，近親者の付添い，見舞いのための交通費は原則として認められません。

自動車保険のしくみと請求

概　要
しくみ
窓口対応
請　求
治療費
交通事故
休業損害
後遺障害
慰謝料
レセプト

One point　罰金と反則金の違い

　刑事処分による刑罰は，懲役または罰金が科せられて前科がつくことになります。
　反則金は罰金とは異なり，「交通反則通告制度」により刑事処分（懲役または罰金）を免除するために任意で支払うのが反則金です。ただし，払わなければ刑事処分になるという制度です。

6．交通事故にあった
ときの基礎知識

1　事故にあったら何をすべきか

　もしも交通事故に遭遇してしまったときにどのようなことをすべきなのでしょうか。

　交通事故にあった場合，第一に落ち着いて周りの状況をよく頭に入れて，さらに相手がいる場合にはなおさら冷静に対応することが必要です。また，ドライブレコーダーの映像などの証拠も集めておきたいです。

　このとき，事故現場で行わなければならないポイントが4つあります。

① 事故現場の状況をよく確かめておく　⇒ **事故現場の確認**
② 加害者とその車両を確かめる　　　　⇒ **加害者と加害車両の確認**
③ 近くの警察に事故の届出をする　　　⇒ **警察への通報**
④ 目撃者を確保する　　　　　　　　　⇒ **相手方とトラブルになった際などに効果がある**

　交通事故の場合，必ず問題になるのが過失です。そのため事故現場の状態は警察が来るまで，基本的にはそのままにしておくことが必要です（他の車両の通行を妨げる等の場合は，互いの停車位置や事故のときの状況を確認したうえで，道路脇に停車しておきます）。

　また，事故によってけがもしくは死亡したり，車や建物などを破損した場合は，加害者（加害車両の運転手）ならびにその運転者が使用人であればその雇い主や加害車両の所有者(持ち主)に対して，損害賠償を請求することができます。そのためには，次の事項を確認する必要があります。

① ひき逃げや当て逃げにならないように，加害車両のナンバープレート，車種，車体の色，その他特徴などをメモしたり，スマホ等で写真を撮る
② 加害者本人と確認できる運転免許証，身分証明書などを提示してもらい，本籍・現住所・氏名を確認するとともに，電話番号・勤務先（電話番号も）をメモする
③ 加害車両の車検証・自賠責保険証（任意保険証）を提示してもらい，加害車両の所有者を確かめておく

　このような作業は，一般的に考えればごく当たり前であり特別照会するまでもないことと思われます。しかし，実際に事故に遭遇した場合には，頭に血が上り冷静に判断できなくなるケースが多いといわれます。日ごろから上記の手順を念頭において事故に備えておくことが必要です。

　また，事故が互いの不注意で起きた場合に，警察に届出をせずにその場で当事者だけで解決してしまうこともあるようですが，道路交通法によって，事故が発生した場合にはただちに警察に届出をする義務があります。後で保険金等の請求をする際に必要になる「交通事故証明書」も，届出をしていなければ発行してもらえないこともあるのです。

　後になって警察に届け出ても，加害者側は交通事故の報告義務違反により警察で厳しく注意されることになります（負傷や手違いなどでどちらからも届出ができない状態であった場合に限り，その事情を警察に説明して了解されれば受理してくれる場合もあります）。

　いずれにしてもまず第一に警察に届出をすることが運転者としての最低限のモラルといえます。

2　事故後の手続き

　保険金を請求するうえで，各都道府県警察の機関である「自動車安全運転センター」の発行する**「交通事故証明書」**が必要になります。

　この交通事故証明書の交付を受けるのに必要な申請書は，全国どこの警察署・交番にもおいてあ

ります。その用紙に必要事項を記載し800円添えて郵便局の窓口から送付すると，10日程度で自宅宛に郵送されてきます。また，インターネットの自動車安全運転センターのサイトから証明書の発行申請ができます。1通でよいと思われますが，後で自分が加入している保険会社に提出する必要が生じる場合もありますので，2～3通取り寄せておいてもよいでしょう。

この事故証明書は，単に交通事故の発生日時・場所・当事者（加害者・被害者）の住所・氏名・自賠責保険の有無や証明書番号などを証明するものです。したがって，過失割合などは証明されません。

次に，加害者および被害者はそれぞれ自分が加入している保険会社に事故の発生を連絡する必要があります。保険会社に通知する内容のおもなものは以下のとおりです。

① 保険証券番号・契約者・被保険者氏名・住所・電話番号
② 事故発生の年月日および時間・事故発生場所・事故の原因と状況・警察への届出の有無等
③ 双方の車両損害の程度・双方の負傷の程度・病院名等

3 交通事故の法律と責任

交通事故に関しては大きく分けて，**行政上の責任，民事上の責任，刑事上の責任**——3つの責任を負うことがあります。詳しくは図表65にまとめておきます。

(1) 民法上の責任

民法第709条は「故意又は過失によって他人の権利又は法律上保護される利益を侵害した者は，これによって生じた損害を賠償する責任を負う」と定めています。

しかし，この規定では加害者に故意・過失の有無を被害者が証明しなければなりません。民法が制定された1896年当時，自動車のことなどはまったく想定されていませんでした。

自動車事故について被害者が立証することは困難で，自動車台数が増えてきた昨今，民法では被害者保護がむずかしいため，1955年に自動車損害賠償保障法（自賠法）が制定されました。

(2) 自動車損害賠償保障法（自賠法）

自賠法第1条で，「この法律は，自動車の運行によって人の生命又は身体が害された場合における損害賠償を保障する制度を確立することにより，被害者の保護を図り，あわせて自動車運送の健全な発達に資することを目的とする」と規定されています。

(3) 交通事故と刑法の責任

交通事故で刑法が適用されるのは，第211条の「業務上過失致死傷罪」の規定です。また，車を利用して故意に人をひき殺した場合には「殺人罪」（第199条）に処せられます。

(4) 道路交通法

この法律は，「道路における危険を防止し，その他交通の安全と円滑を図り，及び道路の交通に起因する障害の防止に資すること」を目的としています。自動車を運転する人にとってもっとも関係の深い法律といえます。

4 損害賠償請求

交通事故にあって被害を受けた場合，相手（加害者側）に対して損害賠償の請求ができます。人身事故と物損事故がありますが，賠償の対象となる損害は次の3つに分類することができます。

① 積極損害
病院などでかかったけがの治療費や入院費，雑費，交通費など，被害者がその事故のために実際に払った費用（損害）のことです。また，将来確実に出費が発生するものについても積極損害とみなされます。

自動車保険のしくみと請求

概　要
しくみ
窓口対応
請　求
治療費
交通事故
休業損害
後遺障害
慰謝料
レセプト

図表65　交通事故・交通違反に伴う責任

② 消極損害

　休業損害や逸失利益のように，被害者が交通事故にあわなければ当然手に入ったと予想される利益で事故のために発生した損失（損害）のことです。たとえば，自営業者が事故によって店を開けられなかった場合，店を開けていたら得られたであろうと予想される収入額などが，これに該当します。

③ 慰謝料

　事故によって被害者が受けた肉体的・精神的な苦痛を慰めるための費用（損害）のことです。

5　過失相殺

　交通事故の場合，加害者・被害者双方にある程度ずつの過失がある場合が多くみられます。そのような場合はそれぞれの過失の割合に応じて，賠償額が相殺されて算定されます（民法第722条第2項）。これを過失相殺といいます。

　具体的な過失割合の事例をあげてみます。

(1)　自動車どうしの事故における過失割合

① 交差点での直進車どうしの事故（信号の状態別）

　青信号A：赤信号B……A　0％：B　100％

　黄信号A：赤信号B……A　20％：B　80％

　赤信号A：赤信号B……A　50％：B　50％

② 交差点での直進車と右折車の事故（信号の状態別）

　直進車A，右折車Bとも青信号で進入……A　20％：B　80％

　直進車A黄信号で進入，右折車B青信号で進入中に黄信号で右折

　　　　　　　　　　　　　　　　……A　70％：B　30％

　直進車A，右折車Bとも黄信号で進入……A　40％：B　60％

　以上，例としてあげましたが，実際には判例をもとにさらに細かい状況を加味し，双方の過失割合を修正増減して決定されています（図表66）。

One point　自然災害と自動車保険

　昨今，ゲリラ豪雨や線状降水帯などの大雨や地震・津波など，自然災害が身近なものとなっています。そんな自然災害で起きてしまった事故の場合に，自動車保険は使用できるのでしょうか？

　保険会社によって対応は異なるようですが，自然災害の内容によっては保険給付の対象となるようです。今一度加入されている保険会社に確認してみてはいかがでしょうか。

6 物損事故で認められる損害

　交通事故で自動車や道路脇の建物などの施設が損壊したのみで，人身事故が伴わない場合を「**物損事故**」といいます。自賠責保険には適用がなく慰謝料などの請求も認められません。

(1) 物損事故に対する自賠責保険の適用

　自賠責保険の対象は人身事故に限られており，被害が大きくても物損事故には適用されません。加害者側の対物保障も含めた任意保険に加入していない場合は，すべて損害賠償は加害者本人に直接請求することになります。

図表66　自動車どうしの事故時の過失割合（別冊判例タイムズ№.15より）

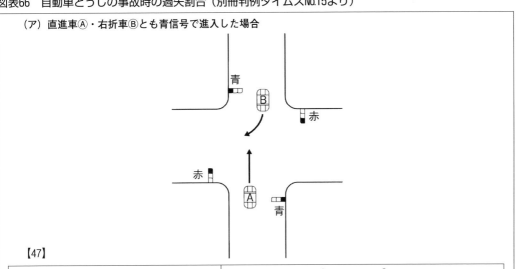

（ア）直進車Ⓐ・右折車Ⓑとも青信号で進入した場合

【47】

基　　　　　　　本　①				Ⓐ　20　：　Ⓑ　80	
修正要素	Ⓑ　徐　行　な　し　②	－ 10	Ⓐ　15km 以上の速度違反	＋ 10
	Ⓑ　直　近　右　折　③	－ 10	Ⓐ　30km 以上の速度違反	＋ 20
	Ⓑ　早　回　り　右　折　②	－ 5	Ⓐ　法50条違反の交差点進入　⑤	＋ 10
	Ⓑ　大　回　り　右　折　②	－ 5	Ⓐ　の　著　し　い　過　失	＋ 10
	Ⓑ　合　図　な　し	－ 10	Ⓐ　の　重　過　失	＋ 20
	Ⓑ　大　　型　　車　④	－ 5		
	Ⓑ　その他の著しい過失又は重過失	－ 10		
	Ⓑ　既　　右　　折	＋ 10		

　①　旧版においては，基本割合をⒶ30対Ⓑ70としていたが，直進車が優先であることを前提とすると，この場合の基本割合は，Ⓐ20対Ⓑ80とするのが相当であり，改めた。
　②　いずれも法34条2項所定の右折方法の違反である。
　　　徐行は，右折としての通常速度を意味し，必ずしも法律上要求される徐行でなくてもよい。早回り右折とは，交差点の中心の直近の内側（進路標識等により通行すべき部分が指定されているときは，その指定された部分）を進行しない右折をいう。右折車が交差点中心直近内側に寄らないで早回りに右折する場合には，右方の直進車に対する関係で事故の危険性が増大するので，修正要素として取り上げた。
　　　大回り右折とは，あらかじめ道路の中央に寄らない右折をいう。
　③　直進車の至近距離で右折する場合である。
　④　大型車の右折は直進車に対する進路妨害の程度が大きく，回避可能性も少なくなるので，修正要素として取り上げた。したがって，直進車が大型車である場合には考慮する必要がない。
　・　⑤については次項参照。（略）

自動車保険のしくみと請求

概　要
しくみ
窓口対応
請　求
治療費
交通事故
休業損害
後遺障害
慰謝料
レセプト

　最近は高級な車が多く走行しているため，少しの接触でもきわめて高額な修理費用が必要となり，個人負担もままならないことが多いため，自動車を所有する場合には対物保障を含めた任意保険に加入すべきでしょう。

(2)　損害に対する修理費・代車使用料

　被害車両が大破して修理不能となった場合，または修理費が被害車両の事故時における交換価格を上回る場合には，修理が可能であっても「全損」として扱われ，車を購入した値段ではなく事故直前の被害車両の交換価格が賠償額とされます。

　交換価格とは，『オートガイド自動車価格月報（レッドブック）』（オートガイド社）や中古車市場での平均販売価格などによる同種同等の車両を購入する基準価格をいいます。また，新車であってもカーディーラーから引き渡しを受けた時点で中古車扱いとされてしまいます。

　たとえ修理が可能で被害者側が修理を希望しても，修理費のほうが被害車両の交換価格を上回る場合には，保険会社は被害車両の交換価格以上の保険金は支払ってくれません。

　また，被害車両が一部破損して修理が可能な場合には，原則として修理費が損害賠償額となります。

　被害者側が修理可能な被害車両を修理せず売却した場合には，修理費用相当額か事故時の価格から売却価格を差し引いた額のうち，どちらか低いほうが損害額となります。

　さらに修理しても事故車という理由により価格が減少する場合には，その減少分が評価損という損害となります。たとえば事故直前の被害車両の評価額が100万円であったのが，修理後，事故車扱いとなり70万円の評価額となった場合には，その差額30万円が評価損となります。ただし，評価損の額を正確に出すことはきわめてむずかしく，客観的な算定方法もとくに決まっていないようです。考え方としては修理費の20〜30％ともいわれています。

　また，被害車両が修理などで使用不能なため，代車を使用した場合には必要かつ妥当な範囲内で代車使用料が損害として認められます。

　その場合の期間とは修理や買換えに通常要する日数として10〜14日間が一般的です。ただし，被害車両を日曜・祭日などの休みを利用して使用している程度では，代車の必要性がないと判断されることもあります。なお，代車はごく一般的な車両のレンタル料が基準となり，外車などの高級車は認められません。

One point　なぜ自動車保険は二本立てなのか

　自動車保険は，なぜ自賠責と自動車保険の二本立てとなっているのでしょうか。自賠責だけでカバーする範囲を広げれば，保険未加入の問題は解決すると思いますが，それには自賠責保険の成り立ちが関係しています。自賠責保険は「自賠法」という法律によって定められており，昭和30年に最初に制定されました。つまり，自家用車というものが普及して初めて交通事故が問題視されるようになって作られたもので，「まずは事故の被害者を救済するべし」と考えられて定められた制度です。

　そのため，何度も見直しされて保険金の上限などは引き上げられていますが，基本的には対人賠償のみで，現時点でも限度額は3000万円となっています。

　自動車保険は，自賠責ではカバーできない領域を補うためのもので，あとから損害保険会社が商品として用意したものです。そのため，自賠責のカバー範囲を大幅に広げるには大きな法改正が必要となります。賠償額を無制限にしたり，自動車保険のようにさまざまな特約を付けたりするのは，実際の自賠責保険の運用にも大きな問題となります。また，組合員が出資して助け合う共済と異なり，あくまでも自動車保険は保険商品なので，自賠責がそれを吸収してしまうのは民間企業の経営に関係してきます。そのため二本立ての保険になっているようです。

7. 休業損害の範囲

　交通事故によってけがをして，仕事を休んだため得られなかった賃金や収入は，損害として請求することができます。また，けがの場合だけではなく死亡した場合で，事故日から死亡する間に相当の期間がある場合にも該当することがあります。

① 自賠責基準

　休業損害の自賠責基準は原則として，2020年4月以後の場合，**1日6100円**とされています。立証資料などにより1日につき6100円を超えることが明らかな場合で，給与明細や源泉徴収票などの証明により，**1日1万9000円**を限度として，その実費が支払われます。

　休業損害の対象となる日数は，実休業日を基準として，被害者の損害状態，実治療日数その他の事情を勘案して治療期間の範囲内で認められることになっています。

　加害者が，自賠責保険にしか加入していない場合には，この自賠責基準により算定されます。

① 事故前の収入を基礎に算定

　休業損害は，事故前の収入を基礎として，受傷による休業のため現実に得ることができなかった収入額となっていますが，自賠責基準は2020年4月1日以降に発生した事故について，1日につき6100円と決められています。

② 実休業日数を基準にすることが原則

　休業損害は，1日当たりの損害額と休業日数とをかけ合わせて算定されます。このとき原則として実休業日数を基準として算定します。

　認定される休業日数は，原則として実治療日数とされています。ただし，傷害の状態，被害者の職種などを勘定して治療期間の範囲内で認められます。また，家事従事者の場合には，実治療日数の2倍を限度として，認められることもあります。

　脊柱の骨折・変形によるギプス装着期間の日数については，実治療日数と同様な取扱いとなります。このため保険会社側の取扱いとしては，全治2週間を要する傷害でも，この間に5日間しか通院していなかった場合には，そのほか3日間休業した日があっても，5日分の休業損害しか認めようとしていないのが現実のようです。この場合，通院した5日以外の日でも，傷害の程度や医師の勧めにより，自宅療養していたことが明らかであれば，その自宅療養のために休業した分を認めてもらうことは可能です。

② 任意保険の場合

　自賠責保険では，傷害事故について被害者1人当たりの保険金支払いは120万円と決められています。120万円を超える場合は，加害者本人に請求するか，任意保険の保険会社から自賠責の120万円を超える分の損害に対して保険金が支払われます。

① 有職者は現実の収入減

　任意保険の場合にも休業損害に対する支払基準が決められていますが，基本的には自賠責保険と同じです。現実の収入減少額とされます。ただし1日当たりの収入額が6100円を下回る場合およびその額の立証が困難の場合は，1日につき**6100円**とされます。

ア　有職者の場合

　休業損害の対象となる日数は，実休業日数を基準として，被害者のけがの具合，実際にかかった治療日数などを勘案して治療期間の範囲内で認定するとされています。傷害の期間ではなく，原則，

自動車保険のしくみと請求

概　要
しくみ
窓口対応
請　求
治療費
交通事故
休業損害
後遺障害
慰謝料
レセプト

実治療日数が休業日の基準とされますので，被害者の都合で仕事を休んでも認められません。

イ 家事従事者の場合

現実に家事に従事できなかった日数に対して，1日に**6100円**です（2020年4月1日以降発生の事故）。ただし，家庭内の地位，家事労働の実態，けがの程度，地域差などを考慮してこれを超える金額を認定することが妥当な場合はその額となります。

ウ 無職者の場合

休業損害は認められません。

② 加害者側が任意保険に加入していない場合

以上のように加害者が任意保険に加入していても，保険会社の担当者は原則として上記のような基準で被害者側に対応してきます。任意保険に入っているからといって，被害者側で損害金を余分に請求できるわけではありません。また，加害者が任意保険に加入していない場合には，被害者はどんなに損害額が多くても，自賠責保険の120万円の範囲内でしか保険金を受け取ることができません。加害者本人に請求することはできますが，加害者に支払い能力がなければいくら裁判で勝訴しても損害賠償金を受け取れなくなり，泣き寝入りとなることも十分に考えられます。

したがって，加害者が任意保険に加入していることが，最低限度の損害賠償額を確実に支払ってもらえることと理解してもよいと思います。

3 給与所得者の休業損害の算定

サラリーマン・OLなどの給与所得者の場合は，交通事故前の実際の給与額を基準として，けがによる入・通院のため仕事を休んだことによって，現実に得られなくなった収入額が損害として計算されます（図表67）。

① 給与所得者は事故前の給与額が基準

交通事故前の実際の給与額を基準として，けがによる入・通院のため，仕事を休んだことにより，減収となった金額を請求できます。給与額には，本給・家族の扶養手当・賞与も含まれます。また，けがにより長期間欠勤したためこの間の昇給や昇格が遅れて減収となった場合，その金額も請求できます。さらに，有給休暇を利用して治療を受けた場合，費やした有給休暇分の休業損害が認められることもあります。

② 日雇・非常備日給者は事故前3カ月間の収入が基準

原則として，事故前3カ月間の収入総額を基準として，下記のように算定します。

ア 日給が一定の場合

$$日給 \times \frac{事故前3カ月間の就労日数}{90日} \times 休業日数$$

イ 日給が定まっていない場合

$$\frac{事故前3カ月間の総収入金額}{90日} \times 休業日数$$

なお，事故前の3カ月間の収入が，年間を通じて多い場合や少ない場合もありますので，算定する際には事故時の契約状況や季節的な要因等も考慮されます。

> **One point 病院が保険金を直接請求する場合**
>
> 一般的には自賠責保険による治療費請求は，被害者が直接自賠責保険に請求を行いますが，医療機関が被害者から委任を受けることで，医療機関が直接自賠責保険に請求をすることもできます。ただし，自賠責保険の傷害事故の限度額は120万円と決められているので，すべてを治療費に充ててしまうと患者さんが慰謝料等の保障を受けられなくなります。医療機関が直接請求する場合は，患者さんとよく相談をして納得してもらうことが必要となります。

図表67　休業損害証明書

前年度分源泉徴収票をここに貼ってください。
(源泉徴収を実施している事業所は,前年度の源泉徴収票を添付してください。)

休 業 損 害 証 明 書
(下記の必要箇所に記入または該当箇所に○印を付してください。)

給与所得者(パート・アルバイトを含む)

職種役職		氏 名		採用日	平成昭和令和　　　年　　　月　　　日

1. 上記の者は,自動車事故により,＿＿令和　年　月　日＿＿から＿＿令和　年　月　日＿＿
　までの期間仕事を休んだ(遅刻・早退した日を含む。)。

2. 上記期間の内訳は,
　　欠勤　　　　日　　年次有給休暇 (注)　＿＿＿＿日　　遅刻　　　回　　早退　　　回
　　(注) 労働基準法第39条に定める使途を限定しない年次有給休暇であって,必要に応じて自由な時間に取得できる休暇

3. 上記について休んだ日は下表のとおり

月	1	2	3	4	5	6	7	8	9	10	11	12	13	14	15	16	17	18	19	20	21	22	23	24	25	26	27	28	29	30	31
月	1	2	3	4	5	6	7	8	9	10	11	12	13	14	15	16	17	18	19	20	21	22	23	24	25	26	27	28	29	30	31
月	1	2	3	4	5	6	7	8	9	10	11	12	13	14	15	16	17	18	19	20	21	22	23	24	25	26	27	28	29	30	31

　　(注) 休んだ日(年次有給休暇を含みます。)には○印を記入し,勤務先の所定の休日には×印を記入してください。

4. 上記休んだ期間の給与は,
　　ア. 全額支給した。　　　　イ. 全額支給しなかった。
　　ウ. 一部 (支給)(減給) した。その額は,＿＿＿＿＿＿＿＿円
　　　　内訳 { 本 給は　　月　日 から　　月　日分 まで ＿＿＿＿円
　　　　　　 付加給は　　月　日 から　　月　日分 まで ＿＿＿＿円

〈計算根拠 (式) 記入欄〉

　　(注) 支給または減給に○印を付し,その額および計算根拠 (式) を記入してください。

5. 事故前3ヶ月間に支給した月例給与 (賞与は除く。) は下表のとおり

	稼働日数	支給金額		社会保険料	所得税	差引支給額
		本給	付加給			
年　月分						
年　月分						
年　月分						
計						

　　(注) ① 給与所得者の場合,給与の毎月の締切日:＿＿＿＿日
　　　　 ② パート・アルバイトの場合
　　　　　　所定勤務時間:＿＿時＿＿分 ～ ＿＿時＿＿分 (一日実働＿＿時間＿＿分)
　　　　　　給与計算基礎:月給,日給＿＿＿円,時給＿＿＿円

6. 社会保険 (労災保険,健康保険等で,公務員共済組合を含む。) から傷病手当金・休業補償費の給付を
　　ア. 受けた (名称および電話番号は下記のとおり)　イ. 手続中　　ウ. 受けない

名称		電話	(　　　)

上記のとおりであることを証明します。
　　　　令和　　　年　　　月　　　日

　　所 在 地 ＿＿＿＿＿＿＿　電　話 ＿＿＿＿＿＿＿
　　商号または名称 ＿＿＿＿＿＿＿　担 当 者 名 ＿＿＿＿＿＿＿
　　代 表 者 氏 名 ＿＿＿＿＿＿＿　印　担当者連絡先 ＿＿＿＿＿＿＿

自動車保険の
しくみと請求

概　要
しくみ
窓口対応
請　求
治療費
交通事故
休業損害
後遺障害
慰謝料
レセプト

One point 事故の不安とドライブレコーダー

　あるアンケートによると,自動車を運転するうえで不安に思うことの上位は,第1位が「あおり運転による事故」(51.9%),第2位「高齢者・高齢運転者との事故」(47.8%),第3位「スマホ・携帯電話のながら運転による事故」(36.3%),4位「ブレーキとアクセルの踏み間違いによる事故 (35.5%),5位「逆走車との事故」(30.9%) だそうです。ドライブレコーダーの搭載率は52.5%まで増えていて,その動画は交通事故裁判にも使われるようになりました。その映像は事故にならず車内の映像さえも映し出すこともできる機種もあり,自己防衛の重要なアイテムになりつつあると思います。

4 家事従事者・学生・無職者・失業者の休業損害

　家事従事者とは性別・年齢を問わず，現に主婦的労務に従事している者をいいます（女性とは限りません）。無職者とは地主・年金生活者・恩給・幼児・小学生・中学生・高校生・大学生・生活保護法の適用者，その他で労働収入のない人のことです。

① 家事従事者の場合は『賃金センサス』で算定

　家事従事者は，交通事故によるけがのため家事に従事できなかった期間について，休業損害を請求することができます。その際には『賃金センサス』第1巻第1表の産業計，企業規模計，学歴計の女子労働者の全年齢平均賃金または年齢別平均賃金表を用いて，**女子労働者の平均年収額を基準にして損害額を算定**します。

　事故前にパートタイムや内職による収入を得ていたとしても，その収入額を前記により賃金センサスで求めた収入額に加算することはできません。パートタイムや内職による収入が『賃金センサス』の女子労働者平均年収額未満の場合は平均年収額を基準に，平均年収額以上の場合は実収入額を基準に算定します。

　休業日数は現実に家事労働を休んだ日数ということになりますが，家事従事者は給与所得者とは違って，比較的長期間休業した場合には，けがの部位・程度・治療内容等に応じて，通院期間中には段階的に休業損害額を減少されたり，あるいは全休業期間を通じて一定の割合で減額される場合もあります。

　被害者が主婦で幼児を抱えており，家政婦を必要としたなど代替労働力を利用したときには，必要かつ妥当な費用が休業損害として認められます。

② 学生の場合も『賃金センサス』で算定

　アルバイト収入が明確な場合には，治療のためアルバイトを休んだ減収分を休業損害として請求できます。

　けがの程度が重く長期間治療のため，卒業や就業の時期が遅れた場合，就職が遅れたことによる減収を休業損害として請求できます。また，事故が原因で留年となった場合，相当因果関係が認められれば留年分の大学の授業料，通学交通費，および卒業が遅れたことによる当初卒業見込時における『賃金センサス』上の大卒の平均賃金を基準に休業損害を認めた裁判例もあるようです。

③ 無職者には休業損害は発生しない

　地主や家主は地代や家賃等の収入があっても，無職者として扱われます。これは交通事故によってけがをしても収入には影響がないため，休業損害は発生しません。

④ 失業者には休業損害を認められることも

　失業中の者に対しては原則として休業損害は認められません。ただし，失業していても労働能力や労働意欲があって，事故前から就職がすでに内定していた場合，あるいは事故にあっていなければ，その治療期間中に就職できたと思われるような場合には，休業損害が認められることもあります。

One point 飲酒運転と同乗者の責任と処罰

　同乗者の処分の重さは同乗者本人の飲酒状態に関係なく，運転者の飲酒状態により決定されます。運転者の呼気中アルコール濃度が「0.15mg/L 以上」であれば酒気帯び運転となります。同乗者には「飲酒運転同乗罪」が適用され，2年以下の懲役または30万円以下の罰金が科せられます。

　また，運転者の呼気中アルコール濃度の数値に関係なく，ろれつがまわらない，まっすぐ歩けないなどの状態にある場合は酒酔い運転となり，同乗者には3年以下の懲役または50万円以下の罰金が科せられます。さらに刑事処分がなされる可能性もあります。同乗しているだけだから大丈夫と安易に考えて，飲酒運転の車に同乗すれば，取り返しのつかない事態に陥るかもしれません。飲んだら乗るな！　乗るなら飲むな！　が基本です。

8. 後遺障害とは

　後遺障害とは交通事故によるけがの治療を行い症状が固定した後，医師がこれ以上の改善が見込めないと判断して，なおかつ身体に障害が残った状態をいいます。また，けがに対する保険金（上限120万円）とは別に，①**逸失利益***，②**慰謝料**を損害賠償として請求できます。

１ 後遺障害の認定

　交通事故によるけがが一定の期間を経て，治療を続けてもそれ以上の改善は見込めない状態になることがあります。医師は，このような状態になりますと診断書に，「令和○○年○月○日をもって『治癒』または『症状固定』」と記入します。この状態で，被害者の身体に一定の障害が残存している場合には，この障害を事故による後遺障害として判定するか否かにより，被害者の請求できる損害賠償の範囲が違ってきます。

　後遺障害に当たると思われる場合には，主治医に「**自動車損害賠償責任保険後遺障害診断書**」または「**自動車損害賠償責任保険歯科後遺障害診断書**」に，「各部位の後遺障害の内容」等の所定事項を記載してもらい，保険会社を通じて各地区の自賠責損害調査事務所に後遺障害の認定を申し立てます。

　自賠責損害調査事務所は，保険会社とは別の「損害保険料率算出機構」という組織が設置しており，後遺障害に該当するかどうか，また該当する場合は自賠責保険の支払保険金額や「**後遺障害等級表**」（法施行令第2条）に応じた後遺障害の等級の調査を行います。

２ 後遺障害認定に対する異議申立て

　後遺障害の認定に不服があれば異議を申し立てることができます。

　後遺障害の等級認定は非常にむずかしく，申立てを行っても「非該当」になるケースも多く，たとえ後遺障害と認定をされたとしても被害者が思っていた等級より低い等級で認定されることもあります。この場合には，被害者の身体的な障害をさらに詳細に明記した診断書の追加および後遺障害の状況を明らかにした写真等様々な検査資料を加えて異議申立てをすることができます。最終的に調査事務所から後遺障害の認定が得られなかった場合でも，裁判に訴えることで裁判所が後遺障害の認定を行い，その分の損害賠償が認められることもあります。ただし，裁判に時間と労力を費やしたにもかかわらず，結果的に最初の後遺障害等級と差がなかったなどといったこともあるようです。

> *　**逸失利益**
> 　　交通事故によって後遺障害が残ると，事故に遭う以前のような収入を得ることがむずかしくなる場合もあります。それを賠償するために使われるのが「逸失利益」です。これによって，健常であったら本来得られたであろう収入や，後遺障害のために減額された収入などを請求することができます。
> 　　自賠責による逸失利益の算出方法には，事故前の収入額が考慮されます。また，将来的に事故前以上の収入が得られる可能性があったことを証明できる場合，その金額が基礎収入となります。

One point 自賠責・労災・健康保険の優先順位

　交通事故で診療を行う際に使用する保険は，自賠・労災・健康保険のいずれかになると思いますが，窓口で「保険は自賠責優先なので…」というフレーズを聞くことがありました。しかし，保険の使用に優先順位は存在しませんので，患者さんや保険会社の担当者へ優先の話はしないように気を付けましょう。使用する保険は，あくまでも患者さんが決めることとなります。

自動車保険のしくみと請求

概要
しくみ
窓口対応
請求
治療費
交通事故
休業損害
後遺障害
慰謝料
レセプト

図表68　後遺障害等級別・自賠責保険金額表（法施行令別表第2）　　　　　　　　　　単位：万円

◆別表Ⅰ

等級	後遺障害		保険金額 （カッコ内は慰謝料分）	労働能力 喪失率
第1級	一	神経系統の機能又は精神に著しい障害を残し，常に介護を要するもの	4000万円 （1600万円）	100/100
	二	胸腹部臓器の機能に著しい障害を残し，常に介護を要するもの		
第2級	一	神経系統の機能又は精神に著しい障害を残し，随時介護を要するもの	3000万円 （1163万円）	100/100
	二	胸腹部臓器の機能に著しい障害を残し，随時介護を要するもの		

◆別表Ⅱ

第1等級 3,000	第2等級 2,590	第3等級 2,219	第4等級 1,889	第5等級 1,574
第6等級 1,296	第7等級 1,051	第8等級 819	第9等級 616	第10等級 461
第11等級 331	第12等級 224	第13等級 139	第14等級 75	

③ 自賠責保険による後遺障害等級別保険金

　後遺障害等級が認定された場合，「自賠責保険」から，一定の保険金が支払われることになります。保険金については，後遺障害が仕事をする能力（労働能力）に与える影響に応じて，**「後遺障害等級表」**（図表68）に基づいて決められています。

　後遺障害等級表は，別表Ⅰと別表Ⅱに分かれています。別表Ⅰは，後遺障害によって日常的に介護が必要となった場合の保険金額と労働能力喪失率を示しています。労働能力喪失率の100／100というのは，労働能力を100％失った，つまり，まったく仕事ができなくなってしまったという意味です。

　別表Ⅱは，日常的な介護までは必要がない場合の後遺症に適用します。

One point 自賠責保険と過失

　交通事故で問題となるのが過失です。本来，医療機関側は直接，過失については関係がないわけですが，自賠責保険の限度額120万円には医療費も含まれるため，減額となるケースを紹介します。

　被害者の方に重大な過失がある場合，事故調査等の結果判断で過失割合と減額される割合が決定されます。自賠責の場合，減額割合は20％・30％・50％の3種類と決められています。ただし，けがについては，減額は20％になります。

被害者の過失割合	減額割合	
	後遺障害または死亡の場合	けがの場合
7割未満	減額なし	減額なし
7割以上8割未満	20％減額	20％減額
8割以上9割未満	30％減額	
9割以上10割未満	50％減額	

＜減額割合20％の計算（けがの場合）＞
・損害額が120万円未満の場合は，損害額の80％
・損害額が120万円以上の場合は120万円×80％＝96万円

9. 慰謝料

　交通事故で被害者がけがをしたり，死亡したりすると，被害者または被害者の遺族が被った精神的・肉体的な苦痛に対し，「**慰謝料**」と呼ばれる損害賠償が発生します。けが・死亡・後遺障害のそれぞれに対して請求できます。

　慰謝料の算定基準には，①**自動車損害賠償責任保険（自賠責）基準**，②**自動車対人賠償保険支払（任意保険）基準**，③**弁護士会（裁判）基準**——の３つがあります。

１ 慰謝料が認められるのは人身事故のみ

　交通事故により慰謝料が認められるのは，けが・死亡・後遺障害が発生した人身事故のみです。物損事故だけの場合には，たとえ高価な自動車であったとしても慰謝料の請求はできません。

　交通事故でけがをした場合，治療費・入通院交通費・休業損害・慰謝料等全部を合わせても損害金が120万円以内の場合には，自賠責保険による定型化された慰謝料の支払いを受けることができますが，120万円を超えると任意保険の基準または弁護士会基準で算定されます。

２ 自動車損害賠償責任保険（自賠責）基準

　入院または通院１日（日数とは実治療日数が基準となります）につき**4300円**です（2020年４月１日以降の事故の場合）。ただし，保険会社ではこの金額の２倍まで慰謝料として認めていますので，提示額が上記の金額だけであれば２倍までは交渉する余地があります。

　【計算方法】

　　入院が７日間の場合で，その後の通院が２カ月間のうち14日間の場合，21（7＋14）日×4300円×2＝18万600円となります。

３ 自動車対人賠償保険支払（任意保険）基準

　任意保険を適用する場合に，保険会社が被害者側に提示する額は弁護士会による基準額よりも低い額になっています。ただし，裁判になった場合には弁護士会による基準額が容認されることが多いようです。

　被害者のけがの状況により下記の金額により計算されます。

① 軽傷（打撲・挫傷・擦過傷・捻挫など）の場合　　　　　…図表69の金額
② 通常（前腕骨折・膝関節脱臼など）の場合　　　　　　…図表69の金額の10％増
③ 重傷（頭蓋骨複雑骨折・脳挫傷・腹部損傷破裂など）の場合…図表69の金額の25％増

　任意保険基準を適用する場合の治療日数は，必ずしも実治療日数だけではなく，１カ月間という期間によって適用されることもあります。

【計算方法】

① 通院１カ月間の軽傷の場合，縦軸（通院期間を表す）の「１カ月」を見ますと，「12.6」と記載されていますので，12万6000円の慰謝料となります。負傷程度が「通常」の場合は12万6000円の10％増で，13万8600円になります。

② 下腿骨骨折で２カ月間入院し，以後３カ月通院した場合は，横軸（入院期間を表す）の「２カ月」の欄と，縦軸の「３カ月」の欄とが交わる箇所を見ます。「81.9」と記載されていますので，81万9000円が慰謝料となります。このケースは前述の「通常」に該当しますので，10％増の90万900円となります。

自動車保険のしくみと請求

概　要
しくみ
窓口対応
請　求
治療費
交通事故
休業損害
後遺障害
慰謝料
レセプト

図表69　自動車対人賠償保険支払基準（例）

任意保険基準による入通院慰謝料表（単位：万円）

通院＼入院	0カ月	1カ月	2カ月	3カ月	4カ月	5カ月	6カ月	7カ月	8カ月	9カ月	10カ月
0カ月	0	25.2	50.4	75.6	95.8	113.4	128.5	141.1	152.5	162.5	170.1
1カ月	12.6	37.8	63.0	85.7	104.6	121.0	134.8	147.4	157.5	167.5	173.9
2カ月	25.2	50.4	73.1	94.5	112.2	127.3	141.1	152.4	162.5	171.3	176.4
3カ月	37.8	60.5	81.9	102.1	118.5	133.6	146.1	157.4	166.3	173.8	179.0
4カ月	47.9	69.3	89.5	108.4	124.8	138.6	151.1	161.2	168.8	176.4	181.5
5カ月	56.7	76.9	95.8	114.7	129.8	143.6	154.9	163.7	171.4	178.9	184.0
6カ月	64.3	83.2	102.1	119.7	134.8	147.4	157.4	166.3	173.9	181.4	186.5
7カ月	70.6	89.5	107.1	124.7	138.6	149.9	160.0	168.8	176.4	183.9	189.0
8カ月	76.9	94.5	112.1	128.5	141.1	152.5	162.5	171.3	178.9	186.4	191.5
9カ月	81.9	99.5	115.9	131.0	143.7	155.0	165.0	173.8	181.4	188.9	194.0
10カ月	86.9	103.3	118.4	133.6	146.2	157.5	167.5	176.3	183.9	191.4	196.5

4　弁護士会基準による慰謝料

　傷害事故による全損害額が120万円以上の場合は，任意保険基準または弁護士会基準により慰謝料の金額が計算されることになり，慰謝料請求は120万円に止める必要はありません。

① 弁護士会による慰謝料基準は判例を参考に作成

　弁護士会の基準は，裁判所の判例を参考して，弁護士が損害賠償請求をする際の目安となるように作成され，前項までに説明しました自賠責保険・任意保険等の基準と比べると最も高くなっています。被害者側はこの基準によって損害賠償請求をすることになりますが，金額はあくまでも請求の目安であって，裁判上もこの金額の満額が認められているわけではありません。

　なお，弁護士会の基準には次の2種類があります。

　ａ．財団法人日弁連交通事故相談センター作成の『交通事故損害額算定基準』による基準／通称，「青本」といわれており，日本全国向けに作成された慰謝料の請求基準で，2年に1回の割合で改訂されています。

　ｂ．財団法人日弁連交通事故相談センター東京支部作成の『民事交通事故訴訟 損害賠償額算定基準』による基準／通称，「赤本」といわれており，主として東京とその周辺地域向けに作成された慰謝料の請求基準で，毎年改訂されています。

　いずれも弁護士の業務に必要であるための資料として作成されたものです。市販はされていませんが，入手することは可能です。

　　【問い合わせ先】
　　　　◇財団法人日弁連交通事故相談センター
　　　　　東京都千代田区霞が関1－1－3　弁護士会館内（tel. 03－3581－4724）
　　　　◇財団法人日弁連交通事故相談センター東京支部
　　　　　東京都千代田区霞が関1－1－3　弁護士会館内（tel. 03－3581－1782）

② 日弁連交通事故相談センター（青本）による基準

　図表70の入・通院慰謝料を基準に，妥当な慰謝料額を算定します。また，軽傷と重傷に分類され算定されています。

図表70　日弁連交通事故相談センター基準

軽傷（むちうち・打撲等）の入通院慰謝料表（単位：万円）

通院＼入院	0カ月	1カ月	2カ月	3カ月	4カ月	5カ月	6カ月	7カ月	8カ月	9カ月	10カ月
0カ月	0	35	66	92	116	135	152	165	176	186	195
1カ月	19	52	83	106	128	145	160	171	182	190	199
2カ月	36	69	97	118	138	153	166	177	186	194	201
3カ月	53	83	109	128	146	159	172	181	190	196	202
4カ月	67	95	119	136	152	165	176	185	192	197	203
5カ月	79	105	127	142	158	169	180	187	193	198	204
6カ月	89	113	133	148	162	173	182	188	194	199	205
7カ月	97	119	139	152	166	175	183	189	195	200	206
8カ月	103	125	143	156	168	176	184	190	196	201	207
9カ月	109	129	147	158	169	177	185	191	197	202	208
10カ月	113	133	149	159	170	178	186	192	198	203	209

重傷（骨折等）の入通院慰謝料表（単位：万円）

通院＼入院	0カ月	1カ月	2カ月	3カ月	4カ月	5カ月	6カ月	7カ月	8カ月	9カ月	10カ月
0カ月	0	53	101	145	184	217	244	266	284	297	306
1カ月	28	77	122	162	199	228	252	274	291	303	311
2カ月	52	98	139	177	210	236	260	281	297	308	315
3カ月	73	115	154	188	218	244	267	287	302	312	319
4カ月	90	130	165	196	226	251	273	292	306	316	323
5カ月	105	141	173	204	233	257	278	296	310	320	325
6カ月	116	149	181	211	239	262	282	300	314	322	327
7カ月	124	157	188	217	244	266	286	304	316	324	329
8カ月	132	164	194	222	248	270	290	306	318	326	331
9カ月	139	170	199	226	252	274	292	308	320	328	333
10カ月	145	175	203	233	256	276	294	310	322	330	335

One point　損保会社が医師に面談を求めてきたとき

　治療が長期化してくると損保会社は，主治医に病状を聞くため面談を依頼してくる場合があります。損保会社とのトラブルを避ける意味でも，事前に面談料金の提示をしておくことが必要です。事前に料金を伝えていない場合，損保会社からは支払いに対してクレームが出るケースもあります。面談料金については，それぞれの医療機関独自で設定しているようですが，平均的には診断書料金と同等の医療機関が多いようです。また，30分単位で価格を設定している医療機関もあります。

　いずれにしても患者自身の個人情報であるため，損保会社との面談に患者さんが同意をしているかを確認しておかなければなりません。そのため，面談日には必ず損保会社に同意書の提示を求める必要があります。これを怠ると個人情報義務違反になってしまいます。

自動車保険のしくみと請求／概要／しくみ／窓口対応／請求／治療費／交通事故／休業損害／後遺障害／慰謝料／レセプト

10.　自賠責レセプト

1 請求上のルール

(1)　自賠責保険診療費算定基準案

　自賠責保険診療費算定基準案は，1984年12月に当時の大蔵省の諮問機関（現在は金融庁長官の諮問機関）である自賠責保険審議会の答申の中で，一部の医療機関の医療費請求額が過大であることが指摘され，日本医師会，自動車保険料率算定会（現・損害保険料率算出機構），日本損害保険協会の三者協議で算定基準を早期設定することが好ましいと判断されたのに対し，三者が要請に応え申し合わせたものです。これにより，自賠責保険診療費算定基準案として以下のことが示されました（なお，実施に当たっては，各地域の実情に合わせて各地域＝都道府県の三者協議会で協議のうえ，対応することとされています）。

① 　自動車保険の診療費については，現行労災保険診療費算定基準に準拠し，薬剤など「モノ」についてはその単価を**12円（非課税医療機関11.5円）**とし，その他の技術料についてはこれに**20%を加算**した額を上限とする（なお入院料は労災保険に準拠し，**所定点数を1.3倍する**）。

　　　例えば入院料の点数が1650点とした場合，2万5740円（1650×1.3×12円）×1.2＝3万888円が入院料の全額となります。

② 　ただし，これは個々の医療機関が現に請求し，支払いを受けている診療費の水準を引き上げる主旨のものではありません。

(2)　自賠責保険診療報酬明細書の記載要領

　自賠責保険診療報酬明細書の用紙（新様式）は，労災保険診療費算定基準準拠用に作成されていますので，基本的な記載方法は労災保険と同様です。

① 　「入院」

① 　診療行為のうち，労災診療費の算定方法が点数で定められているものについては「点数」欄に，定額で定められているものについては「金額」欄に記入してください。

② 　「点数」欄には，点数を技術（左側）と薬剤等（右側）に分け，それぞれの診療行為ごとの合計点数を記入してください。

③ 　小計のある項目（「⑩診察」・「⑳投薬」・「⑨入院」）については，技術・薬剤等別に当該項目の点数を合算し，小計点数を記入してください。

④ 　「金額」欄には，それぞれの診療行為ごとの合計金額を記入してください。

⑤ 　「摘要」欄に内訳を記載するに当たっては，診療行為ごとの番号を付して診療行為との対応関係が明らかになるような形で記載してください。

⑥ 　「点数」欄の技術については「⑩〜⑨点数計」欄の④にそれぞれの項目の合計点数を記入し，「A」欄にその単価，所定の加算率を乗じた金額を記入してください。

⑦ 　「点数」欄の薬剤等については「⑩〜⑨点数計」欄の回にそれぞれの項目の合計点数を記入し，「B」欄にその単価を乗じた金額を記入してください。

⑧ 　「金額」欄の「⑩診察」についてはそれぞれの欄に金額を記入のうえ，ハにその合計金額を記入し，「C」欄に所定の加算率を乗じた金額を記入してください。

⑨ 　「金額」欄の「⑧その他」については，それぞれ所定の欄に金額を記入のうえ㊁に合計金額を記入し，「⑨食事」，診断書料，明細書料については，それぞれの所定の欄（㋭・㋬・㊀）に記入し

ください。さらに，「D」欄に㊁・㊍・㊂・㊎の合計金額を記入してください。
⑩　原則的には，労災診療費請求内訳書の記載方法と同様ですが，留意点は次のとおりです。
　　＊「⑪初診」欄：初診時において時間外等加算または乳幼児加算を算定した場合は，該当する文字を○で囲んだうえ，その点数を記入してください。
　　＊「入院室料加算」欄：個室・2人部屋・3人部屋・4人部屋の別および算定日数を明記のうえ，合計金額を記入してください。
　　　　治療用装具等を算定した場合は，合計金額を「入院室料加算」欄の下にある空欄の上段に記載し，その内訳については「摘要」欄に記入してください。
　　　　初回入院時諸費用を算定した場合は，「入院室料加算」欄の下にある空欄の下段に記入してください。

② 「入院外」

①　診療行為のうち，労災診療費の算定方法が点数で定められているものについては「点数」欄に，定額で定められているものについては「金額」欄に記入してください。
②　「点数」欄には，点数を技術（左側）と薬剤等（右側）に分け，それぞれの診療行為ごとの合計点数を記入してください。
③　小計欄のある項目（「⑩診察」・「⑳投薬」・「㉚注射」）については，技術・薬剤等別に当該項目の点数を合算し，小計点数を記入してください。
④　「金額」欄には，それぞれの診療行為ごとの合計金額を記入してください。
⑤　「摘要」に内訳を記載するに当たっては，診療行為ごとの番号を付して診療行為との対応関係が明らかになるようなかたちで記載してください。
⑥　「点数」欄の技術については「⑩～㊻点数計」欄の㋑にそれぞれの項目の合計点数を記入し，「A」欄にその単価，所定の加算率を乗じた金額を記入してください。
⑦　「点数」欄の薬剤等については「⑩～㊻点数計」欄の㋺にそれぞれの項目の合計点数を記入し，「B」欄にその単価を乗じた金額を記入してください。
⑧　「金額」欄の「⑩診察」についてはそれぞれの欄に金額を記入のうえ，㋩にその合計金額を記入し，「C」欄に所定の加算率を乗じた金額を記入してください。
⑨　「金額」欄の「㊻その他」，診断書料，明細書料については，それぞれの所定の欄（㊁・㊍・㊂）に金額を記入し，「D」欄にその合計金額を記入してください。
⑩　原則的には，労災診療費請求内訳書の記載方法と同様ですが，留意点は次のとおりです。
　　＊「⑪初診」欄：初診時において時間外等加算または乳幼児加算を算定した場合は，該当する文字を○で囲んだうえ，その点数を記入してください。
　　＊「⑫再診」欄：労災保険における外来管理加算の特例取扱いによる点数の請求は外来管理加算の項に記入することとし，特例取扱いによらない外来管理加算と区別するため，その回数を「摘要」欄に「㊵52×何回」と記入してください。

(3) 自賠責保険診療報酬明細書記載上の留意事項

　　自賠責保険診療報酬明細書については，医療保険や労災保険と異なり，記載要綱が定められていない部分があります。また，地域によって使用されている書式が違う場合もあります。さらには，請求金額の計算方法についても，前述の新基準ではなく，健康保険の点数に準じて計算し，1点の単価を20円や30円で請求する旧方式を採用している医療機関もあります。ここでは，代表的な書式についての記載例を掲げています。

自動車保険のしくみと請求

概　要
しくみ
窓口対応
請　求
治療費
交通事故
休業損害
後遺障害
慰謝料
レセプト

2 レセプト作成

(1) 入院の事例

事例 右鎖骨骨折

以下の条件で自賠責診療費を明細書（新基準）に記載してください。
○施設の概要等

　３級地の一般病院（400床）：〔届出等〕急性期一般入院料１，診療録管理体制加算２，麻酔管理料（Ⅰ），常勤薬剤師勤務，入院時食事療養（Ⅰ），自賠責保険診断書料5,500円・明細書料3,300円

診　療　録	
患者氏名　○ 原 ○ 秀（男） 生年月日　昭和53年7月1日	傷病名　右鎖骨骨折 診療開始日　令和6年6月26日
既往・原因・主症状・経過等	処方・手術・処置等
6／26 バイク走行中に乗用車と接触し転倒。 右肩を路面に強打 X－P上，右鎖骨骨幹部やや遠位寄りに骨折あり。翌日手術とする 今後の治療計画について文書を交付 夕より常食 麻酔医術前訪問	6／26 右鎖骨X－P　2方向　電子保存 術前検査 　胸部単純X－P　電子保存 　尿一般，末血一般，像（自動機械法），ABO，Rh 　HBs抗原，HCV抗体定性・定量， 　梅毒血清反応（STS）定性，梅毒トレポネーマ抗体定性 　T－Bil，TP，BUN，クレアチニン，尿酸，糖，ナトリウム，クロール，カリウム，T-cho，AST，ALT，γ-GT，CK 　出血時間，プロトロンビン時間，CRP 　ECG 12誘導 　肺気量分画測定，フローボリュームカーブ
6／27 朝より禁食 手術 15:00：入室 　全身麻酔導入 15:20：執刀開始 　骨折観血的手術（鎖骨） 16:55：閉創 17:22：麻酔離脱 帰室 麻酔医術後訪問	6／27 手術薬剤（使用薬剤等は省略） 帰室後 　ヴィーンF注500mL　2B 　ヴィーン3G注500mL　2B 　セファメジンα点滴用キット1g生食100mL付　2キット 処方 　ロキソニン錠60mg　3錠 　ムコスタ錠100mg　3錠　　　　　　　　　　　／2日分 　ボルタレンサポ50mg　2個 右鎖骨X－P　2方向　電子保存
6／28 朝より常食 麻酔医診察　術後良好 痛み自制内。気分不快なし 術後医学管理	6／28 末血一般 TP，クレアチニン，尿酸，ALP，AST，ALT，ナトリウム，クロール，カリウム ヴィーン3G注　500mL　1B セファメジンα点滴用キット1g生食100mL付　2キット 創部包交　イソジン液10％10mL 保険会社用診断書作成

【解説（新基準）】

新基準でのレセプトでは，以下のように算定します。

　A：技術料➡1点12円で計算し，さらに20％を加算

　B：薬剤料・材料料➡1点12円

　C：診察料➡労災特例金額に20％を加算

　D：食事療養費➡1食の所定の料金に技術加算率を乗じた金額。**自費**➡加算なし

［6／26］

●初診料**3,850円**……C

●救急医療管理加算（入院**6,900円**）3日間……C

●胸部単純X－P　電子保存➡写真診断「1」単純撮影「イ」85点＋撮影「1」単純撮影「ロ」デジタル68点＝**153点**……A

　電子画像管理加算**57点**……A

●右鎖骨X－P　2方向　電子保存➡写真診断「1」単純撮影「イ」85点＋（85点×0.5）＝127.5点→128点。撮影「1」単純撮影「ロ」68点＋（68点×0.5）＝102点。128点＋102点＝**230点**（27日も同様）……A

　電子画像管理加算**57点**……A

●検査すべて……A

●T－Bil～CK➡血液化学検査「注」に該当。**106点**（10項目以上）＋**20点**（初回加算）を算定します。

●肺気量分画測定，フローボリュームカーブ➡肺気量分画測定（**90点**）とフローボリュームカーブ（**100点**），呼吸機能検査等判断料（**140点**）を算定します。

●食事療養（I）➡1食800円×1.2＝**960円**……D

●入院料1,688点×労災特例1.3倍＋450点（14日以内）➡**2,644点**……A

●診療録管理体制加算3　**30点**……A

［6／27］

●骨折観血的手術（鎖骨）➡骨折観血的手術「3」11,370点×1.5倍（労災準拠の四肢加算）＝**17,055点**……A

●全身麻酔導入➡閉鎖循環式全身麻酔「5」その他の場合は，2時間まで6,000点。その後30分につき600点が加算されます。2時間22分なので，6,000点＋600点（2時間30分まで）＝**6,600点**……A

●手術薬剤・材料料すべて……B

●麻酔管理料（I）「2」マスク又は気管内挿管による閉鎖循環式全身麻酔を行った場合の**1,050点**……A

●手術と同日に行った点滴の手技料は算定できないので，薬剤料のみ……B

［6／28］

●「術後医学管理」の記述から，手術後医学管理料（**1,188点**）を算定できますが，血液形態・機能検査（末梢血液一般），血液化学検査（TP～カリウム）および血液学的検査判断料，生化学的検査（I）判断料は算定できません。

●術後の創傷処置は創傷処置「1」100㎠未満52点×1.5（四肢加算）＝**78点**……A

　イソジン液**2点**……B

●診断書料**5,500円**，明細書料**3,300円**……D

【解説（旧基準）】

旧基準でのレセプトは，健康保険に準拠した点数で算定します。ただし，1点の金額は医療機関ごとに独自に決めます。ここでは例として1点20円の明細書を作成します。

自動車保険のしくみと請求

概　要
しくみ
窓口対応
請　求
治療費
交通事故
休業損害
後遺障害
慰謝料
レセプト

【入院事例の解答（新基準）】

自動車損害賠償責任保険
診 療 報 酬 明 細 書

令和6年6月分		入　院

氏名	○原　○秀	明・大・昭・平　53年生 (男・女)　46才	受傷日	令和6年6月26日	診療実日数
			初診日	令和6年6月26日	3日
傷病名	右鎖骨骨折		診療	自　令和6年6月26日	転帰
			期間	至　令和6年6月28日	治ゆ　継続　転医　中止　死亡

診　療　内　容		点数 技術	点数 薬剤等
⑩診察	⑪初診　時間外・休日・深夜・乳幼児	点	点
	⑬医学管理	1,188	
	⑩小　計	1,188	
⑳投薬	㉑内服　2単位		12
	㉒屯服　単位		
	㉓外用　1単位		6
	㉔調剤　7×2日	14	
	㉖麻毒　×　日		
	㉗調基　42×1回	42	
	⑳小　計	56	
			18
㉚注射	1回	102	
	薬剤等		429
㊵処置	1回	78	
	薬剤等		2
㊿手術麻酔	3回	24,705	
	薬剤等		
⑯検査	17回	1,123	
	薬剤等		
⑰画像診断	回	784	
	フィルム・薬剤等		
⑳その他	リハビリテーション等 薬剤等		

⑨入院	入院年月日　6年6月26日			
	病診衣	入院基本料・加算	2,644×　3日間 ×　日間 ×　日間 ×　日間 ×　日間	7,932 72
	急一般1 録管3			
		特入・その他		
	⑨小　計			8,004

⑩　～　⑨　点数計	㋑点 36,040	㋺点 449

診　療　内　容	金　額	摘　要
⑩診察	⑪初　診　3,850円	救急医療管理加算 3回
	救急医療管理加算　20,700円	
	⑩小　計　㈥　24,550円	
⑳その他	入院室料加算 人部屋×　日間　円	
	円	
	円	
	⑳小　計　㈡　円	
⑰食事	基準　960円×　4回 円×　回 円×　日	備　考
	⑰小　計　㋭　3,840円	
診断書料　通　㋬　5,500円		
明細書料　通　㋨　3,300円		

	摘　要	
13	＊手術後医学管理料	1,188×1
21	＊ロキソニン錠　60mg　3錠	
	ムコスタ錠　100mg　3錠	6×2
23	＊ボルタレンサポ50mg　2個	6×1
33	＊27日	
	点滴（手術日0点）	
	ヴィーンF注　500mL　2B	
	ヴィーン3G注　500mL　2B	
	セファメジンα点滴用キット1g（生理食塩液100mL付）	
	2キット	247×1
	＊点滴注射	102×1
	ヴィーン3G注　500mL　1B	
	セファメジンα点滴用キット1g（生理食塩液100mL付）	
	2キット	182×1
40	＊創傷処置（100c㎡未満）（術後14日以内）（52×1.5）×1	
	イソジン液10%　10mL	2×1
50	＊27日	
	骨折観血的手術（鎖骨）	
	（11,370×1.5）×1	
	＊麻酔管理料（Ⅰ）（閉鎖循環式全身麻酔）　1,050×1	
	＊閉鎖循環式全身麻酔5　2時間22分　6,600×1	
	（薬剤料等は省略）	

請求額の計算	A（㋑×単価×1.20）　518,976円	B（㋺×単価）　5,388円	C（㈥×1.20）　29,460円	D（㈡+㋭+㋬+㋨）　12,640円	合計（A+B+C+D）　566,464円

上記金額¥　566,464　を　○○保険株式会社　　殿
（に請求・から受領）済であることを証明いたします。
（請求または受領のいずれかを抹消し消印してください。）
令和6年7月20日

所在地
名　称　　　　　　　　（　　床）
医師名　　　　　　　　　　印
（電話番号）

診　療　内　容　内　訳　書

氏名	○原　○秀

	摘　　　　　要			摘　　　　　要	
60	＊Ｕ－一般	26×1	70	＊胸部単純Ｘ－Ｐ（デジタル）　　1回	153×1
	＊Ｂ－Ｔ-Bil, TP, BUN, クレアチニン, 尿酸, 糖,			＊電子画像管理加算	57×1
	ナトリウム, クロール, カリウム, T-cho, AST,			＊右鎖骨単純Ｘ－Ｐ（デジタル）　　2回	230×2
	ALT, γ-GT, CK	103×1		＊電子画像管理加算	57×2
	＊生化学的検査（Ⅰ）初回加算	20×1			
	＊Ｂ－出血時間	15×1	90	＊急性期一般入院料1	
	＊Ｂ－プロトロンビン時間	18×1		14日以内	2,644×3
	＊Ｂ－末梢血液一般検査	21×1		26日〜28日	
	＊Ｂ－像（自動機械法）	15×1		＊地域加算（3級地）	14×3
	＊STS定性	15×1		＊診療録管理体制加算3	30×1
	＊CRP	16×1			
	＊ＡＢＯ血液型	24×1			
	＊Rh（D）血液型	24×1			
	＊梅毒トレポネーマ抗体定性	32×1			
	＊HBs抗原, HCV抗体定性・定量	190×1			
	＊心電図（四肢単極12誘導）	130×1			
	＊肺気量分画測定, フローボリュームカーブ	190×1			
	＊呼吸機能検査等判断料	140×1			
	＊免疫学的検査判断料	144×1			

One point　仕事中に発症した腰痛は労災扱いになるのか

　厚労省は腰痛の原因を，突発的に急激な力が作用した「災害性の原因による腰痛」と，業務による腰への負担が長期間蓄積された「災害性の原因によらない腰痛」に分けて基準を設けています。もともと慢性的に腰痛を持病として抱えていたり，日常生活上の動作によって発症したりすることも多いため，仕事中に腰を痛めても，それの症状が業務に起因するものなのか区別することはむずかしいです。

　そのため，厚労省は腰痛の労災認定を判断するための認定基準を定めています。「災害性の原因による腰痛」が労災として認定されるためには，次の「1」「2」の両方を満たすことが必要です。

1. 腰の負傷またはその負傷の原因となった急激な力の作用が，仕事中の突発的な出来事によって生じたと明らかに認められること

2. 腰に作用した力が腰痛を発症させ，または腰痛の既往症・基礎疾患を著しく悪化させたと医学的に認められること

　つまり，「災害性の原因による腰痛」とは，仕事中に何らかの拍子で腰に急激かつ強い負担がかかったことが原因で生じた腰痛のことを指します。

　作業中に転倒する，高所から落下するなどの直接的に怪我の原因となる事故が起きた場合だけでなく，荷物の運搬中に足を滑らせそうになり，踏ん張った拍子に腰を痛めてしまった場合なども含まれます。

　いずれにしても，労災認定の対象となる腰痛は医師により療養の必要があると診断されたものに限ります。症状の軽い腰痛は労災認定対象外の可能性が高いと言われています。

自動車保険のしくみと請求

概　要
しくみ
窓口対応
請　求
治療費
交通事故
休業損害
後遺障害
慰謝料
レセプト

【入院事例の解答（旧基準）】

自動車損害賠償責任保険

診療報酬明細書

被保険者証の記号・番号				保険者名	
氏名	○原　○秀　（男・女）　明・大・昭・平 53 年生	年齢 46才	診療の種類	健保関係／労災／自由診療（○）／その他	傷病起因：業務上／通勤途上／その他
傷病名	右鎖骨骨折	6 年 6 月 26 日	転帰	治ゆ／継続（○）／転医／中止／死亡	
		年 月 日			
		年 月 日			

診療期間		診療実日数	入院	往診	通院
自	6年 6月 26日	3日	3日	日	日
至	6年 6月 28日				

診療内容		点数	金額
⑪初診	時間外・休日・深夜　回	291	5,820
⑫再診	再診　×　回		
	外来管理加算　×　回		
	時間外　×　回		
	休日　×　回		
	深夜　×　回		
⑬医学管理		1,188	23,760
⑭在宅	往診　回		
	夜間　回		
	深夜・緊急　回		
	在宅患者訪問診療　回		
	その他		
	薬剤　回		
⑳投薬	21内服薬剤　2単位	12	240
	内服調剤　×　回		
	22屯服薬剤　単位		
	屯服調剤　×　回		
	23外用薬剤　1単位	6	120
	外用調剤　7×　2回	14	280
	25処方　×　回		
	26麻毒　回		
	27調基	42	840
㉚注射	31皮下筋肉内　回		
	32静脈内　回		
	33その他　3回	531	10,540
㊵処置	1回	52	1,040
	薬剤　1回	2	40
(50)手術麻酔	3回	19,020	380,400
	薬剤　回		
(60)検査	17回	1,123	22,460
	薬剤　回		
(70)画像診断	3回	784	15,680
	薬剤　回		
(80)その他	回		
	薬剤　回		

診療内容			点数	金額
⑽入院料	入院年月日　6年 6月 26日			
	病　急一般1　録管2	90入院料　2138×3日	6,414	128,280
		×　日	3,222	64,440
		×　日		
		91入院時医学管理料　×　日 ×　日 ×　日 ×　日 ×　日		
	92特入・その他			
	97食事　基準	1340×4回		5,360
	特別	×　回		
	食堂	×　日		
	室料差額			
診断書		1通		5,000
明細書		1通		3,000
その他				
消費税額				800
合計（1点単価　20円）			32,701	654,020
社会保険への請求額				
患者負担額	患者負担　%			
	一部負担金	初診／入院／その他		
	給付対象外	診断書　通		
		明細書　通		
		室料差額		
		その他		
		差額調整分		
		消費税額		
合計				668,240

上記金額￥668,240を○○保険株式会社殿　に請求 ~~から受領~~　済であることを証明いたします。

令和　6　年　7　月　20　日
所在地
名称
医師名　㊞

診療内容内訳

13	*手術後医学管理料	1,188×1
21	*ロキソニン錠　60mg 3錠 　ムコスタ錠　100mg 3錠	6×2
23	*ボルタレンサポ50mg 2個	6×1
33	*27日 　点滴（手術日0点） 　ヴィーンF注　500mL　2B 　ヴィーン3G注　500mL　2B 　セファメジンα点滴用キット1g（生理食塩液100mL付） 　　2キット	247×1
	*点滴注射	102×1
	*ヴィーン3G注　500mL　1B 　セファメジンα点滴用キット1g（生理食塩液100mL付） 　　2キット	182×1
40	*創傷処置（100㎠未満）（術後14日以内）	52×1
	イソジン液10%　10mL	2×1
50	*27日 　骨折観血的手術（鎖骨）	11,370×1
	*麻酔管理料（I）（閉鎖循環式全身麻酔）	1,050×1
	*閉鎖循環式全身麻酔5　2時間22分 （薬剤料等は省略）	6,600×1

診療内容内訳

60	*U-一般	26×1
	*B-T-Bil, TP, BUN, クレアチニン, 尿酸, 糖, ナトリウム, クロール, カリウム, T-cho, AST, ALT, γ-GT, CK	103×1
	*生化学的検査（I）初回加算	20×1
	*B-出血時間	15×1
	*B-プロトロンビン時間	18×1
	*B-末梢血液一般検査	21×1
	*B-像（自動機械法）	15×1
	*STS定性	15×1
	*CRP（定量）	16×1
	*ABO血液型	24×1
	*Rh（D）血液型	24×1
	*梅毒トレポネーマ抗体定性	32×1
	*HBs抗原, HCV抗体定性・定量	190×1
	*心電図（四肢単極12誘導）	130×1
	*肺気量分画測定, フローボリュームカーブ	190×1
	*呼吸機能検査等判断料	140×1
	*免疫学的検査判断料	144×1
70	*胸部単純X-P（デジタル）　1回	153×1
	*電子画像管理加算	57×1
	*右鎖骨単純X-P（デジタル）　2回	230×2
	*電子画像管理加算	57×2
90	*急性期一般入院料1 　14日以内 　26日～28日	2,138×3
	*地域加算（3級地）	14×3
	*救急医療管理加算1（ケ）	1,050×3
	*診療録管理体制加算3	30×1

通院の場合は必ず通院日に○印をつけて下さい。

										通		院				日																合計
1月	1	2	3	4	5	6	7	8	9	10	11	12	13	14	15	16	17	18	19	20	21	22	23	24	25	26	27	28	29	30	31	
2月	1	2	3	4	5	6	7	8	9	10	11	12	13	14	15	16	17	18	19	20	21	22	23	24	25	26	27	28	29			
3月	1	2	3	4	5	6	7	8	9	10	11	12	13	14	15	16	17	18	19	20	21	22	23	24	25	26	27	28	29	30	31	
4月	1	2	3	4	5	6	7	8	9	10	11	12	13	14	15	16	17	18	19	20	21	22	23	24	25	26	27	28	29	30		
5月	1	2	3	4	5	6	7	8	9	10	11	12	13	14	15	16	17	18	19	20	21	22	23	24	25	26	27	28	29	30	31	
6月	1	2	3	4	5	6	7	8	9	10	11	12	13	14	15	16	17	18	19	20	21	22	23	24	25	26	27	28	29	30		
7月	1	2	3	4	5	6	7	8	9	10	11	12	13	14	15	16	17	18	19	20	21	22	23	24	25	26	27	28	29	30	31	
8月	1	2	3	4	5	6	7	8	9	10	11	12	13	14	15	16	17	18	19	20	21	22	23	24	25	26	27	28	29	30	31	
9月	1	2	3	4	5	6	7	8	9	10	11	12	13	14	15	16	17	18	19	20	21	22	23	24	25	26	27	28	29	30		
10月	1	2	3	4	5	6	7	8	9	10	11	12	13	14	15	16	17	18	19	20	21	22	23	24	25	26	27	28	29	30	31	
11月	1	2	3	4	5	6	7	8	9	10	11	12	13	14	15	16	17	18	19	20	21	22	23	24	25	26	27	28	29	30		
12月	1	2	3	4	5	6	7	8	9	10	11	12	13	14	15	16	17	18	19	20	21	22	23	24	25	26	27	28	29	30	31	

自動車保険のしくみと請求

概要
しくみ
窓口対応
請求
治療費
交通事故
休業損害
後遺障害
慰謝料
レセプト

⑵　外来の事例

事例 右足関節捻挫

以下の条件で自賠責診療費を明細書（新基準）に記載してください。

○施設の概要等

大阪府大阪市の一般病院（100床）：常勤薬剤師勤務，自賠責保険診断書料5,500円・明細書料 3,300円

診　療　録	
患者氏名　○　石　○　広（男） 生年月日　昭和43年 1 月 7 日	傷病名　右足関節捻挫+頭部打撲 診療開始日　令和 6 年 6 月13日
既往・原因・主症状・経過等	処方・手術・処置等
6／13 横断歩道を通行中，後ろから左折してきたバイクと接触，転倒。右足首をひねった。転倒の際，頭部と右手を路面にぶつけた ふらつきあり X－P上，骨折なし 平衡機能問題なし 右足関節捻挫 シーネ固定のうえ帰宅とする 松葉杖貸し出し	6／13 右足関節X－P　 2 方向　電子保存 右手関節X－P　 2 方向　電子保存 頭部X－P　 3 方向　電子保存 平衡機能標準検査 右足関節ギプスシーネ 処方 　ロキソニン錠60mg　 3 錠 　アプレース錠100mg　 3 錠 　　　　　　　　　　　　　　毎食後　　 7 日分 　アドフィードパップ40mg 　　10cm×14cm　30枚 　薬剤情報提供書交付
6／18 痛みなし。シーネ除去 屈伸にてわずかに痛みあり。安静指示	6／18 Rp（－）

【解説】

新基準のレセプトでは，以下のように算定します。

A：技術料➡ 1 点12円で計算し，さらに20％を加算

B：薬剤料・材料料➡ 1 点12円

C：診察料➡労災特例金額に20％を加算

D：自費➡加算なし

［ 6／13］

●初診料**3,850円**……C

●救急医療管理加算（外来**1,250円**）……C

●**右足関節X－P　 2 方向　電子保存**➡写真診断「 1 」単純撮影「ロ」43点 +（43点×0.5）＝64.5点 →65点。撮影「 1 」単純撮影「ロ」デジタル68点 +（68点×0.5）＝102点。65点 +102点 ＝**167点** ……A

電子画像管理加算**57点**……A

●**右手関節X－P　 2 方向　電子保存**➡写真診断「 1 」単純撮影「ロ」43点 +（43点×0.5）＝64.5点 →65点。撮影「 1 」単純撮影「ロ」デジタル68点 +（68点×0.5）＝102点。65点 +102点 ＝**167点**

　……A

電子画像管理加算**57点**……A

●**頭部Ｘ－Ｐ　　３方向　　電子保存➡**写真診断「１」単純撮影「イ」85点＋（85点×0.5×２）＝170点。
　撮影「１」単純撮影「ロ」デジタル68点＋（68点×0.5×２）＝136点。170点＋136点＝**306点**……A

　電子画像管理加算**57点**……A

●**調剤料**「１」入院中の患者以外の患者に対して投薬を行った場合「イ」**９点**（内服薬等），調剤料
　「１」「ロ」**６点**（外用薬），処方料「３」１及び２以外の場合**42点**，調剤技術基本料「２」その他
　の患者に投薬を行った場合**８点**……A

　薬剤料……B

●**右足関節ギプスシーネ（半肢）➡**四肢ギプス包帯「３」半肢（片側）**780点**……A

●**平衡機能標準検査➡**平衡機能検査「１」標準検査**20点**……A

●**薬剤情報提供書交付➡**薬剤情報提供料**４点**……A

●**診断書料5,500円，明細書料3,300円**……D

［6／18］

●**再診料1,420円**……C

●**外来管理加算52点**……A

　旧基準でのレセプトは，健康保険に準拠した点数で算定します。ただし，１点の金額は医療機関ご
とに独自に決めており，１点15円，１点25円など各医療機関によって異なります。

　ここでは例として１点15円の明細書を作成します。

One point 運転中の携帯電話（スマホ）使用での罰則

　運転中に携帯電話を使用した場合は，事故の発生率が高いことから，令和元年より非常にきびしい措置
が適用となりました。
　罰則：６カ月以下の懲役または10万円以下の罰金
　反則金：18,000円（普通車の場合）
　違反点数：３点
　事故や危険運転を起こした場合と同様，運転中のスマホ使用に関しても厳罰化されています。特に，運
転中にスマホを保持するだけで刑罰が科される（前科がつく）可能性があるようです。

One point 保険会社のドライブレコーダー

　東名高速道路で起きた「あおり運転」事件などの影響もあり，ドライブレコーダーへの関心が急速に高
まっています。ドラレコは「自分で買う」ほかに，「自動車保険にドラレコ特約を付ける」と保険会社か
ら高機能ドラレコが送られてきます。自分で購入するドラレコと大きく異なるのは，ドラレコ特約で入手
したドラレコには事故発生時のサポート機能が付いています。
　たとえば，某保険会社では，エアバッグが作動する程の衝撃を端末が検知すると，リアルタイムに自動
で事故受付センターに連絡する仕組みになっています。事故の前後10秒ほどの映像も自動で記録・送信さ
れ，保険会社の事故受付は完了する機能がついているそうです。

自動車保険の
しくみと請求

概　要
しくみ
窓口対応
請　求
治療費
交通事故
休業損害
後遺障害
慰謝料
レセプト

【外来事例の解答（新基準）】

自動車損害賠償責任保険

診 療 報 酬 明 細 書

入 院 外

令和６年６月分

氏名	○石　○広	明・大・昭・平　43年生 （男・女）　56才		

	受 傷 日	令和６年６月13日	診療実日数
	初 診 日	令和６年６月13日	2日

傷病名	右足関節捻挫

診 療	自　令和６年６月13日
期 間	至　令和６年６月18日

転 帰				
治ゆ	継続	転医	中止	死亡

診 療 内 容		点　　数		診 療 内 容	金 額	摘　　要
		技術	薬剤等			
⑩再診	⑪初診　時間外・休日・深夜・乳幼児	点	点	⑩診察　⑪初 診	3,850円	診断書　1枚
	⑫再診　外来管理加算　　1回	52		⑫再 診　1回	1,420円	明細書　1枚
	時間外　　　　　回			⑬指導管理　　回	円	
	休 日　　　　　回			救急医療管理加算	1,250円	
	深 夜　　　　　回			⑩小　計　（イ）	6,520円	
	⑬医学管理	4		⑧その 他　（ロ）	円	
	その他			診断書料　　　1通　（ホ）		5,500円
	⑩小　計	56		明細書料　　　1通　（ヘ）		3,300円
⑳投薬	㉑内服　｛薬剤　　　　　7単位		42	摘　　要		
	｛調剤　11×1回	11		13　＊薬剤情報提供料　　4×1		
	㉒屯服　薬剤　　　　　　単位			21　＊ロキソニン錠60mg　3錠		
	㉓外用　｛薬剤　　　　　1単位		51	アプレース錠100mg　3錠　　6×7		
	｛調剤　8×1回	8		23　＊アドフィードパップ40mg10cm×14cm　30枚　51×1		
	㉕処方　42×1回	42		40　＊四肢ギプスシーネ（半肢）　　780×1		
	㉖麻毒　　　　　　　　　回			60　＊平衡機能標準検査　　20×1		
	㉗調基　　　　　　　　　1回	14		70　＊右足関節単純X－P（デジタル）　2回　167×1		
	⑳小　計	75	93	＊画像診断管理加算　　57×1		
㉚注射	㉛皮下筋肉内　　　　　　回			＊右手関節単純X－P（デジタル）　2回　167×1		
	㉜静脈内　　　　　　　　回			＊画像診断管理加算　　57×1		
	㉝その他　　　　　　　　回			＊頭部単純X－P（デジタル）　3回　306×1		
	薬剤等			画像診断管理加算　　57×1		
	㉚小計					
⑩処置	1回	780				
	薬 剤 等					
㊿手術麻酔	回					
	薬 剤 等					
⑩検査	1回	20				
	薬 剤 等					
⑩画像診断	3回	811				
	フィルム・薬剤等					
⑳その他	処方せん　　　　　　　回					
	リハビリテーション等					
	薬 剤 等					
⑩～⑳点数計		（イ）点 1,742	（ロ）点 93			

請 求 額 の 計 算	A（イ×単価×1.20）	B（ロ×単価）	C（イ×1.20）	D（ロ＋ホ＋ヘ）	合計（A＋B＋C＋D）
	25,085円	1,116円	7,824円	8,800円	42,825円

通院日に○印を つけてください	6月	1 2 3 4 5 6 7 8 9 10 11 12 ⑬ 14 15 16 17 ⑱ 19 20 21 22 23 24 25 26 27 28 29 30 31	計 2 日
	月	1 2 3 4 5 6 7 8 9 10 11 12 13 14 15 16 17 18 19 20 21 22 23 24 25 26 27 28 29 30 31	計　日

上記金額￥　42,825　を　○○火災海上保険会社　　殿
（に請求・から受領）済であることを証明いたします。
（請求または受領のいずれかを抹消し消印してください。）
令和６年７月１日

所 在 地
名　　称　　　　　　　　（　　）
医 師 名　　　　　　　　　印
（電話番号）

【外来事例の解答（旧基準）】

自動車損害賠償責任保険

診 療 報 酬 明 細 書

令和6年6月分

保険者名

被保険者証の記号・番号									

氏名	○石 ○広 （男・女） 明・大・昭・平 43 年生		年齢 56才	診療の種類	健保関係	労災	自由診療	その他	傷病起因	業務上	通勤途上	その他

傷病名	右足関節捻挫	6 年 / 年 / 年	6 月 / 月 / 月	13 日 / 日 / 日	転帰	治ゆ	継続	転医	中止	死亡

診療期間	自 6年 6月 13日　至 6年 6月 18日	診療実日数 2日	入院 日	往診 日	通院 2日

診療内容	点数	金額	診療内容	点数	金額
⑪初診 時間外・休日・深夜 回	291 4	365	入院年月日　　年　月　日		
⑫再診 再診 75× 1回	75 1	125	90入院料 ×日 ×日 ×日		
外来管理加算 × 1回	52	780			
時間外 × 回			91入院時医学管理料 ×日 ×日 ×日 ×日 ×日		
休日 × 回					
深夜 × 回					
⑬医学管理	4	60			
⑭在宅 往診 回			92特入・その他		
夜間 回			97食事 基準 ×回 特別 ×回 食堂 ×日		
深夜・緊急 回					
在宅患者訪問診療 回			室料差額		
その他			診断書 1通		5 000
薬剤 回			明細書 1通		3 000
⑳投薬 21内服薬剤 7単位	42	630	その他		
内服調剤 11× 1回	11	165			
22屯服薬剤 単位			消費税額		800
屯服調剤 × 回			合計（1点単価 15円）	2 201	33 015
23外用薬剤 1単位	51	765	社会保険への請求額		
外用調剤 8× 1回	8	120	患者負担 ％		
25処方 42× 1回	42	630	患者負担 一部負担金 初診 入院 診 院 その他		
26麻毒 回					
27調基	14	210			
⑳注射 31皮下筋肉内 回			給付対象額 診断書 通 明細書 通 室料差額 その他		
32静脈内 回					
33その他 回					
⑳処置 1回	780 11	700			
薬剤 回			給付対象額外 差額調整分 消費税額		
⑳手術麻酔 回					
薬剤 回					
⑳検査 1回	20	300	合計		41 815
薬剤 回					
⑳画像診断 3回	811 12	165			
薬剤 回					
⑳その他 回					
薬剤 回					

上記金額¥ 41,815 を ○○海上火災保険会社 殿
（に請求・から受領）済であることを証明いたします。

所在地　　名称　　医師名　　　　　　　　印

令和 6 年 7 月 1 日

自動車保険のしくみと請求

概要
しくみ
窓口対応
請求
治療費
交通事故
休業損害
後遺障害
慰謝料
レセプト

診 療 内 容 内 訳		診 療 内 容 内 訳

13　＊薬剤情報提供料　　　　　　　　　　　　4×1

21　＊ロキソニン錠60mg　　3錠
　　　アプレース錠100mg　　3錠　　　　　　6×7

23　＊アドフィードパップ40mg10cm×10cm　30枚　51×1

40　＊四肢ギプスシーネ（半肢）　　　　　　780×1

60　＊平衡機能標準検査　　　　　　　　　　20×1

70　＊右足関節単純X－P（デジタル）　　2回　　167×1
　　＊画像診断管理加算　　　　　　　　　　57×1
　　＊右手関節単純X－P（デジタル）　　2回　　167×1
　　＊画像診断管理加算　　　　　　　　　　57×1
　　＊頭部単純X－P（デジタル）　　3回　　306×1
　　＊画像診断管理加算　　　　　　　　　　57×1

通院の場合は必ず通院日に○印をつけて下さい。

	通　　院　　日																															合計
1月	1	2	3	4	5	6	7	8	9	10	11	12	13	14	15	16	17	18	19	20	21	22	23	24	25	26	27	28	29	30	31	
2月	1	2	3	4	5	6	7	8	9	10	11	12	13	14	15	16	17	18	19	20	21	22	23	24	25	26	27	28	29			
3月	1	2	3	4	5	6	7	8	9	10	11	12	13	14	15	16	17	18	19	20	21	22	23	24	25	26	27	28	29	30	31	
4月	1	2	3	4	5	6	7	8	9	10	11	12	13	14	15	16	17	18	19	20	21	22	23	24	25	26	27	28	29	30		
5月	1	2	3	4	5	6	7	8	9	10	11	12	13	14	15	16	17	18	19	20	21	22	23	24	25	26	27	28	29	30	31	
⑥月	1	2	3	4	5	6	7	8	9	10	11	12	⑬	14	15	16	17	⑱	19	20	21	22	23	24	25	26	27	28	29	30		
7月	1	2	3	4	5	6	7	8	9	10	11	12	13	14	15	16	17	18	19	20	21	22	23	24	25	26	27	28	29	30	31	
8月	1	2	3	4	5	6	7	8	9	10	11	12	13	14	15	16	17	18	19	20	21	22	23	24	25	26	27	28	29	30	31	
9月	1	2	3	4	5	6	7	8	9	10	11	12	13	14	15	16	17	18	19	20	21	22	23	24	25	26	27	28	29	30		
10月	1	2	3	4	5	6	7	8	9	10	11	12	13	14	15	16	17	18	19	20	21	22	23	24	25	26	27	28	29	30	31	
11月	1	2	3	4	5	6	7	8	9	10	11	12	13	14	15	16	17	18	19	20	21	22	23	24	25	26	27	28	29	30		
12月	1	2	3	4	5	6	7	8	9	10	11	12	13	14	15	16	17	18	19	20	21	22	23	24	25	26	27	28	29	30	31	

関 連 資 料

資料 1　都道府県労働局・労働基準監督署一覧（2024年 8 月現在）

局 署 名	郵便番号	所 在 地	電話番号
北海道労働局	060-8566	札幌市北区北 8 条西 2 - 1 - 1　札幌第 1 合同庁舎	011-709-2311
札 幌 中 央	060-8587	札幌市北区北 8 条西 2 - 1 - 1　札幌第 1 合同庁舎	011-737-1193
札 幌 東	004-8518	札幌市厚別区厚別中央 2 条 1 - 2 - 5	011-894-2817
函 館	040-0032	函館市新川町25-18　函館地方合同庁舎	0138-87-7607
小 樽	047-0007	小樽市港町 5 - 2　小樽地方合同庁舎	0134-33-7651
岩 見 沢	068-0005	岩見沢市 5 条東15-7-7　岩見沢地方合同庁舎	0126-28-2422
旭 川	078-8505	旭川市宮前 1 条 3 - 3 - 15　旭川合同庁舎西館 6 F	016-699-4706
帯 広	080-0016	帯広市西 6 条南 7 - 3　帯広地方合同庁舎	015-597-1245
滝 川	073-8502	滝川市緑町 2 - 5 - 30	0125-24-7361
北 見	090-8540	北見市青葉町 6 - 8　北見地方合同庁舎	015-788-3985
室 蘭	051-0023	室蘭市入江町 1 - 13　室蘭地方合同庁舎	0143-48-4452
苫 小 牧	053-8540	苫小牧市港町 1 - 6 - 15　苫小牧港湾合同庁舎	014-488-8901
釧 路	085-8510	釧路市柏木町 2 - 12	015-445-7837
名 寄	096-0014	名寄市西 4 条南 9 丁目	01654-2-3186
留 萌	077-0048	留萌市大町 2　留萌地方合同庁舎	0164-42-0463
稚 内	097-0001	稚内市末広 5 - 6 - 1　稚内地方合同庁舎 3 F	0162-73-0777
浦 河	057-0034	浦河郡浦河町堺町西 1 - 3 - 31	0146-22-2113
倶 知 安 支 署	044-0011	虻田郡倶知安町南 1 条東 3 - 1　倶知安地方合同庁舎 4 F	0136-22-0206
青森労働局	030-8558	青森市新町 2 - 4 - 25　青森合同庁舎	017-734-4115
青 森	030-0861	青森市長島 1 - 3 - 5　青森第 2 合同庁舎 8 F	017-715-5452
弘 前	036-8172	弘前市大字南富田町 5 - 1	0172-33-6411
八 戸	039-1166	八戸市根城 9 - 13 - 9　八戸合同庁舎 1 F	0178-46-3311
五 所 川 原	037-0004	五所川原市大字唐笠柳字藤巻507-5　五所川原合同庁舎 3 F	0173-35-2309
十 和 田	034-0082	十和田市西二番町14-12　十和田奥入瀬合同庁舎 3 F	0176-23-2780
む つ	035-0072	むつ市金谷 2 - 6 - 15　下北合同庁舎 4 F	0175-22-3136
岩手労働局	020-8522	盛岡市盛岡駅西通 1 - 9 - 15　盛岡第 2 合同庁舎 5 F	019-604-3009
盛 岡	020-8523	盛岡市盛岡駅西通 1 - 9 - 15　盛岡第 2 合同庁舎 6 F	019-907-9213
宮 古	027-0073	宮古市緑ヶ丘 5 - 29	0193-62-6455
釜 石	026-0041	釜石市上中島町 4 - 3 - 50　NTT 東日本上中島ビル 1 F	0193-23-0651
花 巻	025-0076	花巻市城内 9 - 27　花巻合同庁舎 2 F	0198-20-2302
一 関	021-0864	一関市旭町 5 - 11	0191-23-4125
大 船 渡	022-0002	大船渡市大船渡町字台13-14	0192-26-5231
二 戸	028-6103	二戸市石切所字荷渡 6 - 1　二戸合同庁舎	0195-23-4131
宮城労働局	983-8585	仙台市宮城野区鉄砲町 1　仙台第 4 合同庁舎	022-299-8843
仙 台	983-8507	仙台市宮城野区鉄砲町 1　仙台第 4 合同庁舎	022-299-9074
石 巻	986-0832	石巻市泉町 4 - 1 - 18　石巻合同庁舎	022-585-3484
石巻 気仙沼臨時窓口	988-0077	気仙沼市古町 3 - 3 - 8　気仙沼駅前プラザ 2 F	0226-25-6921
古 川	989-6161	大崎市古川駅南 2 - 9 - 47	0229-22-2112
大 河 原	989-1246	柴田郡大河原町字新東24-25	0224-53-2154
瀬 峰	989-4521	栗原市瀬峰下田50-8	0228-38-3131
秋田労働局	010-0951	秋田市山王 7 - 1 - 3　秋田合同庁舎	018-883-4275
秋 田	010-0951	秋田市山王 7 - 1 - 4　秋田第 2 合同庁舎	018-801-0823
能 代	016-0895	能代市末広町 4 - 20　能代合同庁舎 3 F	0185-52-6151
大 館	017-0897	大館市字三の丸 6 - 2	0186-42-4033
横 手	013-0033	横手市旭川 1 - 2 - 23	0182-32-3111
大 曲	014-0063	大仙市大曲日の出町 1 - 3 - 4　大曲法務合同庁舎 1 F	0187-63-5151
本 荘	015-0874	由利本荘市給人町17　本荘合同庁舎 2 F	0184-22-4124
山形労働局	990-8567	山形市香澄町 3 - 2 - 1　山交ビル 3 F	023-624-8227
山 形	990-0041	山形市緑町 1 - 5 - 48　山形地方合同庁舎	023-608-5257
米 沢	992-0012	米沢市金池 3 - 1 - 39　米沢地方合同庁舎	0238-23-7120
庄 内	997-0047	鶴岡市大塚町17-27　鶴岡合同庁舎	023-541-2675
新 庄	996-0011	新庄市東谷地田町 6 - 4　新庄合同庁舎	0233-22-0227
村 山	995-0021	村山市楯岡楯 2 - 28　村山合同庁舎 2 F	0237-55-2815
福島労働局	960-8513	福島市花園町 5 - 46　福島第二地方合同庁舎 3 階	024-536-4605
福 島	960-8021	福島市霞町 1 - 46　福島合同庁舎 1 F	024-536-4613
郡 山	963-8025	郡山市桑野 2 - 1 - 18	024-922-1378
い わ き	970-8026	いわき市平字堂根町 4 - 11　いわき地方合同庁舎 4 F	0246-23-2258
会 津	965-0803	会津若松市城前 2 - 10	0242-88-3458

局　署　名	郵便番号	所　在　地	電話番号
白　　河	961-0074	白河市郭内 1 － 136　白河小峰城合同庁舎 5 Ｆ	0248-24-1391
須　賀　川	962-0834	須賀川市旭町204 － 1	0248-75-3519
会津（喜多方支署）	966-0896	喜多方市諏訪91	0241-22-4211
相　　馬	976-0042	相馬市中村字桜ヶ丘68	0244-36-4175
富　　岡	979-1112	双葉郡富岡町中央 2 － 104	0240-22-3003
茨城労働局	310-8511	水戸市宮町 1 － 8 － 31　茨城労働総合庁舎	029-224-6217
水　　戸	310-0015	水戸市宮町 1 － 8 － 31　茨城労働総合庁舎	029-277-7917
日　　立	317-0073	日立市幸町 2 － 9 － 4	029-488-3981
土　　浦	300-0805	土浦市宍塚1838	029-882-7022
筑　　西	308-0825	筑西市下中山581 － 2	0296-22-4564
古　　河	306-0011	古河市東 3 － 7 － 32	0280-32-3232
常　　総	303-0022	常総市水海道淵頭町3114 － 4	0297-22-0264
龍 ヶ 崎	301-0005	龍ヶ崎市川原代町四区6336 － 1	0297-62-3331
鹿　　嶋	314-0031	鹿嶋市宮中1995 － 1　鹿嶋労働総合庁舎	0299-83-8461
栃木労働局	320-0845	宇都宮市明保野町 1 － 4　宇都宮第 2 地方合同庁舎	028-634-9118
宇　都　宮	320-0845	宇都宮市明保野町 1 － 4　宇都宮第 2 地方合同庁舎別館	028-346-3169
足　　利	326-0807	足利市大正町864	0284-41-1188
栃　　木	328-0042	栃木市沼和田町20 － 24	028-288-5499
鹿　　沼	322-0063	鹿沼市戸張町2365 － 5	0289-64-3215
大　田　原	324-0041	大田原市本町 2 － 2828 － 19	0287-22-2279
日　　光	321-1261	日光市今市305 － 1	0288-22-0273
真　　岡	321-4305	真岡市荒町5203	0285-82-4443
群馬労働局	371-8567	前橋市大手町 2 － 3 － 1　前橋地方合同庁舎 8 Ｆ	027-896-4738
高　　崎	370-0045	高崎市東町134 － 12　高崎地方合同庁舎	027-367-2314
前　　橋	371-0026	前橋市大手町 2 － 3 － 1　前橋地方合同庁舎	027-896-4537
前橋伊勢崎分庁舎	372-0024	伊勢崎市下植木町517	0270-25-3363
桐　　生	376-0045	桐生市末広町13 － 5　桐生地方合同庁舎	0277-44-3523
太　　田	373-0817	太田市飯塚町104 － 1	0276-45-9920
沼　　田	378-0031	沼田市薄根町4468 － 4	0278-23-0323
藤　　岡	375-0014	藤岡市下栗須124 － 10	0274-22-1418
中　之　条	377-0424	吾妻郡中之条町大字中之条町664 － 1	0279-75-3034
埼玉労働局	330-6016	さいたま市中央区新都心11 － 2　ランド・アクシス・タワー15Ｆ	048-600-6207
さ い た ま	330-6014	さいたま市中央区新都心11 － 2　ランド・アクシス・タワー14Ｆ	048-600-4802
川　　口	332-0015	川口市川口 2 － 10 － 2	048-252-3804
熊　　谷	360-0856	熊谷市別府 5 － 95	048-511-7002
川　　越	350-1118	川越市豊田本 1 － 19 － 8　川越地方合同庁舎	049-242-0893
春　日　部	344-8506	春日部市南 3 － 10 － 13	048-735-5228
所　　沢	359-0042	所沢市並木 6 － 1 － 3　所沢地方合同庁舎	042-995-2586
行　　田	361-8504	行田市桜町 2 － 6 － 14	048-556-4195
秩　　父	368-0024	秩父市上宮地町23 － 24	0494-22-3725
千葉労働局	260-8612	千葉市中央区中央 4 － 11 － 1　千葉第 2 地方合同庁舎	043-221-4313
千　　葉	260-8506	千葉市中央区中央 4 － 11 － 1　千葉第 2 地方合同庁舎 3 Ｆ	043-308-0673
船　　橋	273-0022	船橋市海神町 2 － 3 － 13	047-431-0183
柏	277-0021	柏市中央町 3 － 2　柏トーセイビル 3 Ｆ	047-163-0248
銚　　子	288-0041	銚子市中央町 8 － 16	0479-22-8100
木　更　津	292-0831	木更津市富士見 2 － 4 － 14　木更津地方合同庁舎	043-880-2831
茂　　原	297-0018	茂原市萩原町 3 － 20 － 3	0475-22-4551
成　　田	286-0134	成田市東和田字高崎553 － 4	0476-22-5666
東　　金	283-0005	東金市田間65	0475-52-4358
東京労働局	102-8306	千代田区九段南 1 － 2 － 1　九段第 3 合同庁舎13Ｆ	03-3512-1617
中　　央	112-8573	文京区後楽 1 － 9 － 20　飯田橋合同庁舎 6 ・ 7 Ｆ	03-5803-7383
上　　野	110-0008	台東区池之端 1 － 2 － 22　上野合同庁舎 7 Ｆ	03-6872-1316
三　　田	108-0014	港区芝 5 － 35 － 2　安全衛生総合会館 3 Ｆ	03-3452-5472
品　　川	141-0021	品川区上大崎 3 － 13 － 26	03-3443-5744
大　　田	144-8606	大田区蒲田 5 － 40 － 3　ＴＴ蒲田駅前ビル 8 ・ 9 Ｆ	03-3732-0173
渋　　谷	150-0041	渋谷区神南 1 － 3 － 5　渋谷神南合同庁舎 5 ・ 6 Ｆ	03-3780-6507
新　　宿	169-0073	新宿区百人町 4 － 4 － 1　新宿労働総合庁舎 4 ・ 5 Ｆ	03-3361-4402
池　　袋	171-8502	豊島区池袋 4 － 30 － 20　豊島地方合同庁舎 1 Ｆ	03-3971-1259
王　　子	115-0045	北区赤羽 2 － 8 － 5	03-6679-0226
足　　立	120-0026	足立区千住旭町 4 － 21　足立地方合同庁舎 4 Ｆ	03-3882-1189
向　　島	131-0032	墨田区東向島 4 － 33 － 13	03-5630-1033
亀　　戸	136-8513	江東区亀戸 2 － 19 － 1　カメリアプラザ 8 Ｆ	03-3637-8132
江　戸　川	134-0091	江戸川区船堀 2 － 4 － 11	03-6681-8232
八　王　子	192-0046	八王子市明神町 4 － 21 － 2　八王子地方合同庁舎 3 Ｆ	042-680-8923
立　　川	190-8516	立川市緑町 4 － 2　立川地方合同庁舎 3 Ｆ	042-523-4474
青　　梅	198-0042	青梅市東青梅 2 － 6 － 2	0428-28-0392
三　　鷹	180-8518	武蔵野市御殿山 1 － 1 － 3　クリスタルパークビル 3 Ｆ	0422-67-3422
町 田 支 署	194-0022	町田市森野 2 － 28 － 14　町田地方合同庁舎 2 Ｆ	042-718-8592

局 署 名	郵便番号	所 在 地	電話番号
神奈川労働局	231-8434	横浜市中区北仲通5－57　横浜第2合同庁舎	045-211-7355
横　浜　南	231-0003	横浜市中区北仲通5－57　横浜第2合同庁舎9F	045-211-7376
鶴　　見	230-0051	横浜市鶴見区鶴見中央2－6－18	045-279-5487
川　崎　南	210-0012	川崎市川崎区宮前町8－2	044-244-1272
川　崎　北	213-0001	川崎市高津区溝口1－21－9	044-382-3192
横　須　賀	238-0005	横須賀市新港町1－8　横須賀地方合同庁舎5F	046-823-0858
横　浜　北	222-0033	横浜市港北区新横浜2－4－1　日本生命新横浜ビル3・4F	045-474-1253
平　　塚	254-0041	平塚市浅間町10－22　平塚地方合同庁舎3F	0463-43-8616
藤　　沢	251-0054	藤沢市朝日町5－12　藤沢労働総合庁舎3F	046-697-6749
小　田　原	250-0011	小田原市栄町1－1－15　ミナカ小田原9F	0465-22-7152
厚　　木	243-0018	厚木市中町3－2－6　厚木Tビル5F	046-401-1642
相　模　原	252-0236	相模原市中央区富士見6－10－10　相模原地方合同庁舎4F	042-861-8632
横　浜　西	240-8612	横浜市保土ヶ谷区岩井町1－7　保土ヶ谷駅ビル4F	045-287-0275
新潟労働局	950-8625	新潟市中央区美咲町1－2－1　新潟美咲合同庁舎2号館	025-288-3506
新　　潟	950-8624	新潟市中央区美咲町1－2－1　新潟美咲合同庁舎2号館	025-288-3571
長　　岡	940-0082	長岡市千歳1－3－88　長岡地方合同庁舎	025-887-3313
上　　越	943-0803	上越市春日野1－5－22　上越地方合同庁舎	025-542-2903
三　　条	955-0055	三条市塚野目2－5－11	0256-32-1150
新　発　田	957-8506	新発田市日渡96　新発田地方合同庁舎	0254-27-6680
新　　津	956-0864	新潟市秋葉区新津本町4－18－8　新津労働総合庁舎	0250-22-4161
小　　出	946-0004	魚沼市大塚新田87－3	025-792-0241
十　日　町	948-0073	十日町市稲荷町2－9－3	025-752-2079
佐　　渡	952-0016	佐渡市原黒333－38	0259-23-4500
富山労働局	930-8509	富山市神通本町1－5－5　富山労働総合庁舎	076-432-2739
富　　山	930-0008	富山市神通本町1－5－5　富山労働総合庁舎2F	076-432-9143
高　　岡	933-0046	高岡市中川本町10－21　高岡法務合同庁舎2F	076-689-1332
魚　　津	937-0801	魚津市新金屋1－12－31　魚津合同庁舎4F	0765-22-0579
砺　　波	939-1367	砺波市広上町5－3	0763-32-3323
石川労働局	920-0024	金沢市西念3－4－1　金沢駅西合同庁舎5・6F	076-265-4426
金　　沢	921-8013	金沢市新神田4－3－10　金沢新神田合同庁舎3F	076-292-7938
小　　松	923-0868	小松市日の出町1－120　小松日の出合同庁舎7F	076-122-4317
七　　尾	926-0852	七尾市小島町西部2　七尾地方合同庁舎2F	0767-52-3294
穴　　水	927-0027	鳳珠郡穴水町川島キ84　穴水地方合同庁舎2F	0768-52-1140
福井労働局	910-8559	福井市春山1－1－54　福井春山合同庁舎	0776-22-2656
福　　井	910-0842	福井市開発1－121－5	077-654-7857
敦　　賀	914-0055	敦賀市鉄輪町1－7－3　敦賀駅前合同庁舎2F	0770-22-0745
武　　生	915-0814	越前市中央1－6－4	0778-23-1440
大　　野	912-0052	大野市弥生町1－31	0779-66-3838
山梨労働局	400-8577	甲府市丸の内1－1－11	055-225-2856
甲　　府	400-8579	甲府市下飯田2－5－51	055-224-5619
都　　留	402-0005	都留市四日市場23－2	0554-43-2195
鰍　　沢	400-0601	南巨摩郡富士川町鰍沢1760－1　富士川地方合同庁舎5F	0556-22-3181
長野労働局	380-8572	長野市中御所1－22－1	026-223-0556
長　　野	380-8573	長野市中御所1－22－1	026-474-9939
松　　本	390-0852	松本市大字島立1696	026-344-1253
岡　　谷	394-0027	岡谷市中央町1－8－4　岡谷地方合同庁舎3F	0266-22-3454
上　　田	386-0025	上田市天神2－4－70　上田労働総合庁舎	0268-22-0338
飯　　田	395-0051	飯田市高羽町6－1－5　飯田高羽合同庁舎3F	0265-22-2635
中　　野	383-0022	中野市中央1－2－21	0269-22-2105
小　　諸	384-0017	小諸市三和1－6－22	0267-22-1760
伊　　那	396-0015	伊那市中央5033－2	0265-72-6181
大　　町	398-0002	大町市大町2943－5　大町地方合同庁舎4F	0261-22-2001
岐阜労働局	500-8723	岐阜市金竜町5－13　岐阜合同庁舎3F	058-245-8105
岐　　阜	500-8157	岐阜市五坪1－9－1　岐阜労働総合庁舎3F	058-247-2370
大　　垣	503-0893	大垣市藤江町1－1－1	058-480-5082
高　　山	506-0009	高山市花岡町3－6－6	0577-32-1180
多　治　見	507-0037	多治見市音羽町5－39－1　多治見労働総合庁舎3F	0572-22-6381
関	501-3803	関市西本郷通3－1－15	0575-22-3251
恵　　那	509-7203	恵那市長島町正家1－3－12　恵那合同庁舎2F	0573-26-2175
岐　阜　八　幡	501-4235	郡上市八幡町有坂1209－2　郡上八幡地方合同庁舎3F	0575-65-2101
静岡労働局	420-8639	静岡市葵区追手町9－50　静岡地方合同庁舎3F	054-254-6369
浜　　松	430-8639	浜松市中央区中央1－12－4　浜松合同庁舎8F	053-456-8150
静　　岡	420-0858	静岡市葵区伝馬町24－2　相川伝馬町ビル2・3F	054-252-8108
沼　　津	410-0831	沼津市市場町9－1　沼津合同庁舎4F	055-933-5830
三　　島	411-0033	三島市文教町1－3－112　三島労働総合庁舎3F	055-916-7343
三島労働基準監督署 下田駐在事務所	415-0036	下田市西本郷2－5－33　下田地方合同庁舎1F	0558-22-0649
富　　士	417-0041	富士市御幸町13－28	0545-51-2255

局署名	郵便番号	所在地	電話番号
磐　田	438-8585	磐田市見付3599－6　磐田地方合同庁舎4F	0538-82-3087
島　田	427-8508	島田市本通1－4677－4　島田労働総合庁舎3F	054-741-4913
愛知労働局	460-0008	名古屋市中区栄2－3－1　名古屋広小路ビルヂング6・11・15F	052-855-2147
名古屋北	461-8575	名古屋市東区白壁1－15－1　名古屋合同庁舎第3号館8F	052-961-8655
名古屋南	455-8525	名古屋市港区港明1－10－4	052-651-9209
名古屋東	468-8551	名古屋市天白区中平5－2101	052-800-0794
名古屋西	453-0813	名古屋市中村区二ツ橋町3－37	052-481-9534
豊　橋	440-8506	豊橋市大国町111　豊橋地方合同庁舎6F	0532-54-1194
岡　崎	444-0813	岡崎市羽根町字北乾地50－1　岡崎合同庁舎5F	0564-52-3163
一　宮	491-0903	一宮市八幡4－8－7　一宮労働総合庁舎2F	0586-80-8092
半　田	475-8560	半田市宮路町200－4　半田地方合同庁舎2F	0569-55-7392
刈　谷	448-0858	刈谷市若松町1－46－1　刈谷合同庁舎3F	0566-80-9844
豊　田	471-0867	豊田市常盤町3－25－2	0565-30-7112
瀬　戸	489-0881	瀬戸市熊野町100	0561-82-2103
津　島	496-0042	津島市寺前町3－87－4	0567-26-4155
江　南	483-8162	江南市尾崎町河原101	0587-54-2443
西尾支署	445-0072	西尾市徳次町下十五夜13	0563-57-7161
三重労働局	514-8524	津市島崎町327－2　津第2地方合同庁舎	059-226-2109
四日市	510-0064	四日市市新正2－5－23	059-351-1661
松　阪	515-0011	松阪市高町493－6　松阪合同庁舎3F	0598-51-0015
津	514-0002	津市島崎町327－2　津第2地方合同庁舎1F	059-227-1286
伊　勢	516-0008	伊勢市船江1－12－16	0596-28-2164
伊　賀	518-0836	伊賀市緑ヶ丘本町1507－3　伊賀上野地方合同庁舎	0595-21-0802
熊　野	519-4324	熊野市井戸町672－3	0597-85-2277
滋賀労働局	520-0806	大津市打出浜14－15　滋賀労働総合庁舎	077-522-6630
大　津	520-0806	大津市打出浜14－15	077-522-6644
彦　根	522-0054	彦根市西今町58－3　彦根地方合同庁舎3F	0749-22-0654
東近江	527-8554	東近江市八日市緑町8－14	074-841-3367
京都労働局	604-0846	京都市中京区両替町通御池上ル金吹町451	075-241-3217
京都上	604-8467	京都市中京区西ノ京大炊御門町19－19	075-462-5125
京都下	600-8009	京都市下京区四条通室町東入函谷鉾町101　アーバンネット四条烏丸ビル5F	075-254-3198
京都南	612-8108	京都市伏見区奉行前町6	075-601-8324
福知山	620-0035	福知山市内記1－10－29　福知山地方合同庁舎4F	0773-22-2181
舞　鶴	624-0946	舞鶴市字下福井901　舞鶴港湾合同庁舎6F	0773-75-0680
丹　後	627-0012	京丹後市峰山町杉谷147－14	0772-62-1214
園　部	622-0003	南丹市園部町新町118－13	0771-62-0567
大阪労働局	540-8527	大阪市中央区大手前4－1－67　大阪合同庁舎第2号館9F	06-6949-6507
大阪中央	540-0003	大阪市中央区森ノ宮中央1－15－10	06-7669-8728
天　満	530-6007	大阪市北区天満橋1－8－30　OAPタワー7F	06-7713-2005
大阪南	557-8502	大阪市西成区玉出中2－13－27	06-7688-5582
大阪西	550-0014	大阪市西区北堀江1－2－19　アステリオ北堀江ビル9F	06-7713-2023
西野田	554-0012	大阪市此花区西九条5－3－63	06-7669-8788
淀　川	532-8507	大阪市淀川区西三国4－1－12	06-7668-0270
東大阪	577-0809	東大阪市永和2－1－1　東大阪商工会議所3F	06-7713-2027
岸和田	596-0073	岸和田市岸城町23－16	072-498-1014
堺	590-0078	堺市堺区南瓦町2－29　堺地方合同庁舎3F	072-340-3835
羽曳野	583-0857	羽曳野市誉田3－15－17	072-942-1309
北大阪	573-8512	枚方市東田宮1－6－8	072-391-5827
泉大津	595-0025	泉大津市旭町22－45　テクスピア大阪6F	0725-27-1212
茨　木	567-8530	茨木市上中条2－5－7	072-604-5310
兵庫労働局	650-0044	神戸市中央区東川崎町1－1－3　神戸クリスタルタワー16F	078-367-9155
神戸東	650-0024	神戸市中央区海岸通29　神戸地方合同庁舎3F	078-332-5353
神戸西	652-0802	神戸市兵庫区水木通10－1－5	078-576-1831
尼　崎	660-0892	尼崎市東難波町4－18－36　尼崎地方合同庁舎	06-6481-1541
姫　路	670-0947	姫路市北条1－83	079-224-1481
伊　丹	664-0881	伊丹市昆陽1－1－6　伊丹労働総合庁舎	072-710-7082
西　宮	662-0942	西宮市浜町7－35　西宮地方合同庁舎	079-824-8603
加古川	675-0017	加古川市野口町良野1737	079-422-5001
西　脇	677-0015	西脇市西脇885-30　西脇地方合同庁舎	0795-22-3366
但　馬	668-0031	豊岡市大手町9－15	0796-22-5145
相　生	678-0031	相生市旭1－3－18　相生地方合同庁舎	0791-22-1020
淡　路	656-0014	洲本市桑間280－2	0799-22-2591
奈良労働局	630-8570	奈良市法蓮町387　奈良第3地方合同庁舎	0742-32-1910
奈　良	630-8301	奈良市高畑町552　奈良第2地方合同庁舎	074-285-6445
葛　城	635-0095	大和高田市大中393	0745-40-4492
桜　井	633-0062	桜井市粟殿1012	0744-42-6901
大　淀	638-0821	吉野郡大淀町下渕364－1	0747-52-0261
和歌山労働局	640-8581	和歌山市黒田2－3－3　和歌山労働総合庁舎	073-488-1153

局　署　名	郵便番号	所　在　地	電話番号
和　歌　山	640-8582	和歌山市黒田２−３−３　　和歌山労働総合庁舎	073-407-2202
御　　　坊	644-0011	御坊市湯川町財部1132	0738-22-3571
橋　　　本	648-0072	橋本市東家６−９−２	0736-32-1190
田　　　辺	646-8511	田辺市明洋２−24−１	0739-22-4694
新　　　宮	647-0033	新宮市清水元１−２−９	0735-22-5295
鳥取労働局	680-8522	鳥取市富安２−89−９	0857-29-1706
鳥　　　取	680-0845	鳥取市富安２−89−４　　鳥取第１地方合同庁舎４Ｆ	0857-24-3095
米　　　子	683-0067	米子市東町124−16　　米子地方合同庁舎	085-959-0023
倉　　　吉	682-0816	倉吉市駄経寺町２−15　　倉吉地方合同庁舎	0858-22-6274
島根労働局	690-0841	松江市向島町134−10　　松江地方合同庁舎５Ｆ	0852-31-1159
松　　　江	690-0841	松江市向島町134−10　　松江地方合同庁舎２Ｆ	085-231-1254
出　　　雲	693-0028	出雲市塩冶善行町13−３　　出雲地方合同庁舎４Ｆ	0853-21-1240
浜　　　田	697-0026	浜田市田町116−９	0855-22-1840
益　　　田	698-0027	益田市あけぼの東町４−６　　益田地方合同庁舎	0856-22-2351
岡山労働局	700-8611	岡山市北区下石井１−４−１　　岡山第２合同庁舎	086-225-2019
岡　　　山	700-0913	岡山市北区大供２−11−20	086-225-0593
倉　　　敷	710-0047	倉敷市大島407−１	086-422-8179
津　　　山	708-0022	津山市山下９−６　　津山労働総合庁舎	0868-22-7157
笠　　　岡	714-0081	笠岡市笠岡5891　　笠岡労働総合庁舎	0865-62-4196
和　　　気	709-0442	和気郡和気町福富313	0869-93-1358
新　　　見	718-0011	新見市新見811−１	0867-72-1136
広島労働局	730-8538	広島市中区上八丁堀６−30　　広島合同庁舎第２号館（４Ｆ・５Ｆ）	082-221-9245
広　島　中　央	730-8528	広島市中区上八丁堀６−30　　広島合同庁舎第２号館１Ｆ	082-221-2461
呉	737-0051	呉市中央３−９−15	082-388-2941
福　　　山	720-8503	福山市旭町１−７	084-923-0214
三　　　原	723-0016	三原市宮沖２−13−20	0848-63-3939
尾　　　道	722-0002	尾道市古浜町27−13　　尾道地方合同庁舎	0848-22-4158
三　　　次	728-0013	三次市十日市東１−９−９	0824-62-2104
広　島　北	731-0223	広島市安佐北区可部南３−３−28	082-812-2115
廿　日　市	738-0024	廿日市市新宮１−15−40　　廿日市地方合同庁舎	0829-32-1155
山口労働局	753-8510	山口市中河原町６−16　　山口地方合同庁舎２号館	083-995-0374
下　　　関	750-8522	下関市東大和町２−５−15	083-237-2167
宇　　　部	755-0044	宇部市新町10−33　　宇部地方合同庁舎４Ｆ	083-648-0090
徳　　　山	745-0844	周南市速玉町３−41	0834-21-1788
下　　　松	744-0078	下松市西市２−10−25	0833-41-1780
岩　　　国	740-0027	岩国市中津町２−15−10	0827-24-1133
山　　　口	753-0088	山口市中河原町６−16　　山口地方合同庁舎１号館	083-600-0362
萩	758-0074	萩市大字平安古町599−３　　萩地方合同庁舎	0838-22-0750
徳島労働局	770-0851	徳島市徳島町城内６−６　　徳島地方合同庁舎	088-652-9144
徳　　　島	770-8533	徳島市万代町３−５　　徳島第２地方合同庁舎	088-638-2684
鳴　　　門	772-0003	鳴門市撫養町南浜字馬目木119−６	0886-86-5164
三　　　好	778-0002	三好市池田町マチ2429−12	0883-72-1105
阿　　　南	774-0011	阿南市領家町本荘ヶ内120−６	0884-22-0890
香川労働局	760-0019	高松市サンポート３−33　　高松サンポート合同庁舎北館３Ｆ	087-811-8921
高　　　松	760-0019	高松市サンポート３−33　　高松サンポート合同庁舎２Ｆ	087-811-8948
丸　　　亀	763-0034	丸亀市大手町３−１−２	0877-22-6244
坂　　　出	762-0003	坂出市久米町１−15−55	0877-46-3196
観　音　寺	768-0060	観音寺市観音寺町甲3167−１	0875-25-2138
東　か　が　わ	769-2601	東かがわ市三本松591−１　　大内地方合同庁舎	0879-25-3137
愛媛労働局	790-8538	松山市若草町４−３　　松山若草合同庁舎５Ｆ	089-935-5206
松　　　山	791-8523	松山市六軒家町３−27　　松山労働総合庁舎４Ｆ	089-918-2461
新　居　浜	792-0025	新居浜市一宮町１−５−３	089-738-2791
今　　　治	794-0042	今治市旭町１−３−１	0898-32-4560
八　幡　浜	796-0031	八幡浜市江戸岡１−１−10	0894-22-1750
宇　和　島	798-0036	宇和島市天神町４−40　　宇和島地方合同庁舎３Ｆ	0895-22-4655
高知労働局	781-9548	高知市南金田１−39	088-885-6025
高　　　知	781-9526	高知市南金田１−39	088-800-1381
須　　　崎	785-8511	須崎市緑町７−11	0889-42-1866
四　万　十	787-0012	四万十市右山五月町３−12　　中村地方合同庁舎	0880-35-3148
安　　　芸	784-0001	安芸市矢の丸２−１−６　　安芸地方合同庁舎	0887-35-2128
福岡労働局	812-0013	福岡市博多区博多駅東２−11−１　　福岡合同庁舎新館４Ｆ	092-411-4799
福　岡　中　央	810-8605	福岡市中央区長浜２−１−１	092-761-5604
大　牟　田	836-8502	大牟田市小浜町24−13	0944-53-3987
久　留　米	830-0037	久留米市諏訪野町2401	0942-90-0235
飯　　　塚	820-0018	飯塚市芳雄町13−６　　飯塚合同庁舎	0948-22-3200
北　九　州　西	806-8540	北九州市八幡西区岸の浦１−５−10	093-285-3791
北　九　州　東	803-0814	北九州市小倉北区大手町13−26	093-288-5612
門　司　支　署	800-0004	北九州市門司区北川町１−18	093-381-5361

局　署　名	郵便番号	所　在　地	電話番号
田　　　川	825-0013	田川市中央町4－12	0947-42-0380
直　　　方	822-0017	直方市殿町9－17	0949-22-0544
行　　　橋	824-0005	行橋市中央1－12－35	0930-23-0454
八　　　女	834-0047	八女市稲富132	0943-23-2121
福　岡　東	813-0016	福岡市東区香椎浜1－3－26	092-687-5346
佐賀労働局	840-0801	佐賀市駅前中央3－3－20　佐賀第2合同庁舎	0952-32-7193
佐　　　賀	840-0801	佐賀市駅前中央3－3－20　佐賀第2合同庁舎3F	095-232-7141
唐　　　津	847-0861	唐津市二タ子3－214－6　唐津港湾合同庁舎1F	0955-73-2179
武　　　雄	843-0023	武雄市武雄町昭和758	0954-22-2165
伊　万　里	848-0027	伊万里市立花町大尾1891－64	0955-23-4155
長崎労働局	850-0033	長崎市万才町7－1　TBM長崎ビル	095-801-0034
長　　　崎	852-8542	長崎市岩川町16－16　長崎合同庁舎2F	095-846-6353
佐　世　保	857-0041	佐世保市木場田町2－19　佐世保合同庁舎3F	0956-24-4161
江　　　迎	859-6101	佐世保市江迎町長坂123－19	0956-65-2141
島　　　原	855-0033	島原市新馬場町905－1	0957-62-5145
諫　　　早	854-0081	諫早市栄田町47－37	0957-26-3310
対　　　馬	817-0016	対馬市厳原町東里341－42　厳原地方合同庁舎	0920-52-0234
熊本労働局	860-8514	熊本市西区春日2－10－1　熊本地方合同庁舎A棟9F	096-355-3183
熊　　　本	862-8688	熊本市中央区大江3－1－53　熊本第2合同庁舎5F	096-206-9821
八　　　代	866-0852	八代市大手町2－3－11	0965-32-3151
玉　　　名	865-0016	玉名市岩崎273　玉名合同庁舎5F	0968-73-4411
人　　　吉	868-0014	人吉市下薩摩瀬町1602－1　人吉労働総合庁舎2F	0966-22-5151
天　　　草	863 0050	天草市丸尾町16　48　天草労働総合庁舎2F	0969-23-2266
菊　　　池	861-1306	菊池市大琳寺236－4	096-828-2669
大分労働局	870-0037	大分市東春日町17－20　大分第2ソフィアプラザビル6F	097-536-3214
大　　　分	870-0016	大分市新川町2－1－36　大分合同庁舎2F	097-535-1514
中　　　津	871-0031	中津市大字中殿550－20　中津合同庁舎2F	0979-22-2720
佐　　　伯	876-0811	佐伯市鶴谷町1－3－28　佐伯労働総合庁舎3F	0972-22-3421
日　　　田	877-0012	日田市淡窓1－1－61	0973-22-6191
豊　後　大　野	879-7131	豊後大野市三重町市場1225－9　三重合同庁舎4F	0974-22-0153
宮崎労働局	880-0805	宮崎市橘通東3－1－22　宮崎合同庁舎	0985-38-8837
宮　　　崎	880-0813	宮崎市丸島町1－15	098-544-2915
延　　　岡	882-0803	延岡市大貫町1－2885－1　延岡労働総合庁舎3F	0982-34-3331
都　　　城	885-0072	都城市上町2街区11号　都城合同庁舎6F	0986-23-0192
日　　　南	887-0031	日南市戸高1－3－17	0987-23-5277
鹿児島労働局	892-8535	鹿児島市山下町13－21　鹿児島合同庁舎2F	099-223-8280
鹿　児　島	890-8545	鹿児島市薬師1－6－3	099-803-9632
川　　　内	895-0063	薩摩川内市若葉町4－24　川内地方合同庁舎	0996-22-3225
鹿　　　屋	893-0064	鹿屋市西原4－5－1　鹿屋合同庁舎5F	0994-43-3385
加　治　木	899-5211	姶良市加治木町新富町98－6	0995-63-2035
名　　　瀬	894-0036	奄美市名瀬長浜町1－1　名瀬合同庁舎	0997-52-0574
沖縄労働局	900-0006	那覇市おもろまち2－1－1　那覇第2地方合同庁舎（1号館）3F	098-868-3559
那　　　覇	900-0006	那覇市おもろまち2－1－1　那覇第2地方合同庁舎2F	098-868-8040
沖　　　縄	904-0003	沖縄市住吉1－23－1　沖縄労働総合庁舎3F	098-916-6335
名　　　護	905-0011	名護市字宮里452－3　名護地方合同庁舎1F	0980-52-2691
宮　　　古	906-0013	宮古島市平良字下里1016　平良地方合同庁舎1F	0980-72-2303
八　重　山	907-0004	石垣市登野城55－4　石垣地方合同庁舎2F	0980-82-2344

資料2　労災保険指定医療機関療養担当規程

（平成7年7月25日・基発第476号，直近改正：平成25年4月8日・基発0408第1号）

第1章　診療の担当

（任　務）

第1　労働者災害補償保険法施行規則（以下「則」という。）第11条の規定に基づき都道府県労働局長の指定を受けた病院又は診療所（以下「指定医療機関」という。）は，則第11条第1項の規定により，政府が行うべき療養の給付を政府に代わって行うとともに，労働者災害補償保険法（以下「法」という。）第29条第1項第1号に基づく社会復帰促進等事業としてのアフターケア及び外科後処置を行うものとする。

　ただし，アフターケア及び外科後処置については，都道府県労働局長からこれらの任務を含む指定を受けた指定医療機関に限る。

② 指定医療機関は，法の規定によるほか，この規程の定めるところにより，療養の給付を受けることができる者（以下「傷病労働者」という。）の負傷又は疾病についての療養の給付，アフターケア及び外科後処置を担当する。

③ 指定医療機関は，当該指定医療機関において療養の給付，アフターケア及び外科後処置に従事する医師若しくは歯科医師（以下「診療担当医」という。）又は調剤に従事する薬剤師をして前2項の規定を遵守させるものとする。

（療養の給付の担当の範囲）

第2　指定医療機関が担当する療養の給付（政府が必要と認めるものに限る。）の範囲は，次のとおりとする。
1　診察
2　薬剤又は治療材料の支給
3　処置，手術その他の治療
4　居宅における療養上の管理及びその療養に伴う世話その他の看護
5　病院又は診療所への入院及びその療養に伴う世話その他の看護

② 前項の規定にかかわらず，船舶内に設置された診療所（以下「船内診療所」という。）において担当する療養の給付の範囲は，前項の1から3までとする。

（アフターケア及び外科後処置の担当の範囲）

第3　指定医療機関が担当するアフターケアの範囲は，次のとおりとする。
1　診察
2　保健指導
3　保健のための処置
4　検査
5　保健のための薬剤の支給

② 指定医療機関が担当する外科後処置の範囲は，次のとおりとする。
1　診察
2　薬剤又は治療材料の支給
3　処置，手術その他の治療
4　病院又は診療所への入院及びその療養に伴う世話その他の看護
5　筋電電動義手の装着訓練等

（療養の給付，アフターケア及び外科後処置の担当方針）

第4　指定医療機関及び診療担当医は，次に掲げる方針により療養の給付，アフターケア及び外科後処置を

行うものとする。
1　診療は，一般に医師又は歯科医師として療養，アフターケア及び外科後処置の必要があると認められる負傷又は疾病に対して行い，的確な診断をもととし，傷病労働者，アフターケア及び外科後処置の対象者（以下「傷病労働者等」という。）の労働能力の保全又は回復上最も妥当適切に行うこと。
2　診療に当たっては，懇切丁寧を旨とし，療養，アフターケア及び外科後処置上必要な事項は理解し易いように指導すること。
3　診療に当たっては，常に医学の立場を堅持して，傷病労働者等の心身の状態を観察し，心理的な効果をも挙げることができるよう適切な指導をすること。

（受給資格の確認等）

第5　指定医療機関は，傷病労働者等から療養の給付，アフターケア又は外科後処置を受けることを求められたときは，その者の提出する「療養補償給付たる療養の給付請求書」又は「療養給付たる療養の給付請求書」（以下「療養給付請求書」という。）によって療養の給付を受ける資格があるか，健康管理手帳によってアフターケアを受ける資格があるか，又は外科後処置承認決定通知書によって外科後処置を受ける資格があることを確認した後診察すること。

　ただし，緊急やむを得ない事由によって療養給付請求書，健康管理手帳又は外科後処置承認決定通知書を提出することができない者であって，療養の給付，アフターケア又は外科後処置を受ける資格があることが明らかな者については，この限りでない。この場合においては，その事由がやんだのち，遅滞なく，療養給付請求書，健康管理手帳又は外科後処置承認決定通知書を提出させること。

② 傷病労働者から提出された前項の療養給付請求書は，当該療養給付請求書に当該医療機関の名称を記入の上，遅滞なく，傷病労働者の所属する事業場（傷病労働者が船員法第1条に規定する船員の場合にあっては当該船員が所属する船員を使用して行う事業。以下同じ。）の所在地を管轄する労働基準監督署長（以下「所轄労働基準監督署長」という。）に対し，当該医療機関（船内診療所にあっては当該船舶に係る事業。）の所在地を管轄する都道府県労働局（以下「管轄労働局」という。）を経由し，提出しなければならない。

③ 前2項の規定にかかわらず，船内診療所において行われた療養の給付に係る療養給付請求書については，本邦に寄港後，遅滞なく，傷病労働者から船内診療所あて提出させた後，管轄労働局長を経由し，所轄労働基準監督署長に提出しなければならない。

（証明の記載）

第6　指定医療機関は，傷病労働者等から「療養補償給付たる療養の費用請求書」，「療養給付たる療養の費用請求書」に証明の記載を求められたときは，無償でこれを行うこと。

（助　力）

第7　指定医療機関は，傷病労働者の病状が，看護又は移送の給付が行われる必要があると認めた場合，速やかに当該傷病労働者又はその関係者にその手続を取らせるよう必要な助力をすること。

（診療録の記載及び整理）

第8　指定医療機関は，傷病労働者等に関する診療録を調製し，療養の給付，アフターケア又は外科後処置に関

し，必要な事項を記載しこれを他の診療録と区別して整備すること。

② 前項の診療録には，前項の事項のほか，次の事項を記載しなければならない。

　1　診療に関して証明又は診断書の交付を行ったときは，当該証明又は診断書等の概要と交付年月日

　2　初診時に既往の身体障害が認められたときはその概要

（帳簿等の保存）

第9　指定医療機関は，療養の給付，アフターケア又は外科後処置に関する帳簿及び書類その他の記録をその完結の日から3年間保存すること。ただし，診療録については，その完結の日から5年間とする。

（通　知）

第10　指定医療機関は，傷病労働者等が次の各号の一に該当する場合には，遅滞なく，意見を付して，その旨を所轄労働基準監督署長に通知すること。

　1　傷病労働者の所属する事業場の保険関係について，疑わしい事情が認められるとき

　2　負傷又は疾病の原因又は発生状況について，傷病労働者又はその関係者より聴取した事項と療養給付請求書に記載されている事実との間に，重大な相違が認められるとき

　3　負傷又は疾病が業務上又は通勤によるものと認めることに疑いのあるとき

　4　負傷又は疾病の原因が事業主又は労働者の故意又は重大な過失によるものと認められるとき

② 指定医療機関は，傷病労働者等又はその関係者が次の各号の一に該当する場合には，その診療又は証明を拒否するとともに，速やかにその旨を所轄労働基準監督署長又は健康管理手帳及び外科後処置承認決定通知書を交付した都道府県労働局長に通知すること。

　1　療養の給付，アフターケア若しくは外科後処置を請求した者又はその関係者が詐欺その他不正な行為により，診療を受け若しくは受けようとし又は診療を受けさせ若しくは受けさせようとしたとき

　2　療養の給付，アフターケア又は外科後処置を請求した者が，正当な事由がないにもかかわらず，診療担当医の診療に関する指示に従わないとき

　3　不正又は不当な証明を強要したとき

第2章　診療の方針

（診療の一般方針）

第11　診療担当医の診療は，第4及び第12から第14までの規定によるほか，次に掲げるところによるものとする。

　1　診察，薬剤又は治療材料の支給，処置，手術，理学療法，その他の治療は，一般に療養上必要があると認められる場合に，必要の程度において行うこと。

　2　医学上一般に医療効果の不明又は認められない特殊な療法又は新しい療法は，これを行わないこと。

　3　健康保険法の規定に基づき厚生労働大臣の定めるもの以外の医薬品は，原則として施用し又は処方しないこと。ただし，傷病労働者の病状によりその必要が認められ，かつ，この効果が明らかに期待できると認められる場合には，この限りでないこと。

　4　収容の指示は，療養上必要があると認められた場合のみ行い，収容を必要とした療養上の理由が

なくなったときは，直ちに退院の指示を行うこと。

　5　アフターケアは，アフターケア実施要領に定める範囲内で行うこと。

　6　外科後処置は，外科後処置実施要綱に定める範囲内で行うこと。

（転医及び対診）

第12　診療担当医は，傷病労働者等の負傷又は疾病が自己の専門外にわたるものであるとき又はその診療について疑義があるときは，他の指定医療機関に転医させ，又は他の診療担当医の対診を求める等診療について適切な措置を講ずること。

（転医の取扱い）

第13　診療担当医は，傷病労働者が他の医療機関に転医を希望する場合には，当該傷病労働者の診療について，次に掲げる事項を記載した文書を当該傷病労働者又はその関係者に交付し，転医後の医師又は歯科医師に提出するよう指示すること。

　1　傷病労働者の氏名，年齢及び性別

　2　傷病の部位及び傷病名

　3　初診時における負傷又は疾病の状態（初診時において既往の身体障害が認められたものについては，その概要も記載すること。）及び傷病の経過の概要（手術又は検査の主要所見と病状の概要）

② 診療担当医は，他の医療機関から転医してきた傷病労働者等について，その病状から必要がある場合には，転医前の医療機関に対して当該傷病労働者にかかわる転医前の診療の経過に関する文書を求めるものとする。

（施術の同意）

第14　診療担当医は，傷病労働者の負傷又は疾病が自己の診療行為を必要とする症状であるにかかわらず，みだりに施術業者の施術を受けることに同意を与えてはならない。

第3章　療養の給付に関する診療費の請求

（診療費の算定方法等）

第15　指定医療機関が，療養の給付に関し政府に請求することを得る診療費の額は，別に定めるところにより算定するものとする。

② 政府は，指定医療機関から療養の給付に関する費用の請求書が提出されたときは，別に定めるところにより審査を行いこれを支払うものとする。

（診療費の請求手続）

第16　指定医療機関は，第15の規定により算定した毎月分の診療費用の額を労働者災害補償保険診療費請求書に診療費請求内訳書を添付して，管轄労働局長に提出すること。

　　ただし，指定医療機関が行った次に掲げる各号の一に該当する診療については，それに要した費用の全部又は一部は支払わない。

　1　労働者の業務外の負傷又は疾病についての診療

　2　労災保険法第12条の2の2の規定により療養の給付の制限を行う旨所轄労働基準監督署長から通知があった後における診療

　3　政府が必要と認めるものを超えた診療

② 前項本文の規定にかかわらず，船内診療所にあっては，行った診療について，本邦に寄港後，遅滞なく，労働者災害補償保険診療費請求書を管轄労働局長に提出することとする。

③ 第1項の労働者災害補償保険診療費請求書及び診療費請求内訳書は，厚生労働省労働基準局長が定めた様式によるものとする。

第４章　アフターケア及び外科後処置に関する 委託費の請求

（委託費の算定方法）

第17　指定医療機関が，アフターケア及び外科後処置に関し政府に請求することを得る委託費の額は，別に定めるところにより算定するものとする。

②　政府は，指定医療機関からアフターケア及び外科後処置に関する費用の請求書が提出されたときは，別に定めるところにより審査を行いこれを支払うものとする。

（委託費の請求手続）

第18　指定医療機関は，本規程に基づいて行ったアフターケア及び外科後処置に要した費用を請求しようとするときは，第17の規定により算定した毎月分の診療費用の額を，アフターケアについては労働者災害補償保険アフターケア委託費請求書にアフターケア委託費請求内訳書を，外科後処置については外科後処置委託費請求書に内訳書を添付して管轄労働局長に提出すること。

　ただし，指定医療機関が行った次に掲げる各号の一に該当する診療については，それに要した費用の全部又は一部を支払わない。

1　アフターケアの健康管理手帳に記載された疾病以外の負傷又は疾病についての診療

2　アフターケアの健康管理手帳に記載された疾病に係る政府が必要と認める診療を超えた診療

3　外科後処置承認決定通知書に記載された処置内容以外についての診療

4　外科後処置承認決定通知書に記載された処置内容に係る政府が必要と認める診療を超えた診療

②　前項の労働者災害補償保険アフターケア委託費請求書，アフターケア委託費請求内訳書及び外科後処置委託費請求書等は，厚生労働省労働基準局長が定めた様式によるものとする。

第５章　指定医療機関の取扱い

（指定期間等）

第19　則第11条の規定による指定医療機関の指定は，指定日から起算して３年を経過したときはその効力を失うものとする。ただし，指定の効力を失う日前６月より同日前３月までの間に指定医療機関から別段

の申し出がないときはその指定はその都度更新されるものとする。

　また，医業の廃止，休止又は指定の辞退により指定医療機関としての資格の存続ができなくなったときは，指定医療機関の指定及び指定取消事務準則（略）の別紙様式第７号「労災保険指定医療機関休止・辞退届」により，指定を受けた都道府県労働局長に届け出るものとする。

（表　示）

第20　指定医療機関は，則様式第１号又は第２号による標札を見やすい場所に掲げること。

（指定の取消）

第21　指定医療機関が，次の各号の一に該当する場合においては，都道府県労働局長は，その指定を取り消すことができる。

1　診療費用の請求に関し，不正行為があったとき

2　関係法令及び本規程に違反したとき

②　前項により指定の取消しを受けた医療機関の開設者が当該決定に不服のあるときは，決定の通知を受けた日から60日以内に指定取消しを行った都道府県労働局長に再調査を申し出ることができる。

（変更事項の届出）

第22　指定医療機関の開設者は，次の各号の一に掲げる事由が生じたときは，速やかにその旨及びその年月日を指定を行った都道府県労働局長に届け出なければならない。

1　指定医療機関の開設者又は管理者に異動があったとき

2　名称又は所在地に変更があったとき

3　診療科目又は病床数に変更があったとき（施設基準に係るものを除く）

4　健康保険診療報酬の算定に関する届出事項等に変更があったとき（施設基準に係るものを除く）

5　指定申請の際に提出した医療機関施設等概要書に記載した重要事項その他都道府県労働局長が必要と認めた事項に変更があったとき

第６章　その他

（施行期日等）

第23　平成25年４月８日付け基発0408第１号による改正後の本規程は平成25年４月８日から施行する。

索　　引

〔著者略歴〕

武田 匡弘

1988年4月　医療法人社団緑成会　横浜総合病院入職
1999年1月　㈱日本鋼管　日本鋼管病院入職（2003年4月〜医療法人社団こうかん会）
2009年9月　医療法人相和会入職　管理本部医療企画部部長
　　　　　　（病院事務研究会委員
　　　　　　神奈川県病院協会保険対策部会副部長，医事研究部会委員）
著書　『請求もれ・査定減ゼロ対策』（医学通信社）（共著）
　　　『治療薬 UP-TO-DATE 2012』（メディカルレビュー社）2012（共著）

杉山 勝志

1987年　社会福祉法人聖母会　聖母病院入職
　　　　事務次長
　　　　（東京医事研究会会長
　　　　東京都社会福祉協議会医療部会医事研究会副会長）

野中 義哲

1999年　医療法人社団三喜会入職
　　　　横浜新緑総合病院に勤務
2014年　鶴巻温泉病院に勤務
2021年　医療法人社団三喜会　法人本部次長

金谷 渉

2005年　社会医療法人社団三思会　東名厚木病院入職
2024年　事務部事務長
　　　　（神奈川県病院協会保険医療対策委員会　医事研究部会委員）

2024年6月労災診療費改定準拠

よくわかる　労災・自賠責請求マニュアル　2024-25年版
──窓口対応・制度・請求方法の全知識──　　＊定価は裏表紙に
　　　　　　　　　　　　　　　　　　　　　　　表示してあります

1998年1月5日　第1版第1刷発行
2024年8月22日　第14版第1刷発行

著　者　武　田　匡　弘
　　　　杉　山　勝　志
　　　　野　中　義　哲
　　　　金　谷　渉　章
発行者　小　野　　　章

発行所　🆔 医学通信社

〒101-0051 東京都千代田区神田神保町2-6 十歩ビル
電話 03-3512-0251（代表）・0253（編集）・FAX 03-3512-0250

https://www.igakutushin.co.jp
※　弊社発行書籍の内容に関する追加情報・
　　訂正等を掲載しています。

装丁デザイン：海保 透／イラスト：阿萬智博，松永えりか
印刷・製本：奥村印刷

落丁，乱丁本はお取り替えいたします。

© M.Takeda, et al. 2024. Printed in Japan.　　ISBN 978-4-87058-960-5

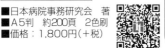

注 文 書

2024.8

※この面を弊社宛にFAXして下さい。あるいはこのハガキをそのままご投函下さい。

医学通信社・直通FAX → 03-3512-0250

お客様コード		（わかる場合のみで結構です）		
ご住所〔ご自宅又は医療機関・会社等の住所〕	〒		電話番号	
お名前〔ご本人又は医療機関等の名称・部署名〕	（フリガナ）		ご担当者	（法人・団体でご注文の場合）

〔送料〕1～9冊：100円×冊数，10冊以上何冊でも1,000円（消費税別）

書籍	ご注文部数	書籍	ご注文部数
		医療事務100問100答 2024年版 〔2024年4月刊〕	
診療点数早見表 2024年度版 〔2024年5月刊〕		入門・診療報酬の請求 2024-25年版 〔2024年7月刊〕	
DPC点数早見表 2024年度版 〔2024年5月刊〕		レセプト請求の全技術 2024-25年版 〔2024年6月刊〕	
薬価・効能早見表 2024年4月版 〔2024年4月刊〕		プロのレセプトチェック技術 2024-25年版 〔2024年8月刊〕	
受験対策と予想問題集 2024年版 〔2024年7月刊〕		在宅診療報酬Q＆A 2024-25年版 〔2024年8月刊予定〕	
診療報酬・完全攻略マニュアル 2024-25年版 〔2024年6月刊〕		労災・自賠責請求マニュアル 2024-25年版 〔2024年8月刊〕	
医療事務【実践対応】ハンドブック 2024年版 〔2024年5月刊〕		医師事務作業補助・実践入門BOOK 2024-25年版 〔2024年8月刊〕	
窓口事務【必携】ハンドブック 2024年版 〔2024年5月刊〕		"保険診療＆請求"ガイドライン 2024-25年版 〔2024年7月刊〕	
最新・医療事務入門 2024年版 〔2024年4月刊〕		介護報酬早見表 2024-26年版 〔2024年6月刊〕	
公費負担医療の実際知識 2024年版 〔2024年4月刊〕		介護報酬パーフェクトガイド 2024-26年版 〔2024年7月刊〕	
医療関連法の完全知識 2024年版 〔2024年6月刊〕		介護報酬サービスコード表 2024-26年版 〔2024年5月刊〕	
最新 検査・画像診断事典 2024-25年版 〔2024年5月刊〕		特定保険医療材料ガイドブック 2024年度版 〔2024年8月刊〕	
手術術式の完全解説 2024-25年版 〔2024年6月刊〕		標準・傷病名事典 Ver.4.0 〔2024年2月刊〕	
臨床手技の完全解説 2024-25年版 〔2024年6月刊〕		外保連試案 2024 〔2023年12月刊〕	
医学管理の完全解説 2024-25年版 〔2024年6月刊〕		診療情報管理パーフェクトガイド 2023年改訂新版 〔2023年9月刊〕	
在宅医療の完全解説 2024-25年版 〔2024年8月刊予定〕		【電子カルテ版】診療記録監査の手引き 〔2020年10月刊〕	
レセプト総点検マニュアル 2024年版 〔2024年6月刊〕		"リアル"なクリニック経営—300の鉄則 〔2020年1月刊〕	
診療報酬・完全マスタードリル 2024-25年版 〔2024年5月刊〕		医業経営を"最適化"させる38メソッド 2021年新版 〔2021年4月刊〕	
医療事務【BASIC】問題集 2024 〔2024年5月刊〕		（その他ご注文書籍）	

電子辞書BOX『GiGi-Brain』申込み	※折返し，契約・ダウンロードのご案内をお送りいたします
□ 『GiGi-Brain』を申し込む （□欄に∨を入れてください）	
メールアドレス（必須）	

『月刊／保険診療』申込み（番号・文字を○で囲んで下さい）　※割引特典は支払い手続き時に選択できます

① 定期購読を申し込む 〔　　　　　〕年〔　　　　　〕月号から 〔 1年 or 半年 〕

② 単品注文する（　　　年　　月号　　　冊）　③ 『月刊／保険診療』見本誌を希望する（無料）

101-8795

308

（受取人）
東京都千代田区神田神保町 2-6
（十歩ビル）

医 学 通 信 社 行
TEL.03-3512-0251　FAX.03-3512-0250

Ⅲlıl·ıllⅡⅡlⅡlⅡl·ıⅡⅡlıⅡⅡlⅡⅡⅡlⅡ

【ご注文方法】

①裏面に注文冊数，氏名等をご記入の上，弊社宛に FAX して下さい。
　このハガキをそのまま投函もできます。

②電話(03-3512-0251)，HP でのご注文も承っております。

→振込用紙同封で書籍をお送りします。(書籍代と,別途送料がかかります。)

③または全国の書店にて，ご注文下さい。

(今後お知らせいただいたご住所宛に，弊社書籍の新刊・改訂のご案内をお送りい
　たします。)

※今後，発行してほしい書籍・CD-ROM のご要望，あるいは既存書籍へのご意見
　がありましたら，ご自由にお書きください。